Victoria Dahl a commencé à lire des romans d'amour à un âge si précoce que c'en était indécent, et ne s'est plus arrêtée depuis! Par chance, ses nombreuses années de lecture l'ont aidée à reconnaître son prince charmant quand il s'est présenté. Désormais, elle habite à la montagne avec son mari et ses deux enfants.

Son premier roman a remporté le prix Golden Heart, qui récompense les meilleures œuvres de romance historique.

Victoria Dahl

Cœur rebelle

La Famille York

Traduit de l'anglais (États-Unis) par Constance de Mascureau

Milady Romance

Milady est un label des éditions Bragelonne

Titre original : *A Little Bit Wild*
Copyright © 2010 by Victoria Dahl

Suivi d'un extrait de : *It's Always Been You*
Copyright © 2011 by Victoria Dahl

© Bragelonne 2012, pour la présente traduction

Photographie de couverture :
© Manuel Kovsca / iStockphoto

ISBN : 978-2-8112-0760-1

Bragelonne – Milady
60-62, rue d'Hauteville – 75010 Paris

E-mail : info@milady.fr
Site Internet : www.milady.fr

Chapitre premier

L' homme qui était allongé sur Marissa York haletait contre sa joue, gémissant bruyamment.

Elle tourna la tête et regarda le mur d'un air agacé : elle avait l'impression que la pièce tournait autour d'elle. *Mon Dieu*. C'était un désastre. Heureusement, la fin semblait proche.

Après un été interminable à faire semblant de chercher un mari à Londres, Marissa avait pensé s'accorder une nuit de plaisirs interdits. Après tout, c'était la première réception que donnait sa famille depuis le début de la saison de la chasse, tout le monde s'amusait follement, et Marissa avait eu envie de faire de même. Mais au lieu de la distraction escomptée, elle avait déniché un compagnon d'une maladresse affligeante, et avait dû endurer une certaine douleur et de nombreux grognements. Peut-être était-ce la raison pour laquelle on imposait aux jeunes filles de rester pures jusqu'au mariage. Quelque fâcheux que soit le rapport, il n'y avait alors plus de retour possible.

— Mon amour, soupira Peter White dans son oreille. Ma douce, douce Marissa. C'était merveilleux. Parfait.

— « Parfait » ?

— Oh, oui.

Elle étira le cou pour tenter de soulager la pression exercée sur son dos.

— Euh, s'il vous plaît, pourriez-vous… vous lever ?

— Bien sûr, veuillez m'excuser.

Il se redressa sur les coudes. Elle n'avait désormais plus à supporter le poids de l'homme affalé sur sa poitrine, mais malheureusement, la partie inférieure de son corps se retrouva encore plus plaquée contre elle. Toute cette zone lui semblait assez… spongieuse.

— Mr White, je vous en prie, pouvez-vous vous lever ?

Il lui adressa un petit sourire entendu.

— Ne trouvez-vous pas étrange de m'appeler Mr White, à présent ?

— Non.

— J'espère que vous m'appellerez par mon prénom quand nous serons mariés, tout au moins dans…

— *Pardon* ?

Il se pencha pour lui déposer un baiser sur le nez. Marissa s'essuya vivement.

— Je m'entretiendrai avec votre frère demain, ronronna-t-il.

— Vous n'en ferez rien ! Maintenant, poussez-vous. Vous mettez plus de temps à descendre que vous n'en avez mis à me chevaucher.

L'imbécile obstiné parut enfin se rendre compte que sa performance n'avait pas rendu Marissa débordante de gratitude. Il se redressa davantage, s'enfonçant encore plus fermement en elle avec un bruit de succion.

— Oh, allez-vous-en, enfin, espèce d'idiot ! cria-t-elle.

— Marissa ! souffla-t-il, une expression outrée se peignant sur ses traits.

Elle entendit alors des pas à l'extérieur. Les yeux écarquillés, elle repoussa le torse de Mr White. La porte s'ouvrit.

Marissa retint son souffle. Il faisait sombre dans la pièce, et peut-être que la lumière du couloir n'était pas parvenue jusqu'à eux. Peut-être que s'ils restaient silencieux…

Peter White se racla la gorge.

—Si vous aviez l'amabilité de bien vouloir fermer la porte. Nous avons besoin d'intimité.

Avant que le choc que Marissa avait subi se mue en colère, la silhouette sur le seuil se tourna vers eux.

—Je vous demande pardon ?

C'était la voix de son frère.

Oh non… Pas lui.

Soudain, la porte s'ouvrit entièrement et Marissa fut éblouie par la lumière du couloir. Ils devaient être visibles, à présent. Son cœur s'emballa.

—Non, murmura-t-elle.

—Marissa Anne York ! rugit son frère juste avant de bondir sur l'homme qui la couvrait de son corps.

Mr White s'éloigna enfin d'elle, mais elle n'eut pas le temps de savourer son soulagement. Les ombres des deux hommes se fondirent en une seule, formant une énorme bête qui tituba vers le coin le plus sombre de la chambre. Des vases s'écrasèrent au sol et une table vint heurter le mur avec fracas.

—Arrêtez ! hurla Marissa, dans l'espoir que son cri fasse cesser la lutte et fige aussi le temps.

Si seulement elle pouvait revenir ne serait-ce qu'une demi-heure en arrière, au moment où elle terminait ce dernier verre de vin et laissait Mr White l'attirer dans cette chambre…

Marissa fut tentée de se lever d'un bond pour courir dans ses appartements, mais elle opta finalement pour la solution la plus angoissante. Elle rajusta ses jupes et se mit debout avec hésitation, pour faire face à son frère.

—Edward ! Arrêtez. S'il vous plaît.

—Espèce d'ignoble salopard, s'indigna son frère.

Le bruit sourd d'un coup de poing fit tressaillir Marissa. Puis, brusquement, le tumulte s'apaisa et seuls les halètements des deux hommes résonnèrent. Elle resta debout, tremblante, incapable d'esquisser le moindre geste.

—Edward ? chuchota-t-elle.

Elle entendit des morceaux de verre crisser sur le plancher. L'une des deux ombres se dressa et s'avança vers elle. Apeurée, Marissa recula, uniquement parce qu'elle ne parvenait pas à distinguer de qui il s'agissait. Elle savait que son frère ne lèverait jamais la main sur elle, quoi qu'elle fasse. Mais, dans l'obscurité qui régnait, on aurait cru voir un gobelin s'approcher.

Ou peut-être s'agissait-il de Mr White, et son frère gisait-il inanimé sur le sol.

—Edward ?

L'ombre releva la tête au dernier moment, et Marissa aperçut enfin le visage furieux de son frère ; il passa devant elle sans dire un mot. Elle entendit des bruits d'éclats de verre, puis une allumette craqua.

La lumière se diffusa lentement dans la pièce. Quand elle atteignit le coin le plus éloigné, Marissa constata que Mr White n'était pas du tout inconscient, mais qu'il se redressait, la main appuyée contre son œil. En le voyant, la jeune femme dut se maîtriser pour ne pas se précipiter sur lui et aggraver les dégâts déjà subis. Il était plus facile d'être en colère contre lui que contre elle-même.

Une ombre se profila dans le couloir. Marissa leva les yeux et vit son cousin Harry, debout dans l'encadrement de la porte.

—Au nom du ciel, que signifie tout ce raffut ? demanda-t-il.

Mon Dieu. La situation empirait. Combien d'autres personnes avaient-elles entendu ?

— Marissa, intervint son frère, et elle sentit à ce simple mot l'ampleur de son inquiétude et de sa souffrance, mêlées de confusion et de fureur.

Elle se frotta les bras en un geste frileux, et se tourna lentement vers lui.

— Je vous demande pardon, parvint-elle à dire d'une voix ferme. Vous n'auriez pas dû être témoin de cette scène.

— Témoin ? aboya-t-il.

Une servante apparut au côté de Harry, les mains crispées sur son tablier.

— Harry, souffla Edward. Allez m'attendre dans le bureau, je vous prie. Et fermez cette porte !

La situation devrait être gérée avec une grande prudence. Les York étaient plus réputés pour leur impétuosité que pour leur sang-froid et leur rationalité. Et Marissa ne faisait manifestement pas exception à la règle. Mais dans le cas présent, elle allait devoir choisir ses mots avec soin.

— Edward. Je suis désolée. J'ai clairement agi comme… Je n'étais pas…

Elle fut interrompue par une déclaration qu'elle n'avait pas la moindre envie d'entendre.

— Nous devons nous marier sans attendre, affirma Mr White, toujours à terre.

Son frère commençait déjà à acquiescer, mais Marissa secoua la tête.

— Certainement pas.

Mr White s'agita, faisant tinter les bris de verre.

— Si vous m'accordez quelques instants pour me… rajuster, monsieur le baron, je m'entretiendrai avec vous en privé de…

— Non, protesta Marissa. Vous ne vous entretiendrez de rien du tout ! Je n'ai absolument aucune intention d'épouser Mr White. Aucune.

Son frère se tourna vers elle, ses grands yeux verts emplis de douleur et de déception.

— Vous n'êtes pas en train de me dire que vous vous êtes amusée avec cet homme sans le moindre espoir d'un mariage ?

— Vous m'avez bien comprise. Et même si cette idée m'avait traversé l'esprit auparavant, je l'aurais sans aucun doute abandonnée à présent. Distinguez-vous un quelconque signe de satisfaction sur mon visage ? Je n'épouserais cet imbécile trop pressé pour rien au monde.

Edward regarda soudain Mr White avec hargne.

— A-t-il abusé de vous ?

— Non, non. Son seul tort est de ne pas avoir été à la hauteur de la plus modeste de mes attentes.

— Vos attentes ? éclata son frère. Que pouvez-vous bien savoir de…

— Il suffit ! s'exclama Mr White. Je ne tolérerai pas d'en entendre davantage. Nous devons nous marier aussi rapidement que possible. Baron York, avez-vous la possibilité d'arranger une autorisation spéciale ?

— Oh, pour l'amour du ciel, intervint Marissa. Je refuse de l'épouser ! Je ne peux pourtant pas être plus claire.

Des murmures s'élevèrent dans le couloir.

Mr White, qui semblait de nouveau présentable, s'avança à grandes enjambées vers Marissa pour poser une main sur son épaule.

— Avec tout le respect que je vous dois, Miss York, vous n'avez pas d'autre choix.

— Je vous demande pardon ?

— Je vous ai pris votre vertu. Les servantes jasent déjà. Vous êtes désormais mienne, ma chère.

— Moi ? Vôtre ? (Elle recula brusquement pour se dégager, et le fusilla du regard.) Certainement pas !

Edward s'éclaircit la voix et déclara :

— Laissez-nous le soin de nous inquiéter de nos domestiques, Mr White.

— Naturellement. Ces rumeurs n'auront plus d'importance dès l'instant où nous aurons échangé nos vœux. Miss York est submergée par l'émotion, ce qui est tout à fait compréhensible. Allons discuter entre hommes, baron. Votre sœur ne pense plus avec toute sa raison.

Marissa se redressa, outrée.

— Bien au contraire, mes pensées sont tout à fait rationnelles. Il m'apparaît avec une clarté limpide que je préférerais entrer au couvent plutôt que de passer le reste de mes nuits à subir vos grognements pendant que vous vous affairez entre mes jambes, Mr White. Maintenant, si vous le permettez, j'aimerais avoir une conversation privée avec mon frère.

Ce dernier suffoqua, scandalisé, tandis que Mr White devenait cramoisi, en proie à une tout autre émotion.

— Je vous ai possédée, et vous allez m'épouser, jeune fille.

Trop tard, elle comprit ce qu'il avait voulu dire un peu plus tôt, quand il avait commencé à glisser une main sous sa jupe. *« Enfin, vous serez à moi »*, avait-il murmuré.

Elle avait pensé qu'il parlait d'une propriété provisoire. Elle aurait dû se méfier. Il avait déjà demandé sa main à deux reprises.

Son frère s'avança d'un pas.

— White, je dois parler avec ma sœur. Allez m'attendre dans mon bureau, je vous prie.

La colère assombrit le front empourpré de Mr White.

— J'espère bien que vous n'avez pas l'intention de lui céder. Elle a fait son choix au moment même où elle s'est allongée sur ce divan, monsieur. Je ne la laisserai pas s'en tirer ainsi.

Marissa se focalisa sur Peter White jusqu'à ce qu'elle ne voie plus que son visage. Il avait déjà un œil enflé. Elle se demanda quelle force il lui faudrait pour faire subir le même sort à l'autre et rendre son visage symétrique.

— Vous ne me « laisserez » pas m'en tirer ainsi ? Je vous ai déjà répété que je ne serais pas votre épouse !

Il eut l'aplomb de lui sourire.

— Si vous en étiez si convaincue, vous auriez dû m'arrêter. Nous allons nous marier. Aucun autre choix ne s'offre à vous.

— White, gronda son frère, Marissa a vingt-deux ans, et on ne peut la contraindre à quoi que ce soit.

Mr White ricana.

— Peut-être porte-t-elle déjà mon enfant à l'heure qu'il est. Et en votre qualité de chef de famille, vous vous devez de la protéger de sa propre sottise. Quand le bruit se propagera…

Edward fit encore un pas, se rapprochant dangereusement de Mr White.

— Et comment le bruit se propagerait-il ?

— Une quarantaine d'invités se trouvent dans votre maison en ce moment même, baron. L'un d'entre eux aura sûrement vent de l'histoire. Votre cousin en a même été directement témoin. Vous ne voudriez pas que l'on raconte que votre sœur est une traînée, n'est-ce pas ? ajouta-t-il avec un éclair de triomphe dans le regard.

— Misérable, dit Marissa à voix basse. Vous avez orchestré tout cela.

Edward empoigna soudain la cravate de Peter White.

— Est-ce vrai ?

— Je souhaite lui donner mon nom. Lui être dévoué. Il n'y a pas de mal à cela. Elle devrait s'en trouver honorée. Mon grand-père est…

Marissa avait déjà entendu Mr White gloser sur la gloire de sa lignée, aussi fut-elle soulagée quand Edward y mit un terme par un coup de poing. Mr White recula en titubant, les deux mains sur le menton, avant de s'effondrer sur son arrière-train.

— Sortez de ma maison, ordonna Edward avec colère.

— Vous n'êtes pas sérieux !

— Allez-vous-en !

White secoua la tête.

— Je suis amoureux d'elle.

Marissa eut le souffle coupé par cet affront, tandis qu'Edward se contentait d'indiquer la porte.

— Sortez de chez moi ! Et si vous soufflez mot à quiconque de cette affaire, je vous traquerai pour vous tuer de mes propres mains.

Mr White observa Edward avec attention, se demandant manifestement s'il serait capable de passer à l'acte. Il avait l'air sceptique. Tout comme Marissa. Edward était d'un tempérament vif, mais il s'apaisait toujours rapidement. Il avait la réputation d'être le plus raisonnable de la famille. Une fois que Mr White serait loin, le danger de mort qu'il encourait se révélerait sans doute très limité. À moins que…

Edward sourit.

— Et si je ne parviens pas à vous trouver, je peux vous garantir que mon frère Aidan en sera capable. Cette brute vicieuse y prendra même un malin plaisir.

En effet, avec Aidan, c'était une tout autre affaire. Même Marissa eut un mouvement de recul à l'idée qu'il découvre cette histoire. Ce qui finirait par arriver.

Peter White haussa les épaules et se tâta délicatement la mâchoire.

— C'est absurde. Vous êtes tous deux contrariés. Je vais prendre congé pour le moment, je reviendrai dans quelques jours. Je vous aime, Marissa.

— Oh, je parie que vous aimez surtout l'idée de mes cinq cents livres de rente, rétorqua-t-elle.

Furieux, Mr White quitta la pièce sans riposter.

Elle avait souhaité son départ, mais à présent qu'elle se retrouvait seule avec son frère, elle fut brusquement envahie par un sentiment de honte et sentit sa gorge se serrer.

— Je suis désolée, parvint-elle à murmurer.

— Marissa, qu'est-ce…? (Ses épaules s'affaissèrent.) Comment avez-vous pu agir ainsi?

— Je suis désolée! Je n'aurais pas dû! Je m'ennuyais, j'ai bu trop de vin, et j'ai… je n'ai jamais été amoureuse d'un homme, ne serait-ce qu'un peu, et je suppose que j'étais… curieuse.

Mis à part quelques détails soigneusement omis, c'était à peu près la vérité.

— Ah, Marissa, soupira son frère. Vous n'avez vraiment pas brillé par votre intelligence.

— J'ai été stupide, j'en suis consciente. Mais je vous jure qu'avant cela, Mr White n'était pas un si horrible personnage. Je dirais même que je l'aimais bien, jusqu'à aujourd'hui.

Son frère l'observa avec attention, les traits marqués par la tristesse.

— Qu'y a-t-il? demanda Marissa.

— Je ne tenterai pas de vous forcer à l'épouser. C'est un goujat. Mais… (Il lui prit la main et la tint serrée entre les siennes.) … il vous faut trouver un mari maintenant.

— Quoi? (Elle retira vivement sa main.) Mais pourquoi?

Soudain, la porte s'ouvrit à toute volée; leur mère apparut, les bras levés au ciel, emplissant la pièce de sa présence, en dépit de sa petite stature.

— Que s'est-il passé ? s'enquit-elle sur un ton plaintif.

Marissa secoua la tête.

— Rien du tout. Tout va pour le mieux.

Son frère fit signe à leur mère d'entrer et claqua la porte derrière elle.

— Tout ne va pas pour le mieux. C'est une catastrophe.

Dans un geste hautement prévisible, la baronne douairière porta la main à son cœur.

— Que s'est-il passé ? Est-ce Aidan ? Qu'est-il arrivé à mon garçon chéri ?

— Il ne s'agit pas d'Aidan, mais de Marissa. Elle est compromise.

La baronne suffoqua si bruyamment qu'il y eut un écho dans la pièce.

— Mon Dieu, pourquoi lui avez-vous dit ? demanda Marissa, désespérée.

Edward était occupé à conduire leur mère vers un fauteuil, sur lequel elle défaillit avec grâce – autre geste hautement prévisible.

Il se redressa et s'essuya les mains, comme s'il venait d'achever une tâche ardue.

— Elle aurait sans doute eu des soupçons en nous voyant organiser votre mariage si précipitamment.

— Je n'ai nulle raison de me marier !

— Marissa, cessez d'agir de façon plus sotte encore que vous ne l'avez déjà fait. Ce que j'ai vu me fait craindre que vous soyez enceinte. Nous devons vous trouver un mari immédiatement.

— C'est absurde !

Mais avant même d'avoir achevé sa phrase, elle sentit la peur la gagner. Elle n'avait pas vraiment songé à cela. Ce qu'elle savait de la reproduction se résumait à de vagues rumeurs et à des fragments de conversation glanés ici et là au fil des années.

— Je pensais que... la première fois... N'est-ce pas impossible?

— Non, ce n'est pas impossible. Et j'aurais souhaité que vous veniez me faire part de vos interrogations au sujet du mariage et de la procréation avant que tout cela arrive.

— Oh non, gémit-elle.

Edward pinça les lèvres.

— Soit vous épousez cette ordure, soit vous épousez un autre homme. Un mariage contribuera à dissiper les rumeurs et permettra de détourner les esprits d'une éventuelle naissance prématurée. Et il semble que vous ayez besoin d'une façon d'occuper votre temps. Endosser le rôle d'épouse devrait pallier votre ennui.

— Mais... (Marissa sentit sa mâchoire se mettre à trembler, aussi serra-t-elle les dents pendant quelques secondes.) Mais je ne désire pas quitter cette maison. Je suis chez moi, ici.

Toute trace de colère disparut soudain du visage d'Edward.

— Je sais. Je ne désire pas non plus vous voir partir. Nous trouverons quelqu'un qui vous conduira ici chaque fois que vous en aurez envie. Quelqu'un de docile.

— Il faut bien, car qui d'autre accepterait d'épouser une femme à la vertu perdue et d'élever un bâtard, murmura-t-elle. Quelqu'un de docile et de... soumis.

— Marissa...

Sa mère émit un gémissement théâtral en battant des paupières, signe qu'elle était sur le point de sortir de son évanouissement, le souffle court.

La panique s'empara soudain de Marissa. Elle ne pouvait s'opposer à son frère. Elle n'avait pas voulu couvrir sa famille de honte, ni voir les choses en arriver là. Si Peter White ébruitait l'affaire, la situation deviendrait vraiment embarrassante. Et si elle était enceinte, elle devrait obéir. Mais s'il restait discret et qu'elle ne portait pas d'enfant…

— Edward, trouver un homme qui soit à la fois un parti acceptable et disposé à m'épouser demandera du temps, n'est-ce pas ? Les hommes décents ont mieux à faire que d'attendre qu'une femme à la vertu ruinée leur mette la main dessus.

— Eh bien…, commença-t-il.

— Harry saura tenir sa langue. Et s'il y a… d'autres conséquences à ce que j'ai fait, nous en aurons le cœur net d'ici à deux semaines. Deux semaines qui passeront rapidement ! Si vous tenez à organiser des fiançailles, soyons prêts, mais oublions toute cette affaire dès l'instant où nous serons certains que je ne suis pas… grosse.

Le cou d'Edward s'embrasa soudain.

— Je… N'y a-t-il personne que vous affectionnez particulièrement ? Quelqu'un susceptible de faire une proposition ?

— J'étais plutôt attachée au gentleman en question avant ce soir. C'est un excellent danseur, et il porte toujours des vestes parfaitement ajustées. Mais désormais… non. Personne.

Son frère marmonna quelque chose dans sa barbe qui ressemblait à : « Des vestes ? », quand leur mère ouvrit soudain des yeux papillonnants.

— Marissa, soupira-t-elle. Comment avez-vous osé ? Pourquoi avez-vous agi de façon aussi abominable ?

« Abominable. » Effectivement, sa mère avait raison sur ce point.

— Je ne sais pas, répondit-elle en toute franchise.

Quand ils étaient entrés dans la chambre en titubant, après quelques verres de vin et des baisers volés, la situation lui avait semblé assez excitante. C'est alors que tout avait dérapé vers quelque chose qu'elle aurait eu plus d'aisance à décrire avec des termes scientifiques que poétiques.

— Imbécile, lâcha-t-elle.

— Oui, vous n'êtes qu'une imbécile ! cria sa mère.

— Je parlais de Mr White.

— Mr White, répéta la baronne d'un ton pensif. Vous avez raison, c'est un excellent danseur, un bel homme, qui perçoit de surcroît des revenus tout à fait honorables. Oui, il ferait un excellent mari.

Edward fit taire sa mère d'un geste.

— Nous en discuterons plus tard, mère. Mais laissez-moi d'abord réfléchir. Où se trouve Aidan quand j'ai besoin de lui ? Il devrait être ici. Il connaît sûrement quelques partis convenables.

— S'il vous plaît, ne lui dites rien, supplia Marissa.

Étrangement, elle ne fut même pas surprise de voir un valet de pied entrer quelques secondes seulement après qu'elle eut prononcé ces paroles.

— Mr Aidan York est de retour, monsieur le baron, annonça le domestique en s'inclinant. Il présente ses excuses pour son arrivée tardive et me prie de vous faire savoir qu'il descendra dès qu'il sera habillé.

— Parfait, murmura Edward. Je ne lui dirai rien avant que White ait eu le temps de rassembler ses affaires et de quitter les lieux. Sans quoi nous risquons de nous retrouver avec un meurtre sur les bras.

— Un meurtre ! s'exclama sa mère, qui s'effondra de nouveau dans son fauteuil, manifestement inconsciente – mais assez éveillée pour laisser traîner une oreille.

Marissa jeta un coup d'œil autour d'elle, à la recherche d'une chaise sur laquelle s'évanouir à son tour. Mais il y avait seulement le canapé, qu'elle avait déjà suffisamment vu. Il ne lui restait plus qu'à inspirer profondément et à assumer les conséquences de ses actes.

Quelques instants plus tard, elle prit conscience qu'elle avait encore autre chose à faire. Le vin qu'elle avait ingurgité faisait mauvais ménage avec l'anxiété qui s'était emparée de son corps. Prise de vertige, Marissa se pencha en avant, les yeux rivés sur le tapis d'Orient brodé d'or sous ses pieds. Elle y déversa alors tout le contenu de son estomac.

— Vous ai-je déjà remercié pour votre invitation ? plaisanta Jude Bertrand en descendant l'escalier incurvé derrière Aidan York.

Aidan jeta un coup d'œil par-dessus son épaule et haussa un sourcil amusé en guise de réponse.

Son ami l'avait déjà remercié à plusieurs reprises. Jude semblait d'humeur particulièrement joyeuse à l'idée de se trouver dans le domaine des York. La demeure était spacieuse et claire, et les fenêtres donnaient sur des prairies sauvages et des parcelles de forêt. L'endroit le charmait, quant à la famille… eh bien, singulièrement, les York lui rappelaient sa tendre enfance. C'était étrange, en effet, étant donné qu'il avait passé ses jeunes années dans une maison française qui était avant tout un bordel.

Lâchant un petit rire à l'idée de cette surprenante comparaison, Jude caressa la rampe d'une main distraite. Le séjour qu'il avait passé là l'an dernier lui revint en mémoire. Il repensa à cette jeune fille aux cheveux blond vénitien qu'il avait vu glisser sur cette même rampe en bois. L'heure était matinale, et ce vrai garçon manqué avait sans doute cru que la maisonnée était encore endormie ; Jude ne l'avait pas détrompée. Il l'avait simplement observée dévaler la rampe, puis s'était éloigné, s'étonnant que personne n'ait mentionné le côté sauvage de la demoiselle.

Il était extrêmement impatient de la revoir.

Quand ils arrivèrent au rez-de-chaussée, Aidan York salua d'un geste quelques invités, avant de poursuivre son chemin vers le bureau de son frère, Jude sur ses talons. La porte était close. Des éclats de voix leur parvinrent, ce qui ne déconcerta pas Jude. Pour une pairie si ancienne, la famille York faisait preuve d'un remarquable sens du drame.

Aidan ne sembla pas plus surpris que son ami. Il frappa puis, sans attendre la réponse, pénétra dans le chaos.

La baronne douairière était étendue sur un canapé et sanglotait bruyamment dans un mouchoir de dentelle. Le frère aîné d'Aidan, et donc baron en titre, faisait les cent pas devant la cheminée. À voir son visage rougi, c'était lui qu'ils avaient entendu crier. Un cousin était également présent. Harry, peut-être ? Il affichait un air franchement morose.

Jude leva la main en guise de salut.

— Aidan, aboya Edward. Dieu merci, vous voilà enfin ! (Il aperçut alors l'autre jeune homme.) Jude, vous ne pouvez rester. Vous m'en voyez désolé.

— Oh. Très bien.

Faisant demi-tour, il se dirigea vers le couloir, mais Aidan l'arrêta d'un geste.

— Ne faites pas de manières, Edward. (Sa voix sèche contrastait totalement avec celle de son frère.) Bien sûr que Jude peut rester. Bon, et maintenant expliquez-moi quel est le problème.

Edward secoua la tête.

— Vous ne comprenez pas. C'est une affaire sérieuse. Et très privée.

— Ne me dites pas que vous êtes tombé amoureux de la servante ?

La baronne intervint enfin.

— Aidan. Ne manquez pas de respect à votre frère.

Elle se tourna vers Jude, qui s'inclina légèrement pendant qu'elle le jaugeait.

—Je suis désolée, Mr Bertrand, mais vous allez devoir…
(Elle s'interrompit et fronça les sourcils.) Non, attendez.
Peut-être Mr Bertrand pourrait-il nous être utile. Il voit les
choses avec une certaine… perspective.

À ces mots, Jude haussa les sourcils, curieux de savoir
ce que la baronne pouvait bien avoir à l'esprit.

—Oui ! s'exclama le cousin. Sa mère !

Ah. Jude hocha la tête. Sa mère. Edward avait-il engrossé
l'une de ses maîtresses ?

—Si je peux vous aider de quelque manière que ce soit,
j'en serai heureux. Et il va de soi que la discrétion est une
qualité qui m'a été enseignée dès le berceau.

Mais Edward ne semblait pas l'entendre de cette oreille.

—Il s'agit d'un sujet trop délicat. (Il jeta un regard
furieux à sa mère.) Comme vous le savez bien.

Aidan secoua la tête et traversa la pièce pour s'emparer
de la carafe de brandy.

—C'est ridicule. Je mettrais ma vie entre les mains de
Jude. S'il peut vous aider, alors dites-le mon vieux, lança-t-il
en s'affalant sur une chaise.

Jude s'approcha du buffet et se servit un verre à son tour.
Il aurait dû prendre congé, mais sa curiosité était telle qu'il
en oublia ses bonnes manières.

—Il s'agit de notre sœur ! siffla Edward.

Son chuchotement s'était sans doute voulu discret, mais
à l'inverse il emplit toute la pièce.

Jude se figea un instant, puis se retourna pour faire face
à la famille York.

—Marissa ? demanda-t-il. (Tous les regards convergèrent
vers lui.) Euh… Je veux parler de Miss York, bien sûr.

Aidan se leva, attirant alors l'attention générale.

—Que se passe-t-il avec Marissa ?

Sa bouche se réduisit à un mince trait.

—Eh bien, Aidan…, commença sa mère.

—Que se passe-t-il avec Marissa? cria Aidan.

Edward prit une profonde inspiration, puis déclara calmement.

—Sa vertu est compromise.

Le silence envahit le bureau. Tout le monde retint son souffle et observa Aidan, dont les oreilles commençaient à s'empourprer. Cela ne présageait rien de bon.

Le baron leva les mains en signe d'apaisement.

—Le mal est fait. Nous devons maintenant lui trouver un mari, et rapidement. Peut-être Jude pourrait-il nous aider…

—De qui s'agit-il? questionna Aidan d'une voix blanche. A-t-elle été blessée?

Le visage soudain grave, Jude s'avança, mais Edward secoua la tête.

—Non. Elle était ivre. Et s'est comportée de façon stupide. Mais elle n'a pas été blessée. Et le soi-disant gentleman n'est plus ici.

—Qui est-ce? rugit Aidan.

Edward grimaça et déglutit avec difficulté.

—Peter White.

Aidan proféra à voix basse une litanie de menaces. Jude écouta l'histoire, racontée par bribes, et se fit une idée de la personnalité de Mr White. Un triste sire arrogant. Et une canaille, apparemment.

—Ignoble lâche, marmonna Jude pendant qu'Edward exposait les raisons pour lesquelles Marissa ne pouvait épouser Mr White.

—Mais, ajouta précipitamment Edward, elle doit épouser quelqu'un. Les domestiques jasent déjà. Et si cet individu a planté sa graine…

La baronne agita les mains

—C'est horrible. Impossible. Et si Mr White insiste? Après tout, il s'agirait de son enfant.

Harry secoua la tête.

—Je suis dans l'incapacité de ressentir la moindre compassion pour lui. Il a eu un enfant de la fille du sellier, et ne nourrit aucune affection envers lui. Il ne s'est même pas donné la peine de lui assurer un revenu. (Harry semblait affligé par ses propres paroles.) Je suis désolé. J'aurais dû savoir qu'il ne pouvait rien apporter de bon, et ne pas l'inviter.

—Vous n'êtes en aucun cas responsable, le rassura Edward. Mais maintenant… nous devons faire tout ce qui est en notre pouvoir pour trouver à ma sœur un gentleman décent.

—Oh, quel supplice, se lamenta la baronne. Notre Marissa doit épouser quelqu'un de généreux et de respectable. Un homme de bonne famille, qui la traitera bien et… reconnaîtra l'enfant comme le sien.

—Mais qui donc pourrait bien accepter cela ? s'écria Aidan, levant les mains dans un geste de désespoir.

Ils se regardèrent tous tristement.

Jude attendit un moment, essayant d'y voir plus clair parmi les pensées qui se bousculaient dans sa tête, pour s'assurer que son instinct ne le trompait pas. Il n'était pas homme à douter de lui, aussi ne lui fallut-il que quelques instants pour acquérir la certitude que sa décision était la bonne. Avant que la confusion règne de nouveau dans la pièce, Jude s'avança et déclara en inclinant la tête :

—Moi.

Pendant un temps, personne ne réagit. Personne n'osa même le regarder. Puis Aidan lui jeta un coup d'œil perplexe.

—Que voulez-vous dire, Jude ?

—Que je consentirais à épouser votre sœur.

Tous se tournèrent alors vers lui.

—Vous ? fit la baronne d'un ton sec.

—Oui, moi.

— Mais vous êtes…

— Un bâtard ? répondit Jude en souriant.

— Eh bien… oui. Certes, je pensais que vous pourriez apporter un point de vue intéressant ou être de bon conseil, mais… un mari né…

— Ah, mais je suis le fils naturel d'un duc. Le fils *reconnu* d'un duc, devrais-je dire. Et je doute que vous trouviez un autre fils de duc prêt à accepter cette situation. Je n'ai pas de titre à protéger, aussi n'ai-je point besoin de m'inquiéter d'un héritier illégitime. Et je n'ai pas reçu le nom de mon père, en conséquence, je n'ai pas à me préoccuper de le transmettre.

Il observa la baronne, qui réfléchissait.

— C'est un point de vue intéressant, concéda-t-elle.

Aidan enfonça les mains dans ses poches d'un geste furieux.

— Et pourquoi voudriez-vous épouser ma sœur ? La connaissez-vous, au moins ?

— Bien entendu. Je suis déjà venu ici à l'occasion de… quatre réceptions, si je ne m'abuse. Toutefois, je ne peux vous assurer qu'elle me connaît.

Aidan émit un petit grognement. Ils savaient tous deux que Jude n'était pas le genre d'homme à attirer les demoiselles bien éduquées. Il avait une silhouette massive et ne se caractérisait pas par sa distinction. Ses traits n'étaient ni raffinés ni rassurants. Les jeunes filles choyées avaient plutôt tendance à le fuir.

En revanche, certains types de femmes – celles qui étaient mariées depuis une dizaine d'années et n'étaient pas heureuses dans leur couple, par exemple – le considéraient avec une convoitise avide. Il avait l'air d'une brute, et c'était justement ce qu'elles recherchaient.

— Donc, poursuivit Aidan sur un ton dubitatif, il vous est peut-être arrivé d'être assis en face d'elle à un repas.

Cela ne répond toujours pas à ma question. Pourquoi voudriez-vous l'épouser ?

— Elle me plaît.

— Marissa ?

Jude ne put retenir un petit rire en percevant le doute dans la voix de son ami.

— Oui, Marissa.

— Elle ne semble pas vraiment être votre type.

C'est vrai qu'il avait une faiblesse notoire pour les femmes peu convenables. Jude haussa un sourcil.

— Apparemment, elle est tout à fait mon type.

Choqué par cette déclaration, Aidan se mit à scruter le sol.

À la vérité, Marissa avait attiré l'attention de Jude dès la première fois qu'il l'avait aperçue. Ses yeux verts brillaient d'une lueur indéfinissable. On n'y lisait pas de la joie, mais… une volonté de transgression. Il s'était toujours étonné d'être entouré de gens qui paraissaient la considérer comme le dernier bastion de calme et de bienséance de la famille York. Il est vrai qu'elle était grande, gracieuse et ravissante, mais n'y avait-il personne d'autre que lui qui perçoive le mouvement de ses sourcils quand elle entendait un jeu de mots grivois ? personne qui ne remarque la façon dont elle examinait le corps des hommes quand elle les regardait danser ?

Cette fille aimait le vin, la danse et les jolis garçons. Elle montait son cheval avec une fougue débordante et, dès qu'elle le pouvait, elle se débarrassait de ses souliers pour fouler la terre de ses pieds nus. Son côté indomptable était à peine dissimulé, et Jude le devinait chaque fois qu'il s'approchait d'un peu trop près.

Mais parce que Marissa York marchait d'un air hautain, le menton bien haut, elle était considérée comme une jeune fille convenable. Elle ne s'évanouissait, ne criait ou ne riait pas aussi fort que le reste de sa famille, aussi la pensait-on guindée. Peut-être était-elle un modèle de maîtrise de soi comparé aux autres York, mais c'était la passion qu'elle essayait de canaliser qui intéressait Jude.

Sortant de ses rêveries, il leva la tête et s'aperçut que les membres de la famille échangeaient des regards lourds de sens.

— Souhaitez-vous que je vous laisse discuter de cette affaire ? proposa-t-il.

— Merci, Jude, répondit Edward d'un air soulagé. Allez prendre un verre. Nous avons à parler. Et je vous conseille de reconsidérer votre proposition avec un peu plus de soin.

Haussant les épaules, Jude tourna les talons et quitta le bureau. Il n'avait nullement besoin de réfléchir plus longtemps. S'il arrivait à la persuader de renoncer à son attirance pour les beaux garçons, Marissa York ferait une très bonne épouse, indécente à souhait. Les beaux garçons venaient cependant en masse aux soirées de la saison de la chasse. Jude aurait un défi de taille à relever.

Chapitre 2

*B*ouillant d'impatience et de frustration, Marissa attendait en se tordant les mains que la servante termine de lacer son corset. Le soleil matinal qui brillait joyeusement au-dehors paraissait se moquer d'elle. Elle regardait avec fureur la lumière qui pénétrait dans la pièce, brûlant d'envie de bouger, de marcher, de courir jusqu'à la porte pour l'ouvrir violemment.

—Oh, dépêchez-vous, marmonna-t-elle en serrant ses mains l'une contre l'autre pour s'empêcher de les agiter inutilement.

La veille au soir, elle avait pensé qu'elle ne parviendrait jamais à trouver le sommeil. Après avoir été envoyée dans sa chambre, elle s'était retrouvée tiraillée entre la terreur et le regret, et la lutte entre ces deux sentiments l'avait laissée très agitée. Elle s'était tournée et retournée dans son lit, puis avait arpenté ses appartements de long en large, cherchant un moyen de se tirer de cette situation épouvantable.

Personne n'était venu lui parler, et elle était trop mortifiée pour demander à voir qui que ce soit. L'attente avait été une véritable torture.

Elle avait enfin réussi à s'endormir, et ne s'était réveillée que tard le lendemain.

Ce matin-là, le regret semblait avoir remporté la bataille nocturne ; elle en était malade.

Qu'avait-elle fait ?

La note laconique d'Edward se détachait sur le bois sombre de la coiffeuse. L'écriture de son frère, d'ordinaire si soignée, trahissait une colère mal contenue.

Marissa était priée de se rendre dans son bureau sans tarder. Son destin l'y attendait. Si seulement elle avait été réveillée et habillée quand le valet avait apporté la note, elle serait déjà auprès d'Edward.

Enfin, la servante l'aida à enfiler une robe. Tandis qu'elle observait la teinte maussade de l'étoffe gris clair, Marissa poussa un soupir de soulagement. Peut-être son frère éprouvait-il également des remords. Peut-être avait-il changé d'avis.

Mon Dieu, elle s'était comportée de façon tellement stupide. Tellement insensée et imprudente. Le responsable était sûrement le vin. Oui, le vin. Et la coupe seyante de la nouvelle veste de Peter White. Et son pantalon qui épousait la courbe de ses cuisses quand il dansait, soulignant leur… élégance.

Les hommes avaient des jambes si magnifiques. Fines et fortes, et exposées d'une manière dont ne l'étaient jamais celles des femmes. Se figuraient-ils que la gent féminine puisse rester insensible à leur vue ? Si l'on en croyait leur façon d'exhiber leurs cuisses, à peine couvertes par leurs pantalons ajustés, les gentlemen désiraient être admirés.

Quels hypocrites ils faisaient, à montrer ainsi leur corps en s'attendant à ce qu'elle ne regarde pas. Ou ne touche pas.

Malgré tout, elle n'aurait pas dû céder à la tentation, car le jeu n'en avait pas valu la chandelle. Avant cette expérience malheureuse, les choses s'étaient passées bien différemment. Avant cela, il n'y avait eu ni maladresse ni regret, mais…

Marissa soupira encore plus profondément, certaine qu'elle ne goûterait plus jamais à une sensation aussi délicieuse.

— Voilà, c'est terminé, Miss York, annonça la servante.

Celle-ci, nouvelle et visiblement nerveuse, ajusta une dernière fois la manche de la robe.

Marissa hocha la tête. Elle aimait bien la jeune fille, mais si son ancienne bonne ne s'était pas enfuie deux semaines auparavant, elle aurait eu quelqu'un à qui parler. Dans la situation actuelle, elle se sentait horriblement seule.

Pourtant libre de descendre dans le bureau, elle resta un moment à regarder fixement la porte. Aidan devait être au courant, désormais. Il n'était pas venu la voir dans sa chambre la veille au soir, ce qui signifiait sans doute qu'il était trop en colère pour lui parler. Elle n'avait pas peur d'Edward, mais Aidan… Il avait changé, ces derniers temps, et elle craignait d'éclater en sanglots dès qu'il tournerait vers elle son regard furieux et déçu.

Il fut un temps où il était charmant et heureux de vivre ; c'était avant qu'il lui arrive une histoire douloureuse : la jeune fille qu'il aimait et avait l'intention d'épouser était morte. La colère et la culpabilité qu'avaient fait naître chez Aidan les tristes circonstances du drame l'avaient changé. Lui qui était si agréable à une époque était devenu un homme froid. Marissa n'avait aucune envie de se retrouver face à lui.

Mais il était temps de payer le prix de sa bêtise. Secouant la tête avec gravité, elle partit en direction du bureau.

Elle s'attendait évidemment à y trouver Edward, et redoutait la présence d'Aidan. Mais elle se figea sur le seuil de la pièce en apercevant les gentlemen qui l'observaient.

À vrai dire, ils n'étaient que quatre : ses frères, son cousin, et un autre homme qui lui paraissait vaguement familier. Elle eut la brève impression qu'il s'agissait de l'un des jardiniers de la propriété, mais elle n'eut pas le temps d'en avoir le cœur net, car Edward s'avançait déjà vers elle, le visage sérieux.

Une lueur d'affolement dans les yeux, elle aperçut alors, dans un coin de la pièce, sa mère assise dans un fauteuil. Aucun espoir, cependant, de trouver refuge auprès d'elle; les paupières closes, elle tenait une compresse froide sur la tête.

Marissa allait devoir faire face, seule, aux hommes de sa famille.

— Marissa. (Edward l'embrassa sur la joue et s'empara délicatement de ses mains, comme s'il avait peur de les briser.) Comment vous sentez-vous?

— Plutôt bien.

— En êtes-vous certaine? Ne vous sentez-vous pas… blessée?

— Pas le moins du monde.

Elle se dressa sur la pointe des pieds pour lui murmurer à l'oreille :

— Aidan est-il très en colère contre moi?

— Je crois qu'il est surtout furieux contre cette canaille de White.

Marissa jeta un coup d'œil furtif par-dessus l'épaule d'Edward. Aidan regardait par la fenêtre, la mâchoire si serrée qu'elle apercevait ses muscles tressaillir selon un rythme mystérieux.

— Il ne me regarde même pas. Edward, je suis si désolée. Avez-vous… vous avez sûrement reconsidéré votre position, n'est-ce pas? Je suis certaine qu'il n'y a pas lieu de s'inquiéter.

— Bien au contraire. Je vous ai sans doute trouvé un mari.

— Pardon?

Choquée, elle recula de quelques pas, franchissant le seuil de la porte. Elle se trouvait désormais dans le couloir, comme si parcourir les quelques centimètres qui la séparaient du bureau revenait à accepter le projet insensé de son frère.

— Où donc avez-vous pu trouver un homme qui consentirait à m'épouser? demanda Marissa, stupéfaite.

— En fin de compte, ici même.

— Ici? Dans la région?

— Ici, dans notre maison.

— Mais de qui s'agit-il?

Il fit un geste vers l'intérieur de la pièce.

— Mr Jude Bertrand.

— Mr Bertrand? répéta-t-elle un peu fort.

La panique commençait à la gagner. Edward n'avait absolument pas changé d'avis. Il faisait avancer les choses à un rythme étourdissant.

— Qui est Mr Bertrand? s'enquit-elle.

Marissa vit alors bouger la silhouette qui se trouvait au côté d'Aidan. L'homme qu'elle avait pris pour le jardinier s'avança vers elle. Sa large bouche esquissa un sourire en coin. S'arrêtant à quelques mètres d'elle, il s'inclina avec une certaine élégance.

— C'est moi. Jude Bertrand, prononça-t-il avec un délicieux accent français.

— Ne devriez-vous pas me le présenter? demanda-t-elle sèchement à son frère, dans le but d'offenser cet individu présomptueux, qui ressemblait à un domestique vêtu comme un gentleman.

— Miss York, toutes mes excuses, dit l'homme en se redressant et en croisant son regard. Mais nous avons déjà été présentés. À deux reprises.

— Oh! (Elle porta la main à sa poitrine, un instant mortifiée par sa propre grossièreté.) Je suis désolée, Mr Bertrand. J'ai dû…

Les mots s'étouffèrent dans sa gorge lorsqu'elle prit conscience de l'insignifiance de toutes ces politesses. Elle jeta à Edward un regard à la dérobée, tentant de lui faire comprendre son inquiétude.

Cet homme n'était pas convenable. Absolument pas. Grand et fort, d'aspect sauvage, il avait une carrure qui le destinait à nettoyer les écuries ou à transporter des marchandises sur un bateau. Ce n'était pas un gentleman. Loin de là.

—Je…, commença-t-elle.

Puis, s'arrêtant brusquement, elle décida de cesser la finesse et adressa une œillade affolée à son frère.

Il sourit.

—Marissa, Mr Bertrand est un ami proche d'Aidan, et il a généreusement proposé d'être votre… chevalier servant pendant les prochaines semaines. L'autoriseriez-vous à vous accompagner dans la salle du petit déjeuner ce matin ?

Son frère avait-il perdu la raison par sa faute ? Marissa refusa.

—Je souhaiterais plutôt m'entretenir un moment avec vous en privé !

Mr Bertrand s'inclina de nouveau.

—Bien sûr, Miss York. Je vais prendre congé.

Son salut fut encore une fois d'une élégance parfaite, mais quand il se redressa, il lui sembla plus imposant encore. Il dépassait ses deux frères en taille, et ses épaules lui parurent remplir l'encadrement de la porte quand elle recula pour le laisser sortir. À bien y réfléchir, elle pensa que sa carrure était moins celle d'un jardinier que celle d'un forgeron. Oui, elle l'imaginait parfaitement dans un tablier en cuir, un grand marteau à la main.

C'était de la folie douce.

Leur cousin Harry se leva, la bouche tordue par le remords.

—Je ne peux m'empêcher de me sentir responsable. Peter White était mon ami, après tout. Je vous demande à tous de bien vouloir m'excuser de l'avoir invité.

— Ne dites pas de bêtises, le rassura Edward. Aidan et moi le connaissions aussi. Ce n'est pas plus votre faute que la nôtre. S'il vous plaît, cessez de vous torturer.

Harry n'avait pas l'air convaincu.

— Si seulement il suffisait de l'obliger à prendre ses responsabilités comme un gentleman. Je serais honoré d'avoir l'occasion de l'en persuader.

Tentant de recouvrer son calme, Marissa ferma les yeux. Quand elle les rouvrit, Aidan se trouvait devant elle. Elle s'était trompée en pensant qu'il la blesserait d'un regard furieux. Il l'observait avec un mélange de pitié et de déception.

La gorge serrée, elle sentit les larmes monter.

— Je suis désolée, murmura-t-elle. Mais n'est-il pas possible de reconsidérer ce projet ?

Edward secoua la tête.

— Nous prenons déjà un grand risque en attendant un mois. Je vous ai cédé sur ce point, Marissa. C'est plus que notre père n'aurait fait.

— Mais cet homme… il n'est absolument pas convenable. Je ne le laisserais même pas me faire traverser la rue, alors lui confier le reste de ma vie !

Aidan prit enfin la parole.

— Jude Bertrand est un gentleman et un ami pour qui j'ai une grande affection. S'il en allait autrement, je ne lui aurais pas permis de faire cette proposition.

— On dirait qu'il sort tout droit de sa forge !

— Marissa ! s'écria Aidan, et elle vit alors dans ses yeux le mépris qu'elle avait craint d'y trouver. Vous parlez comme une gamine sotte et gâtée. Un homme de bien a proposé son aide pour résoudre un problème provoqué par votre inconséquence. Au lieu d'agir comme une enfant mal élevée, vous feriez mieux de le traiter avec un peu plus de courtoisie.

Ces paroles mirent Marissa dans une colère noire, qui lui fit oublier sa souffrance.

—Je ne le connais même pas!

Aidan se pencha vers elle et pointa un doigt sur sa poitrine.

—Voici ce que vous devez savoir : c'est un homme bon et intelligent. Je ne l'ai jamais vu maltraiter une femme. Et sans hésiter, il s'est dit prêt à vous épouser et à accepter l'enfant d'un autre comme son premier-né.

—Il… (Remplie de frustration, elle renonça.) Et quel genre d'homme consentirait à cela? Il ne peut s'agir que d'un imbécile cupide sans la moindre fierté, qui aspire avant tout à s'élever socialement par un mariage avantageux!

—Marissa Anne York, intervint Edward en croisant les bras. Vous vous oubliez. Dois-je vous expliquer les horreurs que les gens raconteront à votre sujet si la vérité venait à éclater au grand jour? Votre dédain est terriblement malvenu.

La colère quitta Marissa aussi soudainement qu'elle était apparue pour lui donner la force de s'insurger, et elle prit alors la pleine mesure du mépris de son frère. Découragée, elle porta la main à son front.

—Je suis désolée. Je suis certaine qu'il s'agit d'un homme de bien, c'est simplement que…

—Puisque vous semblez accorder tant d'importance à ces choses, l'interrompit Aidan, sachez que Jude Bertrand est le fil reconnu du duc de Winthrop. Il n'a nul besoin de s'élever socialement, Marissa. Et certainement pas par le biais de la sœur déshonorée d'un baron.

Marissa ferma la bouche si rapidement que ses dents s'entrechoquèrent.

Quant à Aidan, il avait la mâchoire tellement crispée que l'on imaginait sans peine ses molaires se fissurer sous la pression. Il secoua la tête avec une expression de dégoût et de lassitude.

—Vous n'êtes plus une enfant. Vous vous en êtes bien assurée. Vous épouserez Jude ou Peter White, mais je crains que Mr White ne fasse point un très bon mari avec la gorge tranchée.

—Aidan, murmura-t-elle. (Elle tenta de lui prendre le bras, mais il recula.) Ce n'est pas juste. Jamais on ne vous contraindrait à épouser une fille qui… (Horrifiée par ce qu'elle avait été sur le point de dire, Marissa s'interrompit.) Je suis désolée.

Pendant quelques instants, la douleur assombrit les yeux d'Aidan. Un sourire vint alors adoucir son visage.

—La vie est injuste, petite sœur, mais Jude est un homme bon. Je n'aurais pas accepté son offre si tel n'avait pas été le cas.

Marissa acquiesça, sachant qu'il disait la vérité. S'approchant enfin de sa sœur, Aidan l'attira à lui et la serra dans ses bras, avant de l'embrasser sur la joue et de la relâcher. Marissa voulut s'agripper à lui, mais elle s'aperçut qu'il était déjà loin, les yeux tournés vers le passé.

—Si vous voulez bien m'excuser…

Il allait sans doute partir pour l'une de ses longues promenades à cheval, dont il ne reviendrait pas avant plusieurs heures. Les amies de Marissa trouvaient toutes son côté mélancolique irrésistiblement romantique, mais Marissa ne partageait pas leur admiration pour le chagrin de son frère.

Pendant un long moment, elle garda les yeux rivés sur la porte close du bureau.

—Je suis d'accord avec Marissa, déclara sa mère d'une voix chevrotante. Ce Mr Bertrand a une apparence effrayante, et il se déplace comme un voleur. Je ne comprends toujours pas pourquoi elle ne peut tout simplement pas épouser Mr White. Il est beau et charmant, et sa sœur est mariée à George Brashears. Vous souvenez-vous de monsieur…

— Elle ne peut l'épouser, intervint Edward d'un ton cinglant, car il a fait preuve de malhonnêteté en lui prenant sa vertu dans une tentative délibérée de la contraindre au mariage. Sont-ce là les manières d'un homme charmant ?

— Eh bien… s'il affirme être amoureux d'elle…

Edward et Marissa jetèrent tous deux un regard noir à leur mère, qui se renfonça dans son fauteuil en poussant un soupir à fendre l'âme.

— Je suppose que vous êtes dans le vrai, baron. Oh, toute cette situation est tellement difficile à accepter ! Ma pauvre famille !

Une fois de plus, elle s'évanouit comme elle savait si bien le faire.

Marissa se tourna vers Edward.

— Le fils reconnu d'un duc. Il est donc bien né ?

— Oui.

Elle s'apprêtait à joindre les mains pour implorer son frère, quand elle repensa aux paroles d'Aidan. Elle laissa retomber ses bras.

— Je n'ai jamais échangé le moindre mot avec lui, Edward.

— Il est venu nous rendre visite quatre fois, mais je suppose que, s'il ne s'est pas pavané sur la piste de danse, vous n'avez pas dû lui prêter attention.

La cruauté de cette vérité frappa Marissa de plein fouet, comme un vent glacial. Elle eut soudain la chair de poule. C'était plus fort qu'elle. Elle aimait danser avec de beaux gentlemen. Elle aimait les attentions galantes et la griserie des baisers volés. Et, en l'absence de musique et de danse, elle préférait voir les hommes disparaître entre eux dans leurs salons enfumés pour la laisser seule avec ses amies.

L'inverse était également vrai pour la gent masculine, du moins c'était l'impression qu'elle avait.

— Je suis sûre qu'il est très gentil…

— Vous le découvrirez bien assez tôt. Jude passera du temps avec vous cette semaine. Assez de temps pour que personne ne jase si des fiançailles sont annoncées dans une quinzaine de jours.

Marissa sentit la révolte gronder en elle. Elle avait envie de hurler son désaccord. De tomber à genoux et de supplier. De crier au monde entier de la laisser tranquille.

Mais ses frères avaient raison. Elle n'était plus une enfant, même au sens large du terme. Marissa croisa les mains et acquiesça. Il lui restait encore du temps pour trouver une autre solution, si c'était nécessaire. Elle n'avait pas dit son dernier mot. Jude Bertrand n'était pas son mari.

Pas encore.

Chapitre 3

*D*ebout au fond de la grande salle, les mains croisées dans le dos, Mr Bertrand regardait par une étroite fenêtre. Le soleil aurait dû inonder la pièce, mais le dos massif de l'homme faisait barrage à chacun de ses rayons. Marissa se fit la réflexion qu'elle n'aimerait pas être la fille dont il écraserait les pieds en dansant.

Pourtant, mis à part sa carrure imposante, elle ne voyait pas d'autre raison de croire que Jude Bertrand n'était pas un gentleman. Peut-être avait-il fallu des mètres de tissu pour couvrir ses épaules, mais la coupe de sa veste était impeccable. Ses cheveux étaient certes un peu épais, mais coupés avec soin sur sa nuque.

Le soleil se refléta dans ses cheveux foncés quand il bougea. Marissa s'aperçut alors qu'ils n'étaient pas vraiment bruns, mais auburn. Elle se surprit à penser qu'ils avaient probablement été d'un roux flamboyant dans sa jeunesse. Il avait dû ressembler à un vrai petit garnement, à l'époque, avec ses cheveux roux et ses traits grossiers. Et il en serait de même pour ses enfants. Avec sa propre chevelure d'un blond vénitien, le résultat serait inévitable.

Elle avait compté s'approcher de lui avec détermination, mais cette pensée lui fit ralentir le pas.

Peut-être Mr Peter White n'était-il pas un choix si terrible, en définitive. Il avait de l'esprit et était toujours entouré d'une foule d'amis.

Elle s'arrêta, avec l'intention de s'éclipser sans se faire remarquer, mais Mr Bertrand leva la tête et se tourna vers elle.

— Miss York, dit-il d'une voix solennelle.

Pensant à ce qu'il devait savoir sur elle, elle rougit quand leurs regards se croisèrent.

— Mr Bertrand, murmura-t-elle.

Il sourit, et elle estima qu'il avait au moins un sourire agréable, en dépit de la largeur vulgaire de sa bouche.

— Avez-vous décidé si vous acceptiez que je vous accompagne dans la salle du petit déjeuner ?

Cette question rappelait l'impolitesse dont elle avait fait preuve auparavant. *« Si vous acceptiez. »* En vérité, il ne parlait absolument pas du petit déjeuner. Il lui demandait si elle consentirait à l'épouser, à la fin du mois. S'il pouvait jouer le rôle de soupirant. Parce qu'elle avait perdu sa virginité la veille, sur le canapé du cabinet de couture. Elle sentit le feu lui monter aux joues.

— Bien sûr, Mr Bertrand. J'en serais honorée.

Il hocha la tête, mais l'expression de sa bouche laissait clairement apparaître qu'il trouvait sa réponse amusante.

— Je suis dépassée par les événements, expliqua-t-elle.

Ce n'était pas faux, mais elle savait que sa gêne provenait surtout du fait qu'elle ne réussissait pas à s'imaginer épouser un individu tel que lui. Elle aimait les hommes beaux, élégants, raffinés. Jude Bertrand était…

Marissa n'arrivait pas à se résoudre à dire qu'il était laid, pas quand il se montrait si correct avec elle. Mais son visage était tellement large qu'il donnait l'impression d'avoir été façonné dans la pierre, et son nez portait la trace d'une ancienne fracture, comme si le burin du sculpteur avait glissé. Ses pommettes étaient hautes et marquées, et l'angle de ses sourcils rendait ses traits masculins presque menaçants. Sans parler de sa stature impressionnante…

Jude s'avança vers elle, et Marissa en profita pour regarder ses cuisses à la dérobée. Les muscles se tendaient sous son pantalon, dans une exposition vulgaire. Il était plus taillé pour le champ de bataille ou le chantier naval que pour la salle de danse.

Malgré tout, elle accepta le bras qu'il lui offrait, remarquant la touche épicée de son odeur.

Son bras était si dur sous sa main qu'il évoquait plus le bois d'une rampe d'escalier que la chair d'un homme. Peut-être aurait-elle trouvé cela réconfortant si elle le connaissait, et s'il avait le devoir de prendre soin d'elle et de la protéger. Mais c'était un étranger, aussi ne ressentit-elle qu'une vague anxiété et ne s'appuya-t-elle qu'avec légèreté sur sa manche.

— Je vous prie de m'excuser, murmura-t-elle tandis qu'ils entraient dans la salle du petit déjeuner. Je suis désolée de ne pas vous avoir reconnu tout à l'heure.

— Vous n'avez nul besoin de vous excuser. Je ne suis pas surpris de ne pas avoir attiré votre attention.

Marissa parcourut la pièce du regard, constatant qu'un convive était en train de partir et qu'il ne restait plus qu'une personne, sa vieille tante Ophélia. Marissa se rapprocha de Mr Bertrand.

— Je ne comprends pas pourquoi vous agissez ainsi.

— Vous n'avez pas faim ?

— Je ne parle pas de cela, protesta-t-elle avec un geste impatient de la main. (Elle baissa le ton.) Pourquoi vous êtes-vous porté volontaire pour me faire la cour ?

Il arrêta leur lente progression vers le buffet et se tourna vers elle.

— Parce que je vous aime bien.

— Vous venez de le dire vous-même, vous ne me connaissez même pas !

— Non, Miss York. J'ai dit que vous ne me connaissiez pas. Moi, je vous ai appréciée dès l'instant où nous nous sommes rencontrés.

Surprise par cette révélation, Marissa recula pour mieux observer l'expression sur son visage. Il arborait de nouveau ce sourire en coin, comme s'il connaissait des secrets sur elle, ce qui était le cas.

— Vous ne m'avez jamais invitée à danser.

— Auriez-vous accepté ?

Non. Elle savait qu'elle aurait trouvé une excuse pour décliner son invitation, et éprouva soudain un sentiment de culpabilité, ce qui la rendit furieuse.

— Cela signifie-t-il que vous étiez trop lâche pour me le proposer, de crainte que je ne refuse ?

— Bien au contraire. Je fus assez courageux pour ne pas me mêler de votre affection évidente pour les jeunes garçons distingués.

— Mon…, commença Marissa en le dévisageant, bouche bée.

Non, c'était impossible qu'il ait percé son secret. Il voulait simplement dire qu'elle aimait danser avec d'élégants gentlemen.

Elle referma la bouche d'un coup sec au moment où Mr Bertrand lui adressait un clin d'œil, tout en désignant le buffet.

— Allons nous servir, voulez-vous, Miss York ?

Soulagée de ne plus avoir à réfléchir à cette conversation étrange, elle acquiesça. Mais son soulagement s'évanouit quand il s'empara d'une assiette et lui indiqua de passer devant lui.

Ses manières étaient parfaites, et il avait l'intention de lui servir son petit déjeuner. Une initiative certes louable, si l'on faisait abstraction de l'habituelle mesquinerie des gentlemen quand il s'agissait de remplir son assiette. En tant que dame, elle était supposée avoir un appétit restreint.

Ce n'était pourtant pas le cas.

Prenant une inspiration profonde, elle se força cependant à sourire, car les dames n'étaient pas censées arracher leur assiette des mains des gentlemen pour obtenir une ration supplémentaire de bacon. Elle pourrait toujours revenir discrètement en reprendre, une fois qu'il serait parti à cheval avec les autres hommes.

Il attendait toujours debout près d'elle, tenant des deux mains son assiette à la hauteur de sa taille. Elle jeta un coup d'œil aux harengs.

— Je vous en prie, dit-il à voix basse, désignant le plat d'un geste de la tête. Je ne saurais me targuer de déjà connaître vos goûts. Laissez-moi jouer le valet de pied.

Joignant le geste à la parole, il lui tendit son assiette.

Étonnée, Marissa sentit son rythme cardiaque s'accélérer. Elle se servit avec précaution un hareng, ainsi qu'une toute petite cuillerée de compote de pommes. Quand elle arriva au niveau du bacon, elle glissa deux tranches dans son assiette, puis lui décocha un regard furtif.

Mr Bertrand haussa un sourcil, toujours le même sourire mystérieux aux lèvres. Comme s'il la connaissait.

Ou peut-être était-ce simplement ce à quoi ressemblait un sourire sur une bouche si fâcheusement grande.

Marissa se mordit la lèvre et ajouta trois tranches, tout en observant l'épaisseur brute du pouce de Mr Bertrand. Lorsqu'elle releva les yeux vers lui, son sourire s'était encore élargi.

Quel homme étrange. Elle se servit généreusement de chaque plat suivant.

Quand elle eut terminé, il la suivit vers la table et posa l'assiette en s'inclinant légèrement, avant d'aller remplir la sienne.

Un valet s'approcha avec du thé, mais Mr Bertrand demanda du café à la place.

— Préféreriez-vous du café, Miss York?

Préférerait-elle du café? Elle s'apprêtait à dire «non», mais se ravisa au dernier moment. La moitié des visiteurs masculins prisaient le café, tandis que les femmes buvaient toutes du thé, sans exception. Elle avait goûté une fois une gorgée de café, et avait trouvé cela dégoûtant. Amer et fort. Elle n'avait pas aimé… et pourtant elle voulait réessayer, ne serait-ce que par défi.

Marissa jeta un coup d'œil à sa tasse de thé fumante, bien sage, et refusa.

— Non, merci.

Déconcertée par le sourire de Mr Bertrand, Marissa prit une bouchée pour avoir le temps de réfléchir. Elle était censée faire connaissance avec cet homme, et pourtant chaque moment passé avec lui ne faisait qu'augmenter la confusion qui régnait dans son esprit.

Elle n'avait pas envie de l'apprécier. Il tirait profit d'une horrible situation, n'était même pas séduisant, et de surcroît, elle le trouvait étrange. Elle n'allait pas l'apprécier davantage parce qu'il lui avait proposé une ration supplémentaire de bacon et une boisson audacieuse.

Sa tante prit congé avant même que Marissa ait terminé la moitié de son assiette.

— Passez une excellente matinée, tante Ophélia, lança la jeune femme d'une voix forte.

La vieille dame, à moitié sourde, agita la main avec irritation.

Ils se retrouvaient seuls.

Marissa décida d'être directe, tout simplement parce qu'elle n'était pas douée pour tergiverser.

—Mr Bertrand, je me trouve à l'évidence dans une situation délicate. J'ai des difficultés à l'affronter et pourtant je m'y vois contrainte, du fait de mes propres… erreurs.

Il prit la parole aussi calmement que s'ils parlaient de la pluie et du beau temps.

—Je vous assure que vous pouvez parler en toute liberté. Je suis tout à fait conscient des circonstances et les accepte entièrement.

—Mais… je ne vous comprends pas. Comment est-ce possible ?

—Miss York, vous avez peut-être appris par votre frère que j'étais le fils du duc de Winthrop. Si noble soit le titre de mon père, ma mère n'est pas la femme la plus respectable qui soit.

—Eh bien, je pensais…

—C'est une courtisane.

—Auprès de qui ?

—Auprès de n'importe quel gentleman qu'elle daigne aimer.

—Oh ! s'écria Marissa d'une voix aiguë. Je croyais que… oh, je vois.

—Elle a aimé mon père pendant un bon nombre d'années, mais il n'était pas son seul admirateur, et elle n'était pas son épouse. Quand je vous affirme que vous pouvez parler en toute liberté avec moi, ce n'est donc pas par simple politesse. Vous étiez avec un homme, la nuit dernière, un prétendant encore moins souhaitable que moi. Voilà où nous en sommes.

« *Vous étiez avec un homme…* » Le cœur de Marissa se mit à tambouriner si fort que Mr Bertrand devait sûrement voir son pouls battre à sa gorge, et ses joues s'empourprer. Il était impossible de se cacher derrière des euphémismes.

Il savait qu'elle s'était allongée et avait remonté ses jupes pour permettre à Peter White de… faire cette chose.

— J'avais bu trop de vin.

— C'est souvent le cas dans ces situations.

— Mr Bertrand, dit-elle d'un ton sec. J'essaie de comprendre vos motivations.

— Je vous ai déjà confessé mes motivations. Vous me plaisez, Miss York. N'est-ce pas une raison suffisante ?

— Non ! Cela n'a pas de sens. Vous ne savez rien de moi, sinon cette horrible chose que j'ai faite. Que pouvez-vous donc tant aimer chez moi qui vous pousse à accepter de m'épouser ?

Il termina son café, l'observant par-dessus le rebord de sa tasse.

— Eh bien ? insista-t-elle.

Mr Bertrand reposa sa tasse, qui semblait ridiculement petite dans ses grosses mains. Il se tamponna poliment la bouche avec sa serviette, dont le blanc mettait en valeur sa peau hâlée. Pas étonnant qu'elle l'ait pris pour un jardinier. Il avait sûrement des liens de parenté avec quelques-uns d'entre eux.

Malgré ses origines peu glorieuses, il n'y avait pas la moindre trace de soumission dans son regard lorsqu'il se pencha vers elle. Ses yeux brillaient de toute l'assurance d'un duc quand ils rencontrèrent les siens.

— Je vous aime bien, Miss York, parce que vous êtes inconvenante, et il ne peut y avoir de bénédiction plus grande pour un homme que d'avoir une épouse parfaitement inconvenante. N'êtes-vous pas d'accord avec moi ?

Marissa fut si scandalisée par ces paroles qu'elle mit quelques instants à les comprendre. « Inconvenante » ? Il l'avait traitée de femme inconvenante ? Tandis qu'elle prenait peu à peu conscience de la hauteur de l'affront, ses oreilles s'empourpraient.

—Comment osez-vous? Vous êtes absolument…

Il interrompit sa tirade en reculant soudain sa chaise.

—Je suis sûr que vous avez raison. Vous n'avez nul besoin de poursuivre, j'aurais été mieux avisé de me taire. Maintenant, si vous voulez bien m'excuser, je suis très en retard pour la chasse. Miss York, s'autorisa-t-il à murmurer avec chaleur en s'inclinant, sans paraître remarquer son impolitesse.

Abasourdie, Marissa observa sa large silhouette disparaître. Pendant un moment, elle demeura assise, incapable de bouger. Mais rien ne pouvait la contraindre à rester tranquille bien longtemps. Elle serra les dents et se leva pour aller se resservir de chaque plat.

Mr Bertrand n'était absolument pas un gentleman, elle s'était trompée sur son compte. Complètement trompée. Et s'il pensait qu'elle tolérerait sa présence ne serait-ce qu'un instant de plus, Jude Bertrand n'était pas aussi malin qu'il en avait l'air.

Chapitre 4

*J*ude enfila son plus bel habit de soirée, passa une main dans ses cheveux et croisa son regard réjoui dans le miroir. En dépit de son visage, qu'on ne pouvait qualifier de beau, il avait réussi à produire un certain effet sur Marissa York, ce matin-là. Il pariait que personne ne l'avait jamais traitée d'inconvenante, et qu'elle nierait l'être jusqu'à son dernier soupir. Mais la vérité se révélait toujours plus tenace que les mensonges. Ses paroles resteraient gravées dans l'esprit de Marissa, justement parce qu'elle pensait qu'il disait vrai…

Oui, il était loin d'être bel homme, mais il était sûr que Marissa avait songé à lui toute la journée. Elle avait probablement répété un discours scandalisé qu'elle voudrait lui déclamer dès qu'elle se retrouverait seule avec lui. Il s'arrangerait avec plaisir pour leur ménager un moment d'intimité. Au demeurant, il trouvait son indignation tout à fait charmante.

Ces pensées furent interrompues par un coup brutal à la porte de ses appartements.

—Oui?

Aidan York apparut dans l'encadrement et l'examina rapidement.

—Je n'arrive pas à croire que vous allez devenir mon frère, dit-il d'un ton rogue.

— Ne vous inquiétez pas. Je glisserai un mot à mon père en votre faveur concernant votre affaire d'importation, si c'est ce qui vous intéresse.

Aidan grommela, puis regarda le plafond en fronçant les sourcils.

— Puisque vous abordez le sujet…

Jude lui donna une tape sur l'épaule et le fit pivoter en direction du couloir.

— Avant que nous commencions à parler alliances intimes, vous feriez mieux de conduire votre sœur à l'autel. Je crois qu'elle estime qu'il s'agirait d'un mariage peu convenable.

— Oui. Cela pourrait être un problème.

— Je n'ai aucun doute sur le fait que Marissa préfère les charmants garçons, mais elle est ce qu'elle est. Mon objectif est de la convaincre qu'elle recherche peut-être quelque chose d'entièrement différent chez un homme.

— Je vois. (Aidan lui lança un regard d'avertissement.) Vous savez qu'elle prévoit de tout annuler s'il n'y a ni enfant ni scandale.

— Je n'ai aucunement l'intention de m'imposer dans sa vie en œuvrant pour que l'un ou l'autre se produise, si c'est ce que vous sous-entendez.

— Bien. Malgré l'inconséquence dont elle a fait preuve, c'est une gentille fille et je ne supporterais pas de la voir souffrir.

Jude tiqua en entendant Aidan insinuer que l'accepter pour époux représenterait une souffrance pour sa sœur, mais il se retint de répondre. Il s'abstint aussi de mentionner qu'il soupçonnait Marissa d'être tout sauf une gentille fille. Un frère aîné était rarement disposé à accueillir favorablement ce genre d'hypothèses, et apparemment encore moins à remarquer quand sa sœur se conduisait mal.

—Elle s'est de nouveau plainte auprès d'Edward à votre sujet, vous savez. Elle a déclaré que votre comportement était inacceptable.

—À cause de l'histoire de ma mère, je suppose.

—Vous lui avez raconté la vérité ?

—Oui.

Aidan s'arrêta un moment en haut de l'escalier, et baissa les yeux d'un air songeur.

—Pensez-vous qu'elle irait rendre visite à votre mère à Noël ?

Jude s'imagina Marissa dans le salon de sa mère, prenant le thé avec les belles femmes incorrectes qui s'y retrouvaient toujours. Elle serait ravie, et Jude aussi.

—Je ne ferai rien qui puisse l'offenser, répondit-il avec précaution.

—Assurez-vous-en. Mais… si vous alliez là-bas, pourrais-je me joindre à vous ? Cette femme que votre mère appelle Chaton…

Jude éclata de rire. À la moitié de l'escalier, il aperçut un nouveau visiteur, et son rire se transforma soudain en un gémissement guttural.

—Au nom du ciel, que fait Patience Wellingsly ici ?

Aidan jeta un regard à la femme en bas des marches, et son visage se durcit.

—Bon Dieu !

Jude le regarda avec étonnement.

—Je pensais que vous la trouviez amusante.

—C'est vrai, oui.

Jude n'eut aucune difficulté à lire entre les mots d'Aidan. Celui-ci était réputé pour sa popularité auprès des femmes, mais aussi pour son aversion envers toute relation d'une durée supérieure à une semaine. En observant Patience à la dérobée, Jude avait supposé qu'elle serait un danger pour lui-même, car cela faisait des mois qu'elle lui laissait entendre qu'elle souhaitait avoir une liaison avec lui. Mais selon toute vraisemblance, elle représenterait un plus grand problème pour Aidan.

— Alors…, s'aventura Jude.

— Je pensais qu'une amitié entamée à la fin de la Saison se révélerait fort commodément limitée dans le temps. Je vois que j'avais tort.

La femme en question, âgée d'une quarantaine d'années, mais encore d'une grande beauté, leva la tête vers eux. Elle écarquilla ses immenses yeux bleus qui lui valaient tant de compliments lorsqu'elle aperçut Jude, puis Aidan. Elle leur sourit à tous deux d'un air aimable, et même si son visage reflétait son intelligence et sa chaleur, son regard trahissait sa ténacité. Quand Patience voulait quelque chose, elle finissait généralement par l'obtenir. Jude avait réussi à ne pas tomber dans le piège, ce qui n'était apparemment pas le cas d'Aidan.

— Combien de temps va-t-elle rester ? murmura Jude.

Aidan secoua la tête.

— Je ne savais pas que ma mère l'avait invitée. Je suppose qu'elle va rester toute la semaine.

— Eh bien, je vous serais reconnaissant de la tenir occupée. Je ne veux pas qu'elle vienne s'immiscer dans mes affaires avec votre sœur.

— Allez au diable, répondit Aidan du bout des lèvres.

Ils atteignirent la dernière marche, et Patience s'avança vers eux.

— Mr York, quel plaisir de vous revoir. Et vous, cher Mr Bertrand, comment allez-vous depuis la dernière fois ?

L'irritation de Jude s'atténua. Les avances de Patience Wellingsly ne l'avaient pas dérangé, cet été. Elle était drôle et intéressante. Mais elle avait la réputation d'être un vrai cœur d'artichaut. Même son mari plaisantait à ce sujet, quand il était encore en vie. Aidan, dont la réputation était à la hauteur de celle de Patience, mais parce que, pour sa part, il n'aimait personne, avait été stupide d'entretenir une liaison avec elle.

Jude lui baisa la main, lui adressa un compliment sincère sur sa beauté, puis prit rapidement congé. Tandis qu'il s'éloignait, il sentit dans son dos le regard brûlant de fureur d'Aidan, et haussa les épaules en souriant. Il n'était nullement obligé d'aider son imbécile d'ami. Il avait une jeune femme à courtiser.

Malheureusement, Marissa ne l'attendait pas en bas de l'escalier, les bras croisés et tapant impatiemment du pied. L'évitait-elle? Il n'y avait qu'une chose à faire pour en avoir le cœur net.

Jude se dirigea vers le salon, puis vers la salle de musique. En s'approchant du seuil, il fut accueilli par une mélodie menaçante, et fut à peine surpris de découvrir Marissa au piano, qui tirait des notes graves de l'instrument. Quand elle leva les yeux et l'aperçut, le sourire aux lèvres, elle se mit à marteler les touches avec encore plus de violence.

—Marissa! cria lady York d'une voix stridente.

La musique s'arrêta, et les dernières notes résonnèrent dans la pièce. La baronne s'éclaircit la voix et baissa le ton.

—Jouez avec un peu plus de douceur, ma chère.

Les autres invités se tournèrent vers elles, certains dissimulant difficilement un sourire.

—Je ne suis pas d'humeur douce, ce soir, mère. Peut-être souhaiteriez-vous me remplacer?

—Oh, je ne peux, tressaillit la baronne, qui commençait déjà à se lever. Je n'ai pas… Eh bien, soit. Si vous insistez. Mr Bertrand, auriez-vous l'obligeance de m'accompagner? Vous avez une si jolie voix grave.

Il releva la tête, surpris.

—Oh, je suis désolé, mais je vais devoir décliner votre proposition, madame. On m'a dit que lorsque je chantais,

53

ma voix évoquait une meute de loups à l'agonie. Mais laissez-moi, je vous prie, vous conduire jusqu'au piano.

Il la mena prudemment à son siège, et elle lui dit alors que s'il refusait, elle allait devoir chanter elle-même. Après quelques flatteries, elle accepta en gloussant de plaisir. Même une personne rencontrant la baronne pour la première fois ne pouvait manquer de remarquer que lady York adorait par-dessus tout se donner en spectacle. Elle se lança joyeusement dans une chanson romantique à propos d'un chevalier et de sa belle.

Quant à la belle de Jude, assise dans un fauteuil, elle le regarda s'approcher avec un regard noir.

— Miss York, dit-il doucement. (Elle ne lui tendit pas la main.) Vous êtes ravissante, ce soir.

C'était vrai. Les reflets roux de ses cheveux miroitaient à la lueur des bougies. Il avait envie de se pencher vers elle pour lui déposer un baiser sur le sommet du crâne, mais son regard furibond était là pour lui rappeler qu'elle le giflerait sans doute s'il osait. Et les autres invités risquaient eux aussi de trouver ce geste déplacé.

— Vous m'avez traitée de femme inconvenante, siffla-t-elle.

Jude sourit. Oh, oui ! Elle avait bel et bien ruminé ses paroles toute la journée.

— Puis-je ? demanda-t-il en s'asseyant à côté d'elle avant qu'elle ait le temps de lui opposer un refus.

Marissa se redressa pour éloigner ses épaules de lui.

— Votre robe a précisément la couleur d'un lac sous un ciel nuageux. C'est stupéfiant.

— Monsieur, vous ne pouvez pas m'insulter puis vous comporter avec moi comme si nous allions devenir amis.

— Vous ai-je insultée ?

— Manifestement.

— Ce n'était pas mon intention. À mon sens, l'inconvenance est une grâce particulière. L'indécence l'est plus encore.

Il se rapprocha d'elle, et elle fut alors dans l'incapacité de reculer sans attirer l'attention.

— N'êtes-vous pas d'accord, Miss York ?

Elle se leva si brusquement qu'il sentit un courant d'air dans ses cheveux. Il l'imita, avec un peu moins de hâte.

— Allons nous promener dans le jardin, si vous le voulez bien. La soirée est exceptionnellement chaude.

— Voyons, Mr Bertrand, le dîner va bientôt être servi.

— Alors je vous promets de ne pas vous emmener jusqu'à Londres.

La respiration rapide, Marissa haletait presque de colère. Jude jeta un regard admiratif à son décolleté. De façon assez pudique, mais luttant pour maîtriser ses émotions.

— Je crois, déclara-t-il si doucement qu'elle dut pencher la tête pour l'entendre, que nous avons à discuter d'affaires importantes. En privé.

Il lui offrit le bras, et Marissa passa rapidement la pièce en revue avant de s'en emparer.

— Quelques minutes. Pas plus.

Un jeune homme observa Jude conduire Marissa hors de la pièce avec une expression troublée. Jude lui sourit de loin.

Quand ils sortirent par la porte vitrée donnant sur la terrasse, Marissa prit une profonde inspiration et lâcha son bras.

— Vous êtes impossible, grogna-t-elle. Me demander si je suis inconvenante. Comme si j'étais une sale gamine.

— Oh, Miss York, je vous assure que ce n'est pas du tout ce que je voulais dire.

— Qu'avez-vous voulu dire, alors ?

Jude rangea prudemment ses mains derrière son dos, pour ne pas être tenté de découvrir jusqu'à quel point elle était inconvenante.

—Combien d'hommes avez-vous embrassés ?

Elle suffoqua d'indignation.

—Mr Bertrand ! parvint-elle enfin à articuler d'une voix étranglée.

—Plus d'un, je parie. De même que j'ai embrassé plus d'une femme. Une bouche est une chose attirante, n'est-ce pas ?

Elle fit un brusque mouvement de tête, comme si elle devait clarifier une pensée.

—Je refuse d'avoir cette conversation avec vous. Je suis une dame, monsieur.

—Oui, vous l'êtes, murmura-t-il en observant sa poitrine se soulever et s'abaisser à la faible lueur du crépuscule. Et contrairement à certains gentlemen que vous connaissez peut-être, il ne me viendrait pas à l'esprit de vous dire que les dames n'aiment pas les baisers. Qu'elles n'aiment pas penser aux hommes. Ou qu'elles ne peuvent pas être tentées par la vue d'un corps bien fait.

La respiration de Marissa se ralentit. Elle resta debout sans bouger, aussi immobile qu'une statue dans la nuit profonde.

—Je… Est-ce cela dont vous souhaitiez me parler ? C'est ridicule.

—À vrai dire, non. Je voulais passer un moment tranquille avec vous afin que vous puissiez me dire toutes ces choses qui bouillonnent dans votre tête. Vous êtes en colère ?

—Je… oui. Non. Je suis simplement… (Elle inspira de nouveau profondément et redressa les épaules.) Mr Bertrand…

—Jude, je vous prie.

Quelques secondes s'écoulèrent avant qu'elle cède.

—Jude. Vous devez vous rendre compte que nous sommes incompatibles.

—Non.

—Mais vous êtes plus âgé que moi et…

—J'ai trente ans. Votre ami Mr White en a vingt-sept, si je ne m'abuse.

—Oh. Mr White. Oui. Eh bien, vous paraissez beaucoup plus âgé que lui.

—Vous avez raison.

—Et vous êtes très différent. Ne vous méprenez pas, j'apprécie sincèrement le fait que vous vous soyez porté volontaire pour m'offrir votre assistance, mais j'aimerais vous expliquer mon plan.

—Votre plan ?

—Oui. (Hochant la tête, elle joignit les mains et commença à arpenter le pavé de long en large.) Je ne crois pas que le scandale éclatera. Et sans scandale, il n'y aura plus aucune raison de poursuivre cette comédie.

—Mais il est très possible qu'il y ait un scandale. Ou un bébé, tout au moins.

Elle s'arrêta brusquement et posa une main sur son ventre.

—Non. Je suis sûre qu'il n'y en a pas.

—Avez-vous saigné ?

—Mon Dieu, comment pouvez-vous parler de telles choses ?

—J'ai passé beaucoup de temps avec des femmes qui s'en souciaient.

—Eh bien, pour ma part, je n'ai pas pour habitude de me préoccuper de ce genre de choses et ne souhaite pas en discuter. Pas avec vous.

—Je comprends. Mais sachez que vous pourrez toujours parler en toute liberté avec moi. Si vous avez des questions, quelles qu'elles soient, n'hésitez pas à me les poser. Vous êtes une femme intelligente, Miss York. Vous devez être dévorée par la curiosité.

— À propos de quoi ?

— À propos des hommes et de diverses choses inconvenantes.

— Non ! s'exclama-t-elle. Absolument pas ! Et de toute façon, je n'ai pas la moindre intention de vous épouser, cela serait donc tout à fait déplacé.

Jude s'approcha d'elle, brûlant d'envie de la toucher. Il serra les poings.

— Que dites-vous d'un marché ? Je m'effacerai gracieusement si vos souhaits s'exaucent. Malgré mon cœur brisé, je sourirai, vous baiserai la main et vous ferai mes adieux. Mais en attendant, nous serons fiancés. Pour de vrai.

— Mais… vous ne me plaisez même pas.

— Vraiment, Miss York, ne pouvez-vous pas au moins feindre de croire que j'ai des sentiments à votre égard ?

— Je suis navrée ! Je fais seulement preuve d'honnêteté. Et que voulez-vous dire par « feindre » ?

— Feindre. Prétendre que vous m'aimez bien, que vous me faites confiance, que vous pouvez me livrer vos pensées les plus secrètes. C'est tout ce que je demande.

Levant la tête, elle l'observa en fronçant les sourcils.

— N'avez-vous donc aucune fierté ?

— Ah ! Bien au contraire. J'en ai beaucoup trop. Pourquoi, vous demandez-vous ? Regardez-moi. Qui suis-je pour prétendre vous faire la cour ? Un grand bâtard disgracieux, fils d'une courtisane française ? Comment puis-je oser espérer conquérir votre cœur ?

Même s'il avait prononcé ces mots avec un sourire, Marissa était au comble de la fureur. Elle ne paraissait pas se rendre compte qu'il s'était approché d'elle et qu'il pouvait voir l'expression sur son visage, malgré l'obscurité.

— N'ayez donc pas l'air si triste pour moi, Miss York.

— Je ne vous trouve pas laid.

— Si, vous me trouvez laid.

Elle secoua la tête, et il s'autorisa enfin à approcher sa main. Il passa un doigt sur le menton de la jeune fille, attentif au moindre détail de sa peau. Douce, délicate et chaude contre la sienne. Le souffle de Marissa se fit court, et Jude sentit son cœur faire des bonds dans sa poitrine.

— Vous êtes trop belle pour moi, dit-il à voix basse.

Elle s'apprêtait à protester, mais se figea soudain quand il effleura sa bouche avec son pouce.

Jude posa le bout de son doigt sur la lèvre inférieure de Marissa, essayant de graver dans sa mémoire la sensation de son souffle sur sa peau.

— C'est vrai. Les gens vont jaser quand ils nous verront ensemble, poursuivit-il.

— Jude…

— Il y aura des murmures et des froncements de sourcils, et vous rougirez de honte. Mais je n'en aurai que faire, Miss York. Vous comprenez ?

— Non, murmura-t-elle.

Il avait dû avancer son pouce sans réfléchir. La lèvre supérieure de Marissa le caressait quand elle parlait. Sa respiration s'accéléra. Jude avait les yeux rivés sur sa bouche, aussi captivé qu'un prédateur affamé.

— Je ne suis pas un garçon. Cela fait longtemps que je ne le suis plus. Et je n'ai jamais été beau, il serait donc vain de le souhaiter. Mais il existe de grands avantages à aimer un homme. Vous pourrez décider par vous-même ce que vous préférez. Garçon… (il remonta imperceptiblement son pouce) ou homme ?

Quand les lèvres de Marissa s'écartèrent, il se sentit envahi par une douloureuse pointe de chaleur, de moiteur et de promesse. Il fit glisser délicatement son pouce le long de la bouche de la jeune femme, jusqu'à sa joue.

La respiration de Marissa s'accéléra. Elle se pencha vers lui.

— Et maintenant, puis-je vous accompagner jusqu'à la salle à manger ? demanda Jude en souriant.

— Pardon ? dit-elle d'une voix douce.

Elle cligna des yeux avec torpeur quand il toucha la peau sensible juste derrière son oreille.

— Il est temps d'aller dîner, mon cœur.

— Déjà ?

Il laissa retomber sa main, et Marissa fronça les sourcils en reculant, comme si elle venait soudain de se rappeler qu'elle ne l'aimait pas.

— Venez, nous devons nous préparer à jouer la comédie.

Elle n'hésita qu'un instant, observant son corps comme pour un dernier examen. Puis, elle posa une main sur la sienne et se laissa conduire jusqu'à la salle à manger. Cette fois, ses doigts reposaient plus naturellement sur lui. Quand ils pénétrèrent dans la pièce, Jude arborait un sourire qui mit le jeune homme qui les avait observés auparavant dans un état d'agitation profonde.

Il inviterait sûrement Marissa à danser au moins deux fois, ce soir-là, et Jude les regarderait volontiers, en retrait. Cela ne le dérangeait pas que Marissa s'amuse, du moment qu'elle terminait la soirée avec lui.

Chapitre 5

La salle de musique avait été dégagée pour que l'on puisse y danser, car celle de danse était trop spacieuse pour le peu d'invités présents ce soir-là. La baronne s'installa dans un fauteuil près du piano, attendant avec impatience l'arrivée des hommes. Le pianiste jouait un air joyeux, mais Marissa lut le mécontentement sur le visage de sa mère. Lady York n'aimait pas que les messieurs restent dans la salle à manger avec leur porto. Elle avait le sentiment que leur absence retardait les festivités, alors qu'elle se donnait grand mal pour qu'il y ait toujours de l'animation dans la maison pendant les soirées.

Lady York s'enorgueillissait d'organiser les réceptions les plus vivantes de la région. Celles-ci se prolongeaient sur près d'une semaine, au lieu des trois jours traditionnels. Le domaine des York était réputé pour les soirées de théâtre et de danse folklorique qui y avaient lieu pendant la saison de la chasse. La baronne faisait venir des musiciens tous les soirs et si l'on ne dansait pas, on jouait aux cartes et aux charades. Mais ce soir-là, on allait danser.

La salle de musique était suffisamment grande pour contenir un bon nombre de couples et le violoniste était prêt, mais il manquait une vingtaine de gentlemen.

Enfin, on entendit au loin le timbre grave des voix masculines. Quelques instants plus tard, un petit groupe d'hommes fit son apparition.

Jude n'était pas parmi eux. Marissa tendit le cou, mais ne l'aperçut pas non plus dans le couloir. Elle n'avait pas la moindre idée de la raison pour laquelle elle le cherchait. Il était assis en face d'elle pendant le dîner et elle avait donc pu l'observer à loisir. Cependant, il leur avait été impossible de parler, et Marissa s'était surprise à se demander ce qu'il avait dit à la dame placée à sa droite pour la faire rire de si bon cœur. Et pourquoi la femme sur sa gauche l'avait-elle dévisagé avec des yeux si brillants, et lui avait-elle si souvent touché le bras pour attirer son attention ?

Cela n'avait pas de sens. Il n'était ni beau ni élégant. De surcroît, il n'avait pas de titre. Mais elle reconnaissait qu'il était intéressant. Fascinant, même.

Par exemple, qu'avait-il voulu dire à propos du fait d'être un homme ? Peter White n'était plus un garçon, avec ses vingt-sept ans.

— Miss York, fit une voix derrière elle.

Marissa sursauta sur son siège et se retourna.

Un gentleman se tenait debout, mais ce n'était pas celui qu'elle cherchait.

— Mr Dunwoody, dit-elle avec un petit sourire forcé.

Un peu plus tôt cette semaine-là, Mr Dunwoody avait été au sommet de sa liste d'amants potentiels. Hélas, White avait fait preuve de moins de correction et de plus de persévérance.

— Miss York, m'autorisez-vous à m'asseoir près de vous ?

— Oui, bien sûr. Comment s'est déroulée la chasse, ce matin ?

— Elle n'a pas été très productive, j'en ai peur.

Il se lança dans une longue description de leur décevante chevauchée. Marissa hochait la tête poliment en s'agitant sur son siège. Contrairement à sa mère, elle préférait que les hommes s'attardent un peu plus longuement avec leur porto. S'ils passaient une heure entière à discuter entre eux de leurs sujets masculins qui l'intéressaient si peu, peut-être auraient-ils épuisé leurs histoires au moment de rejoindre les femmes.

— Mais, acheva-t-il enfin en inspirant profondément, je souhaitais savoir si vous vous portiez bien.

Les muscles de son cou se raidirent soudain.

— Oui, bien sûr. Pourquoi?

— Vous ne semblez pas… vous-même, aujourd'hui.

— Mr Dunwoody, dit-elle avec un sourire éclatant, j'espère que vous ne me laissez pas entendre que j'ai l'air souffrante.

— Non! Non, bien sûr, Miss York. Vous êtes aussi radieuse qu'à votre habitude. Vous avez des yeux verts si magnifiques, quant à vos cheveux… leur teinte rousse est d'une délicatesse indescriptible.

Ses joues se mirent à rosir pendant qu'il parlait, et Marissa ne put s'empêcher de remarquer sa bouche joliment dessinée. Il avait de si belles lèvres. Un peu étroites, mais parfaitement proportionnées par rapport à la finesse de son visage. Elle avait déjà essayé de l'inciter à l'embrasser, mais il était devenu agité et nerveux.

Le sourire de Marissa s'élargit.

— J'espère que vous m'inviterez malgré tout à danser ce soir.

— Bien sûr! Je n'y manquerai pas! D'ailleurs, m'accorderiez-vous la première danse?

Il leva la main, et Marissa se surprit à observer ses longs doigts. Elle ressentit un petit fourmillement au niveau de la taille en pensant que ces mains s'y poseraient bientôt.

— J'en serais ravie, monsieur.

Il répondit par un sourire, mais celui-ci s'effaça rapidement.

—Hum. Je me suis enquis de votre bien-être, car j'ai entendu dire qu'une dispute avait eu lieu hier soir entre Mr White et vous.

Le fourmillement disparut soudain et elle sentit son corps se glacer. Ce fut peut-être à ce moment-là, à ce moment précis qu'elle prit conscience qu'elle n'avait pas d'autre choix que celui d'épouser Jude Bertrand.

Dunwoody s'éclaircit la voix.

—Je n'ai pu m'empêcher de remarquer qu'il était parti. J'espère que, quoi qu'il se soit passé, il ne vous a pas fait de peine. Il semble être quelqu'un de plutôt sympathique, mais peut-être un peu trop sûr de lui.

—Oh…

Dunwoody avait l'air sincère, et non curieux ou sournois. Il croyait peut-être réellement qu'il y avait simplement eu une querelle entre eux, aussi Marissa acquiesça-t-elle.

—En effet, nous nous sommes disputés. Et dans ma colère, je lui ai demandé de quitter les lieux. Je le regrette maintenant, bien sûr. J'ai agi de façon impulsive.

—Je suis certain que vous aviez vos raisons, Miss York. Vous ne m'avez jamais donné l'impression d'être une personne irréfléchie.

Marissa se força à sourire. Mr Dunwoody était le genre d'homme qu'elle aimerait épouser. Calme, doux et beau… et apparemment aveugle devant ses défauts. Mais peut-être pas assez docile pour accepter l'enfant d'un autre. Malgré tout, il semblait l'apprécier, même s'il n'avait jamais fait mention d'un avenir commun.

Il se racla la gorge et soudain, une idée folle traversa la tête de Marissa. Peut-être allait-il lui demander sa main ?

—Savez-vous si Miss Samuel est attendue ici cette semaine ? Je sais que vous êtes des amies proches, et j'ai entendu dire que sa mère s'était remise de la maladie qui les avait tenues loin de Londres.

—Oh, je crois…

Elle se tut quand elle comprit ce que ces paroles signifiaient. Il admirait Elizabeth Samuel. Peut-être même pensait-il l'aimer. Et elle ne pouvait le blâmer. Beth, sa meilleure amie, était une personne merveilleuse. Voilà qui expliquait pourquoi Mr Dunwoody n'avait jamais tenté de l'embrasser.

—Oui, elle a promis qu'elle essaierait de venir. Je suis certaine qu'elle va arriver d'un jour à l'autre. Lui avez-vous écrit ?

Il rougit de nouveau.

—Cela ne me semblait pas convenable. Nous nous sommes seulement rencontrés une fois.

—Eh bien, je suis sûre qu'elle sera heureuse de savoir que vous avez pensé à elle.

La musique s'arrêta un instant, puis reprit dans un tourbillon de notes. Mr Dunwoody posa ses doigts élégants sur le bras de Marissa et lui adressa un sourire radieux.

—M'accordez-vous la première danse ?

Marissa se leva pour l'accompagner sur la piste.

Il la fit tournoyer à travers la pièce au son d'une gigue animée et, rapidement, d'autres danseurs les rejoignirent sur la piste. Quand la danse s'acheva, Marissa riait, luttant pour reprendre sa respiration. Mr Dunwoody posa une main ferme sur son dos, mais elle s'intima de ne pas y penser. Il avait un faible pour Beth, et Marissa ne pouvait que s'en réjouir.

Il la reconduisait vers la banquette quand son sourire se figea soudain.

—Qui est cet homme ? demanda-t-il à voix basse.

Levant les yeux, elle constata que Mr Bertrand était enfin arrivé. Le bras posé sur la tablette de la cheminée, il discutait avec Aidan, mais son regard était dirigé vers elle. Elle s'attendait à y lire de la jalousie, mais s'aperçut que ses yeux riaient.

Il représentait une énigme pour elle.

—C'est Mr Bertrand, un ami de la famille.

Et peut-être mon futur mari. Comme toujours, il dépassait en taille tous les autres hommes présents dans la pièce. Marissa sentit que tous les regards convergeaient sur lui, alors même qu'elle était en train de remercier Mr Dunwoody pour la danse.

En voyant Jude s'avancer vers elle, elle eut la chair de poule.

—Miss York, murmura-t-il. Vous êtes une merveilleuse danseuse.

—Merci. Vous dansez, Mr Bertrand?

—J'en suis capable.

Elle attendit qu'il lui prenne la main, mais à sa grande déception, il se contenta de rester debout près d'elle. Elle ne pouvait épouser un homme qui ne dansait pas. La danse était l'une des joies de l'existence. Danser, monter à cheval et lire des romans. Et dans certaines occasions spéciales, laisser des hommes faire des choses excitantes à son corps.

Des garçons. Marissa eut l'impression d'entendre la voix de Jude chuchoter à son oreille. Elle sursauta, et ses yeux glissèrent sur les mains de l'homme.

—Bon, dit-elle, si vous voulez bien m'excuser, j'ai promis une danse à mon cousin.

—Bien sûr. Je me réjouis de pouvoir admirer votre grâce de loin.

Énervée, Marissa se hâta vers l'autre côté de la pièce, même si elle ne savait pas du tout où se trouvait Harry et s'il aurait envie de danser. En traversant la salle, elle aperçut l'une des servantes près du seuil, qui semblait attendre quelque chose. La jeune fille écarquilla les yeux en voyant Marissa, et fit un geste de la tête avant de disparaître.

Familière de ce genre de situations, Marissa la suivit.

— Miss York, dit la fille dès qu'elles furent seules dans le couloir. Une lettre pour vous.

— De qui ?

— Je l'ai trouvée devant la porte de la cuisine, mademoiselle.

Trépidant d'excitation, Marissa dissimula le message dans ses jupes et se précipita vers la porte fermée la plus proche. Le cabinet de couture. Elle hésita un moment puis, balayant ses scrupules d'un haussement d'épaules, se faufila à l'intérieur. Les bougies des appliques étaient allumées, comme si son frère redoutait désormais l'obscurité des pièces vacantes. L'espace d'un instant, elle se sentit envahie par la culpabilité, mais elle s'efforça de reprendre ses esprits. Il n'y avait nul fantôme d'un couple répétant ses mésaventures de la nuit précédente. Il n'y avait aucune trace de son innocence perdue sur le canapé. C'était une simple pièce.

Les mains tremblantes, elle décacheta le pli.

« Ma chérie,
Malgré mes paroles insensées, je ne supporterais pas qu'il vous arrive quelque chose. Je vous en prie, pardonnez-moi de m'être si mal conduit envers vous. C'est la passion que je ressens pour vous qui est responsable de mon impolitesse. Je vous aime. Je vous supplie de bien vouloir reconsidérer votre refus à ma proposition. Mon souhait le plus cher serait de passer le reste de mes nuits près de vous, comme j'ai passé cette brève heure dans vos bras. »

— Plutôt bref, pour une heure, en effet, marmonna-t-elle.

Le tout avait duré trente minutes tout au plus, qui lui avaient pourtant paru une éternité.

« Je suis honoré par ce précieux cadeau que vous m'avez offert. S'il vous plaît, devenez mon épouse. »

Pendant un moment, elle songea avec affection aux jambes de Mr White. À son visage rasé de près et à ses mains délicates. Ces mains et ces cuisses si pleines de promesses, et qui pourtant ne lui avaient procuré que si peu de plaisir. Tout au moins ne l'avait-il pas égratignée avec un menton piquant.

Pourrait-elle l'épouser ?

Son esprit se révolta à cette pensée. Peut-être la danse n'était-elle pas si importante, après tout. Elle n'accorda pas plus de réflexion à la proposition de Mr White. Elle replia la lettre avec un soupir et se retourna pour sortir, quand elle prit conscience qu'elle n'était pas seule. Jude était nonchalamment appuyé contre le chambranle de la porte.

— Oh ! J'étais juste en train de…

— Il ne vous fait pas chanter, j'espère ?

Elle s'aperçut que son sourire mystérieux avait enfin disparu, cédant la place à une expression froide et menaçante.

— Non ! Non, ce n'est rien de tel. Il me déclare simplement qu'il m'aime.

— Ah. Et êtes-vous disposée à lui pardonner ?

— Bien sûr que non !

Un sourire satisfait vint éclairer le visage de Jude.

— Bien.

Il entra tranquillement dans la pièce et se dirigea vers le canapé.

— Ainsi, Miss York, voici le lieu où vous avez perdu votre innocence.

— Mr Bertrand, souffla-t-elle, choquée.

Avec un clin d'œil, il s'assit sur le canapé et tapota la place à côté de lui.

— C'est Jude, vous souvenez-vous ?

—Jude, marmonna-t-elle.

—Alors, dites-moi tout, Miss York. Le jeu en valait-il la chandelle ?

Elle se sentit soudain en proie à une étrange sensation. Elle était à la fois horrifiée et curieusement excitée. Cet individu assis tranquillement prononçait des paroles scandaleuses comme si elles étaient tout à fait acceptables. Comme si elle ne devait pas s'en offenser. Comme si elle allait vouloir lui parler de ce qu'elle ressentait.

Elle regarda le coussin près de lui.

—La chose peut être agréable, vous savez, dit-il.

—Je le sais bien, répondit-elle sèchement, avant de se laisser tomber à côté de lui.

—L'était-ce ?

—Non, souffla-t-elle.

Elle sentit le corps de Mr Bertrand se raidir près d'elle.

—A-t-il été brutal ?

—Oh, non ! Il était simplement… médiocre.

À peine ce mot eut-il franchi ses lèvres que Marissa se rendit compte à quel point il était malvenu. Comment pouvait-elle être au courant de telles choses ?

—Je veux dire…

Mais à côté d'elle, Jude riait.

—Médiocre, hein ? Eh bien, c'est une tragédie, mais peut-être aussi une chance, pour une dame qui perd son innocence.

—Pourquoi donc ?

Jude s'adossa sur le canapé et étendit les bras.

—C'est une expérience qui peut être douloureuse, et je n'aime pas vous imaginer souffrir.

—Eh bien, ce n'était pas très agréable, mais je pense que c'était surtout dû au fait qu'il m'écrasait. (Elle regarda Jude furtivement.) Et maintenant que j'y pense, vous semblez fâcheusement lourd.

Il inclina la tête, comme pour admettre qu'elle disait vrai, et elle fut un instant embarrassée par sa propre grossièreté.

— Je puis pourtant vous assurer que je n'ai encore jamais écrasé une dame. Pas une seule fois.

Elle sentit une vague d'intérêt la parcourir.

— Alors… vous avez beaucoup d'expérience ?

— Suffisamment.

— Qu'est-ce que cela signifie ? Pour un gentleman, je veux dire. Si j'en crois ce que j'ai entendu, ce n'est pas du tout la même chose.

Il croisa les jambes en équerre. Sa cuisse était désormais toute proche de la main de Marissa.

— Cela signifie que j'ai un certain entraînement pour procurer du plaisir aux femmes.

Le plaisir. C'était justement ce qu'elle recherchait depuis cette fameuse nuit, deux ans auparavant. Le plaisir. Et la douleur. Et la surprise. Elle sentit un nœud se former dans le creux de son ventre et serra les cuisses. Elle n'aurait pas cru Jude Bertrand capable de faire naître ce genre de sensations chez elle, avec son corps massif et si peu élégant.

Pourtant ses paroles semblaient tellement… pleines d'assurance. Ce n'était pas de l'arrogance. Seulement de la confiance en soi. Il ne doutait pas un seul instant de son aptitude à donner du plaisir, aussi n'en doutait-elle pas non plus.

— Est-ce…, commença-t-elle d'une voix légèrement cassée. (Elle se racla la gorge.) Est-ce donc un secret ? La manière de procurer du plaisir aux femmes ?

— Si j'en crois ce que m'ont dit certaines femmes, oui. Il semble que seuls quelques privilégiés possèdent ce savoir-faire. À mon sens, il est plus important de l'acquérir que d'apprendre à sauter une haie, par exemple, et pourtant, bien trop souvent, les maris s'intéressent plus à leurs chevaux qu'au plaisir de leur épouse. Vous n'aimeriez pas avoir un tel époux, n'est-ce pas, Miss York?

— Je… je ne comprends pas ce que vous voulez dire.

— Vraiment? Je suis pourtant certain du contraire. (Il s'enfonça plus profondément dans le canapé, si bien que sa cuisse se rapprocha de celle de Marissa et que son genou effleura ses jupes.) Il existe plus d'une façon, vous savez.

— Plus d'une façon de quoi?

— De satisfaire une femme.

Elle sentit son pouls battre entre ses jambes.

— Ah bon? dit-elle d'une voix aiguë.

— Oui. Et bien sûr, il existe de multiples manières de satisfaire un homme. Il est facile de lire en nous. Nous fonctionnons très simplement.

Oh, mais ce n'était pas vrai. Marissa n'en savait pas plus sur le plaisir des hommes que sur le sien. Aimaient-ils les mêmes choses? Éprouvaient-ils les mêmes sensations? Marissa regarda droit devant elle, les mains serrées sur ses genoux. Elle ne devait pas l'encourager. Elle ne devait pas poser la main sur sa cuisse et se pencher vers lui pour qu'il l'embrasse. Il penserait alors qu'elle désirait réellement qu'il s'intéresse à elle, alors que la seule chose qu'elle recherchait était le plaisir.

Un léger froissement du tissu derrière elle lui indiqua qu'il avait déplacé sa main. Il passa alors un doigt sur sa nuque. Frissonnante, Marissa ferma les yeux, essayant de réprimer un soupir sec.

— Puis-je vous appeler Marissa quand nous sommes seuls? Nous faisons semblant, après tout.

Il promena sa main sur le côté de son cou, tout en lui caressant le dos avec son pouce.

La chair de poule s'empara de son corps et elle sentit ses tétons se durcir. Elle savait qu'il s'agissait d'un endroit que les hommes touchaient quand ils faisaient l'amour aux femmes.

—Oui, bien sûr.

—C'est bien. D'être ici, dans l'intimité, avec vous.

—Mmmm.

Elle n'osa pas en dire davantage.

—Mais vos partenaires de danse vont vous chercher, Marissa.

Il avait prononcé son prénom avec un léger accent français, comme quand il s'était présenté à elle.

—Mmm, chuchota-t-elle de nouveau, se concentrant sur la main de Jude sur son cou.

Elle était chaude, et étonnamment légère. Elle l'imagina se déplacer vers son décolleté…

—Allons-y, si vous le voulez bien ? dit-il d'une voix calme et caressante, alors que la paume de sa main faisait naître une vague de chaleur sur sa nuque.

Marissa se cambra doucement, creusant son dos de façon à mieux sentir le poids de la main de Jude. Pendant un moment, ses doigts furent plus lourds, et une tension s'établit entre leurs deux corps comme une corde visible. La cuisse de Jude se contracta et son genou se pressa contre elle. Était-il en train de se pencher vers elle ? Allait-il caresser ses épaules dénudées avec sa bouche ? Elle écarta les lèvres pour respirer plus profondément.

—Oui, murmura-t-elle.

Jude se leva alors brusquement et rajusta sa veste.

—Alors laissez-moi vous conduire vers vos soupirants qui vous attendent impatiemment.

—Vers qui ?

Il lui tendit la main, et elle la prit sans y penser. Il l'aida à se mettre debout.

—Mais je ne me sens pas d'humeur à danser maintenant.

—Discutons, alors.

—Mais de quoi donc pourrais-je vous parler ?

Il lâcha un petit rire.

— Eh bien, parlez de ce dont vous auriez envie de parler avec n'importe qui.

Irritée de s'être méprise sur ses intentions, Marissa se renfrogna. Les hommes n'étaient bons qu'à discourir de chevaux et du gouvernement.

— Oh, vous aimeriez que je vous parle de mon jardinage, n'est-ce pas ? Je pourrais aussi vous régaler avec l'histoire du dernier roman que j'ai lu. Ou encore, vous raconter le motif que je compte broder sur mon petit oreiller.

— Absolument, dit-il en la conduisant lentement hors de la pièce.

— Je ne me satisfais pas de murmures polis et de regards ennuyés, Mr Bertrand. Mais si vous tenez à parler de chevaux, je serai suspendue à vos lèvres, vous pouvez en être certain.

— Mon Dieu ! Vous avez une bien piètre opinion des hommes, n'est-ce pas ?

— Bien au contraire, j'aime les hommes. Ils sont polis, serviables, et indispensables pour danser. Et les hommes sont beaux, et différents, n'est-ce pas ?

— Ce n'est pas le cas de tous, à l'évidence, mais je ne m'attarderai pas là-dessus. Sachez que ma mère aime beaucoup le jardinage, et que je passais des heures à l'aider quand j'étais petit.

Elle examina attentivement son visage pour savoir s'il se moquait d'elle, mais il avait l'air tout à fait sérieux.

— Elle fait pousser des herbes aromatiques dans son petit jardin, et des rosiers le long de l'allée.

— Vraiment ? Je n'ai jamais cultivé d'herbes. Les cuisiniers ne me laissent pas pénétrer dans leurs parcelles. Mais les rosiers… les rosiers représentent un vrai casse-tête. Ils sont si facilement contrariés, et pourtant si forts et si résistants.

— Comme les hommes ?

Elle éclata d'un rire si soudain qu'elle mit la main devant sa bouche pour en atténuer l'intensité.

— Oui ! Comme les hommes !

— Nous rions ensemble, dit-il lentement. Et nous avons un point commun. Nous nous ressemblons beaucoup, Miss York. Voulez-vous m'accorder une faveur ? Laissez-moi vous emprunter le dernier roman que vous avez lu afin que nous puissions en discuter.

— Vous n'allez pas aimer. C'est mélodramatique à l'excès.

— Ainsi, je penserai à vous, je suis donc certain que ce livre me plaira beaucoup.

— Moi ? s'écria-t-elle avec indignation alors qu'ils entraient dans la salle de musique. Je ne suis pas le moins du monde mélodramatique ! Je suis réputée pour mon calme et ma maîtrise de moi, Mr Bertrand.

— Je me trompe, alors, dit-il, en lui prenant la main et en s'inclinant pour prendre congé.

Elle sentit un instant la caresse légère de sa bouche sur ses doigts, puis il partit. Bouillonnant de frustration, elle tapa du pied, avant de se rendre compte que ce geste pourrait être perçu comme mélodramatique. Ou excessif. Deux qualificatifs qui ne la caractérisaient absolument pas.

Son calme faisait souvent l'objet de compléments parmi les gens de son entourage, et elle n'allait pas laisser Jude ternir sa réputation. Marissa attrapa un verre de vin sur le plateau d'un domestique qui passait et le but d'une traite. Uniquement pour ne pas se départir de son calme, bien évidemment.

Elle ne songea plus du tout à danser et regarda fixement le large dos de Jude Bertrand. Il était insupportable, et il ne lui restait plus qu'à prier Dieu qu'elle ne termine pas mariée à lui. Il la rendrait folle après à peine un an de mariage.

Chapitre 6

Marissa s'était réveillée avec la nuque raide et une migraine. Tout en sirotant son thé, elle songea à sa situation, et sa douleur se transforma en colère. Elle regarda son reflet dans le miroir avec fureur, pendant que la nouvelle femme de chambre lui brossait les cheveux, la coiffait et l'habillait. Il avait suffi d'une erreur stupide sous l'emprise de l'alcool pour qu'elle perde tout pouvoir sur son existence. Déjà qu'elle en avait si peu. Jusque-là, elle s'y était pourtant raccrochée avec une détermination farouche.

Bien sûr, Marissa avait su qu'elle devrait se marier, mais tout au moins aurait-elle pu décider du moment. Elle avait su qu'elle devrait quitter son foyer, mais seulement quand elle serait prête. Et elle avait su qu'elle passerait sa vie avec un mari, mais elle aurait pu choisir elle-même de qui il s'agirait.

Et elle allait tout faire pour qu'on lui rende au moins ce droit. Choisir qui elle allait épouser.

Une fois que la bonne eut boutonné et rajusté sa robe la plus pudique, Marissa partit à la recherche du baron pour l'affronter.

Le menton levé bien haut, elle ouvrit la porte d'un geste théâtral et surgit dans le bureau d'Edward. Sa famille lui avait au moins appris à faire une entrée.

75

— Ah, Marissa, dit son frère en levant le nez de ses journaux. Voulez-vous fermer la porte derrière vous ? Nous avons à parler.

— Absolument.

— Alors vous avez vous aussi entendu la nouvelle ?

Marissa prit un air étonné.

— Quelle nouvelle ?

— Mrs James Ready a demandé à me voir ce matin. Elle a eu vent d'un incident entre vous et Mr White, et s'inquiétait à l'idée qu'il se soit agi de quelque chose d'immoral. Elle redoute que sa fille soit exposée aux rumeurs. Millicent est plus jeune que vous de quelques années.

La colère de Marissa l'abandonna brusquement. Elle baisse la tête et sentit soudain ses genoux faiblir.

— J'ai réussi à l'apaiser en lui faisant croire que je la mettais dans la confidence. Je lui ai raconté la même version qu'aux domestiques. Que vous vous étiez disputée avec Peter White à propos d'une petite histoire de jalousie, et que ce n'était rien du tout.

— Oh, murmura Marissa. Oh, très bien.

— Millicent ne s'est-elle pas comportée de manière étrange avec vous ?

— Pas le moins du monde.

Edward laissa tomber sa tête sur sa poitrine d'un air accablé. À cette vue, Marissa sentit les dernières forces qu'elle avait dans les jambes la quitter. Elle s'assit avec précaution sur une chaise.

— Pourtant, je ne peux faire cesser toutes les rumeurs, dit Edward. Je ferai de mon mieux, mais…

Elle acquiesça, songeuse. Elle comprit soudain que ses actes n'avaient pas seulement des conséquences sur elle-même, mais sur toute sa famille. Sur Edward, qui n'avait jamais causé le moindre tort à quiconque. Sur sa mère, qui certes aimait s'évanouir, mais n'apprécierait pas les rires méchants. Et sur Aidan, qui avait déjà entendu suffisamment de murmures et de commérages pour toute une vie.

Elle n'avait pas le droit de se plaindre. Elle n'avait pas le droit de taper du pied en exigeant que ses désirs soient satisfaits. Si elle devait se marier, alors elle épouserait Jude Bertrand et lui serait reconnaissante pour sa générosité.

Ou tout au moins ne lui en voudrait-elle pas.

Edward lui adressa un sourire las.

— Je suis certain que tout ira bien, Marissa. Que souhaitiez-vous me dire, s'il ne s'agissait pas de Mrs Ready ?

— Rien. Ce n'était pas important.

— Cela le semblait, pourtant.

— Non.

Il baissa les yeux vers son bureau.

— J'espérais que vous vouliez me parler de la lettre que vous avez reçue hier soir.

Elle sursauta, surprise.

— Il vous l'a dit ?

— Qui ? Jude ? Non, c'est la gouvernante qui m'en a informé. Elle sait pour votre comportement irréfléchi et désire vous préserver du scandale. Le message était de Mr White, je présume ?

— Il me demande de l'épouser, murmura-t-elle, étonnée de sentir une vague de soulagement l'envahir.

Jude n'avait pas trahi sa confiance.

— Vous n'avez pas changé d'avis à ce sujet ?

— Non ! Quoi qu'il arrive, je n'épouserai pas Mr White.

— Bien. Mais vous ne manquerez pas de me dire s'il tente à nouveau d'entrer en contact avec vous ?

Elle réfléchit un long moment avant d'acquiescer.

— Oh, et notre cher frère a une grande envie de savoir où se trouve Mr White. S'il vous l'a indiqué dans sa lettre, s'il vous plaît, n'en soufflez mot à Aidan. Un procès pour meurtre n'arrangerait pas la situation.

Sans rien ajouter, Marissa quitta la pièce et monta l'escalier pour aller faire la paix avec son faux fiancé.

Jude retira sa veste et la roula en boule, entendant résonner au loin l'écho des coups de fusil. Il s'allongea sur l'herbe, à l'ombre, cala sa veste sous sa tête et ouvrit le livre qui avait été apporté dans sa chambre le matin même.

Dès qu'on lui avait remis l'ouvrage, Jude avait fait savoir qu'il ne participerait pas à la chasse du matin et s'était esquivé dans le jardin pour lire. C'est une belle matinée : il faisait étonnamment chaud, et Marissa York commençait à s'adoucir.

Mais peut-être « adoucir » n'était-il pas le terme juste. Jude cherchait une tension, et le corps de Marissa en était plein.

Il regarda fixement la première page du livre sans la voir. Marissa occupait ses pensées. Plus que jolie, elle était surtout fascinante. Sa sauvagerie mal dissimulée. La manière dont elle parlait des hommes, avec une affection mêlée de dédain. Son tempérament impétueux et ses paroles froides.

Ni ses activités ni ses tenues ne la distinguaient des autres jeunes femmes de la bonne société. Pourtant, derrière sa façade de normalité, quelque chose brûlait en elle. Quelque chose de puissant et de violent.

Par le passé, Jude l'avait admirée de loin, mais à présent qu'il pouvait s'en approcher… il était complètement captivé.

Son objectif était cependant d'éveiller son intérêt, et non de la suivre comme un chiot languissant d'amour. Elle en avait assez de ce genre d'attention. Tellement qu'elle ne la remarquait pas. Il avait repéré au moins deux jeunes gens qui rivalisaient pour gagner ses faveurs dans la propriété des York, mais pour elle, ils n'étaient que des partenaires de danse, et rien de plus.

Marissa s'ennuyait, elle était impatiente et gâtée, mais elle ne le savait même pas.

Jude s'empara de la note coincée dans les pages du livre et sourit devant l'écriture régulière de sa signature. Si faussement délicate. Tout le monde était dupe. Mais pas lui.

Il voyait ce qui se cachait derrière ces simples mots. «Une admirable histoire, une tempête d'émotions», lut-il. Cela aurait pu décrire Marissa elle-même.

Le livre était un élément de l'énigme qu'elle représentait, aussi s'obligea-t-il à se concentrer dessus. Il ne lui fallut pas longtemps pour se laisser prendre par la vivacité des dialogues et du drame. Quand il leva les yeux, ses jambes étaient largement exposées au soleil. Il aperçut alors une silhouette féminine dans le jardin. *Marissa.* Elle ne l'avait pas encore remarqué, et il n'osa pas troubler sa solitude.

Il préféra l'observer. Elle traversait rapidement les allées couvertes d'herbe, brisant les têtes séchées des fleurs. Ce n'était pas nécessaire, il le savait. Les rosiers seraient bientôt taillés en préparation de l'hiver, quelques fleurs fanées n'étaient donc pas dérangeantes. L'activité devait toutefois la détendre, aussi inutile soit-elle. Son visage semblait paisible, et plus jeune.

Son avenir devait lui faire peur, mais elle n'en laissait rien paraître. Il l'avait déjà vue en colère, heureuse, désapprobatrice et gaie. Et à présent, paisible. Mais jamais effrayée.

Elle plairait à sa mère, et il était certain que les deux femmes feraient connaissance un jour. Marissa n'était pas du genre à laisser passer l'occasion de rencontrer une authentique courtisane. La visite demeurerait secrète du reste de la bonne société, mais Marissa serait incapable de résister. Jude n'était pas certain de pouvoir dire cela de beaucoup d'autres dames de la noblesse.

Marissa leva alors les yeux et se figea quand elle croisa son regard. Jude plaça le livre suffisamment haut pour qu'elle puisse le voir, et ses épaules se détendirent. À la grande surprise de Jude, elle se dirigea vers lui en souriant.

— Bonjour, Marissa.

La jeune femme avait les joues rosies par le soleil et un sourire inhabituellement doux. Elle s'assit dans l'herbe à côté de lui, puis aplatit les jupes de sa robe jaune qui formait comme une cloche autour d'elle.

— Vous n'êtes pas à cheval avec les autres.

— J'avais un livre à lire.

— Et qu'en dites-vous ?

— C'est admirablement chargé d'émotion. Et agréablement excessif.

— Insolent.

Il posa le livre sur l'herbe aux pieds de Marissa. Elle s'empressa de faire disparaître ses orteils sous l'étoffe jaune. Jude garda les yeux baissés pendant quelques instants, regrettant de ne pas avoir remarqué plus tôt ses pieds nus.

— Je trouve que Wendell est une brute et que Chloe est un peu sotte. Heureusement que Danielle est là pour rendre l'histoire intéressante.

Le regard de Marissa s'éclaira.

— Vraiment ?

— Et vous, qu'en avez-vous pensé ?

— Eh bien, commença-t-elle en tirant sur un brin d'herbe qu'elle se mit à tortiller, mes doigts me démangent de gifler Chloe pour lui faire reprendre ses esprits, et j'ai très envie que Danielle remette Wendell à sa place une fois pour toutes. Mais l'intrigue devient plus palpitante avec l'arrivée d'un beau gentleman dans la maison voisine.

— Bonté divine, un beau gentleman. Je ne manquerai pas de poursuivre ma lecture, alors.

Marissa arracha un autre brin d'herbe.

— Il y a du nouveau. L'une de nos invitées a entendu des rumeurs à mon sujet, mais je crois qu'Edward a réussi à la convaincre que Mr White et moi n'avons fait que nous quereller.

— Et qu'en est-il de Mr White? Va-t-il raconter des histoires sur votre compte quand il prendra conscience que vos sentiments n'ont pas changé?

— Je l'ignore. J'espère que non. Il ne lui sera pas non plus facile de se dépeindre sous un jour favorable.

— Je suis certain qu'il ne voudra pas mêler son nom à un scandale.

Marissa secoua la tête. Une mèche de cheveux s'échappa de sa tresse et vint caresser son visage.

— J'espère qu'il n'est pas aussi méchant. Et je suis sûre qu'il n'y aura pas d'autres… conséquences. Et si j'ai raison… que ferez-vous?

— Moi? Je suppose que je redeviendrai célibataire, tout simplement.

— Je ne voudrais pas qu'il y ait de rancune entre nous.

Elle laissa tomber le brin d'herbe qu'elle tenait, et Jude lui prit alors négligemment la main. Le tressaillement de ses doigts trahit son étonnement, mais elle ne la retira pas.

— Il n'y aura aucune rancune de ma part. Je respecterai votre décision, Marissa.

— C'est surprenant. Pour un homme.

— Peut-être.

Il lui caressa la paume avec son pouce, et Marissa replia les doigts dessus, comme si elle voulait garder la main de Jude collée contre la sienne.

— Il est vraiment étrange que vous sachiez une chose aussi embarrassante et intime sur moi. Je suis en position de faiblesse.

— Demandez-moi tout ce que vous souhaitez, alors. Je vous répondrai avec honnêteté.

Elle lui lança un regard perçant, ce qui lui laissa penser qu'elle avait espéré qu'il fasse cette proposition. Il glissa ses doigts entre les siens et elle répondit par une pression ferme.

— Ainsi, votre mère est… courtisane.

— Oui.

— Cela signifie que… sa maison doit sortir de l'ordinaire. Vous y viviez ?

— Pendant ma tendre enfance, oui. Plus tard, j'y passais parfois mes étés. Ce n'était pas si curieux que cela.

— Oh, fit-elle en regardant fixement ses mains, les joues adorablement rosies.

— Était-ce ce que vous souhaitiez me demander ?

— Je me disais juste… (Elle parla précipitamment, comme si elle n'osait pas respirer.) Je me disais juste que vous aviez dû les fréquenter. Les femmes.

— Je vois. Vous voulez donc que je vous raconte comment j'ai perdu mon innocence ?

— Oui ! C'est ce que… Oui, ainsi, cela sera plus juste !

— Je suis d'accord. Eh bien, j'étais beaucoup plus jeune que vous. J'avais seulement seize ans. Comme vous vous en doutez, il s'agissait d'une amie de ma mère.

Marissa écarquilla ses beaux yeux verts et resserra sa main autour du pouce de Jude, tout en se penchant vers lui.

— Une courtisane ? souffla-t-elle.

— Oui. J'étais désespérément amoureux d'elle depuis deux ans. C'était la femme la plus belle et la plus délicate que j'aie jamais vue. Je lui écrivais des poèmes et lui faisais la cour. J'étais insupportable, j'en suis sûr. Mais un jour, elle estima enfin que j'étais suffisamment âgé. Elle eut pitié de moi et m'emmena dans son lit. Ma parole, après cela, je pensais que jamais je ne cesserais de l'aimer.

Elle se mit à rire.

— Pourtant cela a été le cas ?

— Le moins que l'on puisse dire, c'est que les amours d'un jeune garçon sont capricieuses. Trois semaines plus tard à peine, j'étais amoureux de la nouvelle fille de cuisine de la voisine.

— Ah, vous tombez donc souvent amoureux ?

Il porta lentement la main de Marissa à sa bouche et y appliqua ses lèvres dans un chaste baiser. Marissa observa attentivement sa bouche, comme si elle en attendait plus.

— Depuis, j'ai appris à faire la différence entre le désir et l'amour. Les hommes se laissent facilement distraire par le désir.

— Mais pas les femmes ? demanda-t-elle d'un ton qu'elle voulut léger, mais dans lequel il perçut une pointe d'inquiétude.

— Certaines femmes aussi. Il n'y a aucune raison d'en avoir honte, Marissa.

— Je ne suis pas assaillie par le désir ! J'aime danser, c'est tout.

— Bien sûr.

Elle retira sa main d'un coup sec.

— C'est vrai !

— Je suis sûr que c'est la raison pour laquelle vous examinez les jambes de vos partenaires avec une si grande attention. Pour vous assurer que leurs pas seront légers.

Elle écarquilla tellement les yeux que ses iris furent complètement entourés de blanc.

— J'apprécie la mode. Et les beaux tissus !

— Allons, Marissa. Dites la vérité. Vous aimez lorgner les hommes.

Le visage de Marissa s'empourpra si violemment que Jude eut soudain peur qu'elle ne soit prise de vertige et ne s'écroule. Il mit la main sous son coude pour la soutenir.

— Ce n'est pas la peine de mentir, dit-il avec douceur. Pas à moi.

Lentement, elle prit une profonde inspiration. Puis, elle redressa les épaules et hocha la tête en déclarant :

— Oui, j'aime bien les regarder.

— Voilà, ce n'était pas si difficile, n'est-ce pas ?

— Je ne comprends pas comment je peux être la seule ! Ils se promènent comme ça, en exhibant leurs jambes. Ils portent des pantalons si près du corps et se pavanent comme des paons, et pourtant il faudrait faire semblant de ne pas regarder, et…

Elle s'interrompit soudain et s'affaissa comme une marionnette dont on aurait coupé les fils.

Jude haussa un sourcil étonné.

— Je suis assez déçu que vous ne me mentionniez pas dans votre diatribe. N'avez-vous pas encore jeté un regard à mes cuisses, Miss York ?

Il croisa les jambes et observa les yeux de Marissa parcourir son corps. Il portait des bottes et une culotte d'équitation, et savait qu'elle le regarderait.

— Si. Vous êtes très… robuste.

Malgré son ton désapprobateur, une bouffée de satisfaction envahit Jude.

— Elles ont l'air très musclées.

Il sentit ses cuisses se contracter en entendant ces paroles franches.

— Les cuisses des hommes ne sont-elles pas censées être musclées ?

Elle haussa les épaules et risqua un regard vers ses jambes. Le cœur de Jude battit plus fort.

— Vous regardez mais ne touchez pas ?

— Si peu, soupira-t-elle avec regret.

Jude sentit l'excitation monter, mais il parvint à conserver une expression calme.

— Ah, mais vous êtes ma fiancée, maintenant. En théorie.

Fronçant les sourcils, elle osa enfin lever les yeux vers lui, un petit sourire aux lèvres.

— Jude Bertrand, êtes-vous en train de me proposer d'explorer votre corps?

— Voyons, un gentleman inciterait-il une jeune femme à ce genre de comportement? (Il étendit les bras vers le ciel puis, fermant les yeux, il les replia derrière la tête.) Mais si je faisais un petit somme, je suppose que je serais à votre merci.

— Jude, chuchota-t-elle. Je ne peux pas. Si quelqu'un nous voyait?

— Chut. Nous sommes à l'ombre, et je dors.

Il n'était pas le moins du monde endormi. Une douloureuse excitation avait mis tout son corps dans un état de tension extrême. Allait-elle oser? Il était fou, ne serait-ce que de suggérer une telle chose, et pourtant il ne pouvait s'empêcher de la provoquer.

Il se rendit compte qu'il retenait sa respiration et s'efforça de se détendre.

— De nous deux, murmura Marissa, je me demande bien qui est le plus scandaleux.

Elle mit alors la main sur sa cuisse.

C'était un contact innocent, si tant est que ce soit possible. Elle avait posé doucement sa main juste au-dessus de son genou. Pourtant, il se sentit agité d'un frémissement. La main de Marissa s'attarda, hésitante et légère, pendant un long moment. Comme il ne bronchait pas, elle écarta les doigts autour de sa jambe.

— Vous êtes très dur.

D'une main délicate, elle poursuivit lentement son ascension audacieuse.

S'il la laissait continuer ainsi, il allait rapidement devenir plus dur encore.

Elle appuya légèrement sur sa cuisse.

— Je vous préfère dans votre culotte d'équitation, je crois.

— Mmm.

Sous ses doigts, la peau de daim souple se réchauffa. Quand elle glissa sa main vers l'intérieur de sa cuisse, Jude sentit son sexe se raidir. *Seigneur!*

Il s'efforça de compter jusqu'à dix. De penser à la chasse. De se remémorer les noms de tous les professeurs qu'il avait eus pendant son enfance. Mais quand Marissa émit un léger ronronnement tout en faisant progresser lentement sa main, Jude remonta subitement ses genoux et se hissa sur ses coudes. Elle retira vivement son bras.

— J'ai cru entendre quelque chose, murmura Jude.

Marissa tourna la tête dans toutes les directions, essayant de localiser l'intrus imaginaire. Un autre jour, ailleurs, il laisserait Marissa explorer ses cuisses autant qu'elle le souhaitait. Mais pas là, dans le jardin. Pas quand le simple fait d'y penser faisait battre son cœur à tout rompre.

Provoquer Marissa pouvait réellement se révéler un exercice très dangereux.

Chapitre 7

Marissa descendit l'escalier à toute allure, s'étonnant de son impatience à revoir Jude. Après le déjeuner, il lui avait proposé une promenade à cheval jusqu'à la vieille église, et Marissa avait accepté avec joie. Sa mère était occupée à rassembler des volontaires pour la prochaine pièce de théâtre, et Marissa n'était pas d'humeur à observer des acteurs sans talent.

Mais sa tenue d'équitation vert feuille lui mettait du baume au cœur, et la perspective d'une chevauchée avec Jude dans la douceur de l'automne était presque aussi agréable que celle d'aller danser.

Peut-être même plus. En effet, Marissa fut mécontente quand sa course fut soudain freinée par l'entrée de Mr Dunwoody dans la grande salle.

—Oh, Mr Dunwoody. Bonjour.

Comme Jude, il portait une culotte d'équitation, car les hommes avaient pour habitude de monter pendant la journée. Mais Mr Dunwoody avait une allure bien différente. Il était élégant, bien entendu. Ou peut-être juste… décoratif?

Marissa chassa cette pensée de son esprit, alors que Dunwoody la saluait amicalement.

—Je pars me promener à cheval, expliqua-t-elle avec un geste embarrassé vers le couloir.

—Oh, très bien. Veuillez m'excuser de vous retenir un instant. Je souhaitais simplement vous demander si vous m'accepteriez comme cavalier ce soir.

Pendant quelques secondes, son cerveau lui intima d'acquiescer, afin de cultiver une relation avec n'importe qui d'autre que Jude. Mais elle avait pris une décision ce jour-là, et avait l'intention de s'y tenir.

—Je suis flattée, Mr Dunwoody, mais je crains de m'être déjà engagée.

—Ah. Je vois. Un nouveau soupirant, peut-être? la taquina-t-il.

À ces mots, elle ressentit une pointe d'excitation mêlée à de la culpabilité.

—Je…

Son rougissement, bien que parfaitement authentique, arriva à point nommé pour confirmer les soupçons de Mr Dunwoody.

Le sourire du jeune homme s'élargit.

—Je suis soulagé de vous voir redevenue vous-même. Et, euh, à tout hasard, vous n'auriez pas encore eu de nouvelles de la famille Samuel?

Cette question dissipa toute gêne, et Marissa lui sourit à son tour.

—Ces dames doivent arriver aujourd'hui.

Sans cesser de sourire, Marissa sortit de la maison d'un pas altier par la porte principale, devant laquelle se trouvait le palefrenier avec sa jument. Son sourire s'évanouit cependant lorsqu'elle aperçut Jude, à cheval, qui l'attendait lui aussi.

Ce ne fut pas tant la vue de Jude qui la contraria que celle de sa monture.

Le cheval – si tant est que l'on puisse appeler ainsi une telle créature – était énorme, et tout aussi robuste et inélégant que Jude lui-même. Le hongre gris pommelé était même franchement laid. La pauvre bête ressemblait à un vieux cheval de trait couvert de crasse.

Marissa se mit en selle et arrangea ses jupes sans se presser, pour se laisser le temps de se remettre de ce tableau. Mais quand elle regarda de nouveau vers la bête, elle ne put s'empêcher de grimacer.

— On dirait que bientôt, il ne serait plus bon qu'à rester au pré, se risqua-t-elle à observer tandis qu'ils marchaient au pas vers la route. Peut-être devriez-vous trouver une autre monture.

Il jeta un coup d'œil à son cheval et lui flatta l'encolure.

— Il a seulement dix ans, et son allure est parfaite.

— Oh.

Jude se tourna vers la monture de Marissa.

— Si je lui tressais la crinière, vous plairait-il davantage ?

Sa jeune jument, une bête aussi douce que fougueuse nommée Cléopâtre, secoua la tête comme si elle savait qu'on parlait d'elle.

— Elle a seulement une natte !

— Elle est magnifique.

Agacée, Marissa se rendit compte qu'il s'efforçait de lui faire comprendre sa futilité, mais oublia aussitôt son mécontentement en apercevant Harry et Aidan qui s'approchaient à cheval. Ils les saluèrent, comme s'ils approuvaient que Marissa et Jude tentent de préserver les apparences.

Le visage d'Aidan semblait rajeuni sous la lumière chaude du soleil. C'était souvent le cas lorsqu'il montait. À Londres, il n'avait jamais l'air heureux.

— Je suis ravie que vous soyez ami avec mon frère, murmura-t-elle à Jude.

— Que voulez-vous dire ?

— Pendant longtemps, il ne voyait que Harry, quand il était ici, et il n'acceptait sa présence qu'à contrecœur.

—Ah. Je crois que j'ai entendu trop d'histoires d'amour tragiques. Je n'ai pas trouvé la sienne romantique, c'est pour cela qu'il m'aime bien.

Marissa hocha la tête. La plupart des gens semblaient considérer Aidan comme un simple personnage dramatique, susceptible de faire sensation à leurs dîners. Un jeune et beau célibataire, dont l'histoire faisait chavirer le cœur de ces dames. L'amour de sa vie lui avait été cruellement arraché par la mort, et depuis ce jour terrible, il en portait le deuil. Qui pouvait rester insensible à cette tragédie ?

Aidan les détestait tous.

—Vous avez été un bon ami pour lui, je crois.

—Eh bien, nous avons des intérêts communs. Entre ses bateaux et les investissements de mon père, nous nous retrouvons souvent lors de nos voyages.

—Vraiment ? Vous travaillez pour votre père ? Je n'en savais rien.

—Oui. Il aime bien investir son argent parfois et cela me plaît d'occuper mon temps par le travail. « L'oisiveté est la mère de tous les vices », vous savez. (Il posa les yeux sur elle.) Peut-être la broderie n'est-elle pas suffisante pour vous ?

—Oh, comme vous êtes spirituel…

Elle voulut changer de sujet, mais elle se rendit compte qu'elle se tenait penchée vers lui, comme si son corps était curieux d'en apprendre davantage sur cet homme. Marissa se redressa et tenta de prendre un air plus désinvolte.

—Où voyagez-vous, alors ?

—Eh bien, en France assez souvent, pour des raisons évidentes. Et dans toute l'Europe. En Italie, en Espagne, au Portugal. Et je me suis même rendu à Constantinople. Ce fut un voyage passionnant.

—Constantinople ? Vous êtes allé là-bas ? s'exclama-t-elle, sans même essayer de dissimuler sa curiosité.

Elle n'arrivait pas à se représenter un lieu aussi exotique.

—Oui, j'y suis allé, en effet.

Il l'observa attentivement, les yeux brillants de satisfaction.

—Si nous nous mariions, vous pourriez m'accompagner lors de mes voyages. Je serais enchanté de retourner dans l'Empire ottoman.

Elle battit des paupières à plusieurs reprises, surprise et ravie.

—Vraiment? Je n'ai… je n'ai jamais imaginé… Pensez-vous que l'endroit me plairait?

Il sourit d'un air malicieux.

—Vous adoreriez.

Sa réponse la fit rougir. Le ton de Jude trahissait son admiration, sa fierté, mais aussi sa profonde certitude de la connaître vraiment. Pourquoi était-elle soudain si troublée et pourquoi avait-elle si chaud? Marissa serra les rênes avec force et s'agita sur sa selle. Cléopâtre avança d'un pas nerveux, puis se détendit et reprit une allure tranquille.

Marissa avala sa salive et fit passer son cheval au trot. Elle avait envie de galoper, mais contrairement à elle, la jument n'était pas assez échauffée. Une discussion sur les voyages ne l'avait jamais mise dans un tel état d'agitation par le passé. Tout ce qui concernait Jude Bertrand était tellement différent. Tellement inattendu et fascinant. Comment parvenait-il à faire naître chez elle des envies dont elle n'avait même pas idée?

Par exemple, à présent, elle était en train de regarder l'horizon avec intensité, attendant avec une impatience croissante de pouvoir lancer sa jument à toute vitesse dans un galop effréné. Ils n'étaient qu'à quelques kilomètres de la vieille église, et là-bas, elle serait seule avec Jude. Quand ils arriveraient, ils descendraient de leurs montures pour explorer les ruines. Ils disparaîtraient derrière des murs délabrés et des vergers envahis par la végétation. Même un voyageur de passage ne pourrait les apercevoir.

Alors, sûrement, il l'embrasserait enfin.

Enfin.

Marissa se rappela qu'elle ne le connaissait que depuis deux jours. Elle talonna alors son cheval qui partit au galop.

Chapitre 8

*R*ien.

Il n'avait rien tenté du tout. Pas un baiser. Pas une caresse volée sur sa hanche. Il n'avait même pas profité de la solitude dans laquelle ils se trouvaient pour l'inciter à reprendre l'exploration de son corps.

Jude s'était comporté comme un parfait gentleman pendant la promenade. Les chevaux parcouraient à présent les derniers mètres qui les séparaient du manoir, d'un pas tranquille.

Marissa, en revanche, avaient eu des pensées indignes d'une dame. Elle était toujours d'avis que Jude n'était pas un homme séduisant, mais elle avait changé d'opinion sur ses cuisses.

La veille, dans le jardin, quand elle avait touché les muscles de Jude, ils s'étaient révélés aussi durs qu'elle s'y attendait. Aussi durs qu'une pierre, mais une pierre chaude et souple, à la forme fascinante. Chaque courbe de son corps était comme le relief d'une montagne sous ses doigts. Et quand il était à cheval… alors elle pouvait voir ses cuisses se gonfler et se contracter avec une indécence incroyable à travers sa culotte d'équitation. Le temps qu'ils parviennent aux ruines, Marissa avait le souffle court.

Pourtant, ils s'étaient seulement promenés. Jude s'était montré parfaitement convenable. Marissa était sur le point d'éclater d'impatience. Puisqu'ils jouaient les fiancés, elle avait bien mérité un baiser!

Les sabots des chevaux résonnèrent sur le sol de la cour et les garçons d'écurie s'approchèrent pour prendre les rênes. Jude mit pied à terre avec une grâce qui contrastait avec sa large carrure... et celle de son cheval.

Il tendit les bras pour aider Marissa à descendre et entoura enfin sa taille de ses mains, mais sans s'attarder. Il la lâcha, et Marissa ne parvint qu'à grand-peine à se retenir de taper du pied.

Elle ne manifesta cependant sa frustration qu'en relevant le menton.

— Merci pour la promenade, Mr Bertrand. J'ai passé un moment très agréable.

Les mains dans le dos, il longea l'écurie à son côté.

— Pourquoi êtes-vous si en colère, alors?

— Je ne suis pas en colère.

— Vraiment? J'étais pourtant sur le point de citer *La Mégère apprivoisée*.

— Et maintenant vous me traitez de mégère. C'est merveilleux.

— Vous dites cela comme si ce n'était qu'une offense parmi d'autres.

— Hum.

Jude la prit par le bras pour la faire tourner doucement vers lui.

— Qu'y a-t-il, mon cœur?

— Pourquoi m'appelez-vous ainsi? Votre cœur semble parfaitement satisfait de garder ses distances.

— Ah bon?

Il lui toucha la tempe, dégageant une mèche de cheveux de son visage. Il effleura le bord de sa petite bombe avec ses doigts, et elle eut soudain peur que celle-ci ne soit plus aussi élégamment mise qu'avant la promenade. Ne la trouvait-il pas assez jolie ? N'avait-il pas du tout envie de l'embrasser ?

Il la regardait dans les yeux, mais ceux-ci ne laissaient rien transparaître.

—J'étais loin de me douter que vous souhaitiez voir mon cœur plus proche du vôtre, murmura-t-il.

Il avait raison, évidemment. Elle ne voulait rien avoir à faire avec son cœur, et eut soudain peur du défi qu'elle lui avait presque lancé.

—Nous allons être en retard pour le déjeuner, dit-elle à voix basse, en se reculant pour échapper à son regard.

Il l'examina pendant encore un moment, ses yeux sombres ne révélant rien de ses pensées, et Marissa poussa un soupir de soulagement quand il se contenta de lui donner le bras. Un baiser était une chose, mais parler de son cœur avait été stupide de sa part. Elle n'en savait pas assez sur son propre cœur pour avoir cette conversation.

Il la ramena dans le manoir sans prononcer un seul mot et, en bas de l'escalier, il s'inclina en lui attrapant la main pour prendre congé. Marissa retint son souffle à l'idée de la caresse de ses lèvres sur sa peau, quand elle entendit une voix féminine impatiente l'appeler.

Étonnée, elle leva les yeux et aperçut sa meilleure amie qui entrait avec précipitation.

—Beth ! s'écria Marissa d'une voix aiguë. Vous voilà enfin !

Lâchant sa main, Jude se redressa, et Marissa s'élança vers son amie qui l'attendait les bras grands ouverts.

La mère de Beth avait été malade pendant près d'un an, aussi Marissa ne l'avait-elle pas vue de toute la Saison précédente à Londres. Beth lui avait tant manqué qu'elle sentit les larmes lui picoter les yeux.

Marissa comprit soudain pourquoi elle avait agi ainsi avec Peter White. Ce n'était pas uniquement par inconvenance ou par désir. C'était aussi parce qu'elle se sentait seule.

Beth la serra si fort contre elle que Marissa songea qu'elle aussi avait dû se sentir seule. Elle respira l'odeur familière de ses cheveux ébène. C'était celle du savon que sa gouvernante fabriquait elle-même, et que Marissa associait toujours à son amie.

— Qui est-ce ? chuchota Beth à son oreille.

Marissa lâcha sa compagne et se retourna vers Jude.

— Oh, permettez-moi de vous présenter Mr Bertrand. Mr Bertrand, voici Miss Elizabeth Samuel.

— Miss Samuel, dit-il. C'est un honneur de vous rencontrer.

— Mr Bertrand, murmura-t-elle, pétrifiée.

— Si vous voulez bien m'excuser, je vais vous laisser à vos retrouvailles.

Les deux jeunes femmes le regardèrent s'éloigner, jusqu'à ce que Beth secoue la tête.

— Bonté divine, cet homme est effrayant !

— Oui, vous avez sans doute raison.

— Vous êtes allés vous promener ensemble à cheval ?

— Oui, répondit-elle, sentant Beth la dévisager avec curiosité. Il est très gentil, ajouta-t-elle, mue par un sentiment de culpabilité.

Beth l'entraîna vers l'escalier.

— Venez, allons dans votre chambre. Cela fait une semaine que vous ne m'avez pas écrit. Je veux savoir tout ce que vous avez fait depuis.

Marissa songea qu'il s'agissait d'une bien mauvaise idée, mais fit semblant d'approuver.

— Combien de demandes en mariage vous a-t-on faites ?

Marissa éclata d'un rire forcé, puis assaillit Beth de questions sur la santé de sa mère, pour s'assurer qu'elle ne cesse de parler. Marissa n'avait pas envie de lui raconter ce qui s'était passé la semaine précédente. Mais surtout, elle n'avait pas envie d'évoquer Jude. Beth ne comprendrait pas.

Marissa ne comprenait pas elle-même.

Le dîner fut fort agréable. Elle put bavarder avec Beth, et échanger de temps en temps un sourire, à défaut d'une conversation, avec Jude qui était placé non loin d'elle. Après le dîner, Marissa prit Beth par le bras et la mena joyeusement vers la salle de musique, ravie de l'excellente soirée qui s'annonçait. Elle était pourtant à mille lieues de se douter de ce qui l'attendait.

La cousine de Beth occupait un siège éloigné du sien au dîner, si bien que Marissa avait pu faire mine de ne pas la voir, mais ce n'était plus possible à présent. Installée sur une chaise près de la porte, Nanette était entourée de sa cour de soupirants.

—Marissa chérie, roucoula-t-elle. Je suis si heureuse de pouvoir de nouveau passer du temps avec vous. J'ai vécu une année si ennuyeuse, enfermée loin de tout le monde.

Marissa serra les dents et lui adressa un sourire ouvertement faux. Nanette vivait avec la famille de Beth depuis quatre ans, et les deux femmes auraient dû être aussi proches que des sœurs, d'autant qu'elles avaient le même âge. Les Samuel avaient recueilli Nanette à la mort de son père, pourtant elle se considérait largement supérieure à eux. Il faut dire que sa mère était la sœur d'un comte, et que cela en faisait donc une héritière.

—J'ai fait promettre à ma tante de ne plus tomber malade. Je ne peux tout simplement pas manquer une autre Saison ! Et nous étions si inquiets, bien sûr.

—Évidemment.

Nanette se pencha vers elle avec un air de conspiratrice.

— Vous ai-je raconté que le vicomte Farington m'avait envoyé des lys quand il avait appris que je ne serais pas à Londres pour la Saison ?

— Hum, marmonna Marissa, peu désireuse d'en dire davantage.

Elle savait que les fleurs du vicomte Farington étaient aussi bien destinées à Nanette qu'à Beth, mais il était inutile de le préciser. Nanette se contenterait de faire un clin d'œil et d'ajouter que, naturellement, le vicomte Farington n'avait pas voulu se montrer grossier.

Beth s'assit près de sa cousine, crispée, sans un mot.

— Eh bien, fit Marissa, vous nous avez toutes deux manqué à Londres, cette année. Beth, vous ai-je dit que Mr Dunwoody avait pris de vos nouvelles pas plus tard qu'hier ?

— Vraiment ?

— Vous souvenez-vous de lui ? D'après lui, vous vous êtes seulement rencontrés une fois.

— Bien sûr que je m'en souviens. Nous avons dansé ensemble. Il est si gracieux.

— Vous avez raison. C'est mon partenaire de danse préféré, ces jours-ci.

Nanette laissa échapper un rire aigu.

— Je me demande s'il m'accordera également une danse ! Je pourrai ainsi juger s'il est aussi charmant que vous le dites.

Marissa fronça les sourcils, mais réussit à se retenir de lever les yeux au ciel. De justesse.

Cependant, elle savait qu'elle ne parviendrait pas à maîtriser longtemps son irritation, aussi éprouva-t-elle un profond soulagement en entendant dans le couloir les hommes qui s'approchaient. Nanette serait trop occupée à flirter pour continuer de les ennuyer bien longtemps.

Marissa se pencha à l'oreille de Beth et lui murmura précipitamment :

— J'espère que vous êtes prête à danser pendant votre séjour. Mr Dunwoody semblait vivement intéressé de savoir quand vous arriveriez.

Les joues de son amie se teintèrent de rose. C'était une bonne chose, car elle avait le visage très pâle. À présent, elle avait l'allure d'une jeune femme fraîche, et non de quelqu'un qui avait passé une année au chevet de sa mère.

Marissa attendait avec impatience l'apparition de Mr Dunwoody. Cependant, elle l'oublia rapidement et entreprit plutôt de chercher Jude. Se comporterait-il comme un gentleman ou comme une canaille ? Lui sourirait-il mystérieusement de loin, ou bien s'éclipserait-il avec elle pour l'embrasser ?

Elle se prit à souhaiter qu'il fasse les deux.

La soirée lui parut soudain pleine d'incertitudes. Elle sentit son cœur faire des bonds irréguliers dans sa poitrine.

— Miss York, dit une voix d'homme, trop timide pour être celle de Jude.

Malgré tout, elle espérait tomber sur lui quand elle se retourna, mais son cœur se serra alors. Peut-être était-ce une réaction mélodramatique au regard d'une si légère déception, et elle sourit en songeant à ce que Jude dirait de cela.

— Mr Dunwoody ! Voici Miss Samuel, comme je vous l'avais promis ! Avez-vous eu l'occasion de parler avec elle avant le dîner ?

— Non, pas encore, répondit-il en prenant la main de Beth et en s'inclinant profondément devant elle. Miss Samuel, c'est un tel plaisir de vous revoir. J'espère que votre présence ici signifie que l'état de votre mère s'est amélioré.

— Elle va beaucoup mieux, monsieur. Merci.

Ils se regardèrent en souriant, pendant un long moment embarrassant, interrompu par Nanette qui poussa sa cousine du coude.

— Oh, murmura Beth, dont le visage prit soudain une expression de gêne teintée de peur. Je vous présente Mr Dunwoody. Mr Dunwoody, voici ma cousine, Miss Nanette Samuel.

— C'est un plaisir, ronronna celle-ci en inclinant gracieusement la tête.

Mr Dunwoody la salua avec un rire nerveux. Quand il se redressa, il garda les yeux rivés sur Nanette.

— Je voulais… Oh ! (Il se retourna à demi vers Beth.) Je voulais vous demander de me faire l'honneur d'une danse ce soir, Miss Samuel. Ainsi que votre charmante cousine, si elle accepte de danser avec un étranger.

Nanette gloussa et toucha le bras de Mr Dunwoody, dont le sourire s'élargit.

Marissa serra les dents, tout en se disant que cela n'avait pas d'importance. C'était Beth qui plaisait à Mr Dunwoody, et même si Nanette s'efforçait toujours de voler l'attention accordée à sa cousine, elle n'y parviendrait certainement pas cette fois-ci. Quand il s'éloigna, Nanette fit remarquer qu'il était très beau, et se renseigna sur sa situation. Puis, elle entreprit d'expliquer à Beth qu'un gentleman sans titre serait un bon parti pour quelqu'un comme elle, mais qu'elle-même avait l'intention de devenir lady quelque chose en se mariant.

— Cependant, ajouta-t-elle en riant, cela n'empêche sûrement pas Mr Dunwoody d'être un agréable partenaire de danse.

Marissa l'interrompit, tout en jetant un regard appuyé à Beth.

— Beth, je crois que ma mère voulait vous voir concernant la conception d'une coiffe pour la pièce de théâtre de demain. Vous êtes tellement créative ! Voulez-vous nous excuser, Nanette ?

Elle tira son amie par le bras jusqu'à l'autre bout de la pièce.

— Je ne sais pas comment vous faites pour vivre avec cette fille, chuchota-t-elle à Beth. Elle est insupportable.

— Elle n'est pas si horrible. Au moins, quand je suis assise près d'elle, les gentlemen affluent autour de nous.

— Mr Dunwoody n'avait pas besoin que Nanette vienne l'aguicher. Et comme toujours, vous avez une bien piètre opinion de vous-même. Pourtant, Malcolm James était à deux doigts de vous demander en mariage lors de votre première Saison.

— Mais il ne l'a pas fait, rétorqua-t-elle en jetant un regard malicieux à Marissa. Ce n'est pas grave. Nanette m'a déclaré que je pourrais être sa dame de compagnie si je restais vieille fille.

— Vous plaisantez, n'est-ce pas ?

— Non, répondit Beth en riant.

Marissa s'arrêta et serra rapidement son amie dans ses bras. Beth était gentille et loyale, et même si elle ne présentait pas la grande beauté de sa cousine, elle était très jolie.

Beth s'éclaircit la voix.

— Ce Mr Bertrand semble très épris de vous. Il vous a observée pendant tout le dîner.

— Vraiment ? demanda-t-elle en suivant le regard de Beth de l'autre côté de la pièce.

Elle s'attendait à y trouver Jude en train de la regarder, mais il avait le visage tourné vers la femme qui lui parlait. Patience Wellingsly. C'était elle qui l'avait couvé des yeux pendant tout le dîner de la veille.

— Ne vous rend-il pas nerveuse ? Il ressemble à une canaille.

Mrs Wellingsly éclata de rire, et en profita pour se presser contre le bras de Jude.

— Avez-vous dansé avec lui ? Je ne peux m'imaginer qu'il se dise bon danseur.

Marissa jeta un regard noir à la femme qui tenait désormais le biceps de Jude d'un air possessif.

— Que savez-vous de Mrs Wellingsly ?

Beth parut surprise.

— D'elle ? Pas grand-chose. Elle est veuve depuis quelques années, et je crois qu'elle adore le whist.

Et les hommes grands avec un air de canaille, apparemment.

Marissa l'observa attentivement, en tentant de comprendre pourquoi cette magnifique veuve semblait si intéressée par Jude. Était-il possible qu'ils soient amants ? Ils étaient vraiment mal assortis. Mrs Wellingsly, avec sa beauté d'albâtre et sa grâce délicate, paraissait être une petite créature fragile à côté de lui.

Mais il était évident qu'elle flirtait avec lui, et Jude n'avait pas levé les yeux une seule fois pour chercher Marissa du regard.

— Hum, marmonna-t-elle, ce qui lui valut un coup d'œil intrigué de Beth. Venez, allons chercher du vin. Ma mère ne va sans doute pas tarder à lancer la musique.

Elle réussit à boire deux verres de vin et à danser à trois reprises sans revoir Jude. Même si elle se disait qu'elle l'évitait délibérément, son irritation ressemblait étrangement à de la douleur.

C'était ridicule. Il ne signifiait rien pour elle.

Pourtant, quand elle aperçut Mrs Wellingsly dans une conversation animée avec sa tante Ophélia, Marissa eut le sentiment d'avoir un poids en moins sur la poitrine. Elle ne savait toujours pas où était Jude, mais en tout cas ne s'était-il pas éclipsé avec cette femme.

Elle regarda autour d'elle à la recherche d'un autre partenaire de danse, et faillit entrer en collision avec Edward.

— Pouvez-vous venir dans mon bureau immédiatement, je vous prie ?

Intriguée par le ton grave de son frère, Marissa lui emboîta le pas.

— Qu'est-ce qui ne va pas ? chuchota-t-elle une fois qu'ils furent sortis de la salle. Je n'ai pas reçu d'autres lettres, si c'est ce que vous redoutez.

— Non, grommela-t-il, mais moi oui.

— Une lettre de qui ? demanda-t-elle alors qu'il refermait la porte de son bureau derrière elle.

Jude et Aidan se trouvaient tous deux dans la pièce.

Cela ne présageait rien de bon.

— Notre cousine, May, nous a écrit pour nous prévenir qu'elle avait eu vent d'une rumeur concernant une dispute privée entre Peter White et vous. Il est dangereux de laisser les gens jaser plus longtemps.

— Mais…

— Je vais annoncer vos fiançailles.

— Mais vous aviez promis de me laisser du temps !

Edward croisa les bras.

— Des fiançailles peuvent être rompues. Si la rumeur se propage davantage, je ne pourrai plus rien faire pour vous, Marissa. L'annonce de vos fiançailles avec Jude provoquera un vif émoi. Elle aura pour effet d'étouffer l'histoire, ou tout au moins de la rendre moins dangereuse. On pensera ainsi que la dispute entre Mr White et vous était liée à votre affection grandissante pour Jude.

Marissa tenta de trouver un argument pour protester, mais à vrai dire, son frère avait tout à fait raison. Elle se tourna vers Jude et croisa son regard sérieux. Il s'avança vers elle, mais elle secoua la tête. Elle n'avait pas besoin qu'il la rassure ou l'influence. Elle prendrait cette décision en adulte.

— Quand devons-nous l'annoncer ?

— Aussi vite que possible, murmura Edward. Ce soir, j'interromprai la harpiste que mère a engagée. Cela devrait produire un effet très théâtral.

— C'est d'accord. Très bien.

Jude se racla la gorge.

— Voulez-vous m'accorder un moment en privé, Marissa ?

Les deux frères se dirigèrent vers la porte. Avant de quitter la pièce, Aidan s'arrêta devant Marissa et posa la main sur son bras. Il affichait une expression grave, mais elle lui fit un signe de tête qui fit disparaître son inquiétude. Il sortit alors et ferma doucement la porte.

— Cela ne changera rien pour vous, commença Jude. J'ai toujours l'intention de respecter votre plan.

— Merci.

— Mais sachez que j'honorerai également le mien. Que le scandale éclate ou pas, j'ai l'intention de vous épouser si vous voulez bien de moi. Et uniquement si vous voulez bien de moi.

— Tout cela ne reposant que sur ma nature excessive ?

— C'est à peu près ça.

Il s'approcha alors, et Marissa eut la sensation que la pièce devenait plus petite et qu'il y faisait plus chaud. Il s'arrêta devant elle et toucha son menton, comme il l'avait déjà fait auparavant. La dernière fois, elle avait cru qu'il l'embrasserait, aussi n'avait-elle à présent aucune idée de ce qu'il avait en tête.

— Me feriez-vous l'honneur de m'accorder votre main, Marissa York ?

— Je… (Mon Dieu, tout ce qu'il faisait n'était que mystère pour elle.) Vous comprenez que…

— Bien sûr.

— Très bien. Eh bien, je suppose que j'accepte, alors.

Il affichait ce sourire en coin qui lui était désormais familier.

— J'ai l'impression que vous n'êtes pas du tout romantique, dit-il.

Il lui releva le menton et se pencha vers elle. Mon Dieu, il allait enfin l'embrasser.

Il s'avançait si lentement qu'elle pouvait sentir son propre souffle entre eux. Elle garda les yeux ouverts, inquiète qu'il s'éloigne si elle ne regardait pas. Mais enfin, enfin, sa bouche toucha la sienne, et elle soupira de soulagement.

Ses lèvres caressèrent les siennes, et elle frissonna de plaisir. Il était si proche d'elle qu'elle pouvait respirer son odeur si agréable, la même note épicée qu'elle avait déjà remarquée en de rares occasions. Il sentait quelque chose qu'elle avait envie de goûter.

Alors elle goûta, pressant sa bouche plus fermement contre la sienne. Jude la récompensa en écartant ses lèvres juste assez pour saisir sa lèvre inférieure entre les siennes. À présent, elle sentait une touche humide. Les choses devenaient moins correctes et plus dangereuses.

Le frissonnement qu'elle ressentait se répandit alors dans tout son corps à une vitesse folle.

Marissa avait déjà embrassé plusieurs hommes par le passé, et savait comment s'y prendre. Elle inclina la tête et lécha la lèvre inférieure charnue de Jude, puis elle s'abandonna avec délices à son baiser.

Il l'embrassa vraiment, à pleine bouche, en lui mordillant la langue. Sans y penser, Marissa s'agrippa aux revers de sa veste, comme pour le garder près d'elle. À tout moment, il pouvait relever la tête, et après, l'embrasserait-il encore ? Elle avait attendu si longtemps déjà…

Sa langue caressait lentement la sienne. Marissa gémit et se cambra vers lui. Son torse était si dur, et son menton légèrement rugueux, mais sa bouche n'était que chaleur et désir. Le baiser se prolongea pendant plusieurs longues minutes, et rapidement, elle se mit à imaginer ce qui se passerait s'ils poursuivaient sur le canapé. Elle songea aux cuisses de Jude et à ce qu'elle ressentirait en les touchant sous son pantalon. Elle savait que les hommes avaient les cuisses poilues. Et une peau chaude. Et d'autres choses intéressantes pas très loin.

Quand il releva enfin la tête, Marissa le laissa faire, pensant que la suite serait plus passionnante encore. Mais rien ne vint.

— Voilà la chose officialisée, dit-il d'une voix plus grave et plus rauque que de coutume.

Prenant conscience qu'elle était toujours sur la pointe des pieds, Marissa retomba sur ses talons.

— Pardon ?

— Nos fiançailles. Allons annoncer l'heureuse nouvelle, voulez-vous ?

— Je pensais plutôt que nous allions rester ici et poursuivre ce que nous avons commencé.

— Marissa ! Quel genre de gentleman serais-je si j'essayais de profiter de la situation en faisant augmenter la probabilité pour que vous soyez enceinte ?

Les yeux de Marissa glissèrent vers le canapé à l'aspect si confortable, situé à l'autre bout de la pièce. Il était bien plus large que celui du cabinet de couture.

— Vous disiez qu'il y avait d'autres façons…

— Oh, Dieu ! s'écria Jude, en levant les yeux au ciel.

Ce faisant, son cou se tendit, et la tache sombre de sa barbe naissante attira le regard de Marissa. C'était l'un des éléments qui lui donnaient cet air tellement plus brutal que les autres gentlemen. Même quand il était rasé de près, elle apercevait la menace sombre de sa pilosité sous sa peau.

Oui, il avait vraiment une apparence de brute. Pourtant, il embrassait comme une sorte d'ange maléfique.

— Je ne serai jamais prêt pour cette annonce publique si vous me dites de telles choses, Marissa.

— Que voulez-vous dire ?

— Rien, marmonna-t-il.

— Pouvons-nous continuer de nous embrasser ?

Jude secoua la tête en fermant les yeux.

— Edward va bientôt venir nous chercher. Cela ne serait pas bon pour mes nerfs.

Marissa avait envie de bouder, mais elle ne voulait pas le montrer à Jude.

— Vous avez un drôle d'humour, grimaça-t-elle.

Elle fit alors semblant de rajuster ses jupes.

— Vous êtes prêt, donc ?

— Je pense être de nouveau présentable, en effet.

— M'avez-vous décoiffée ?

Il s'amusa à pencher la tête d'un côté, puis de l'autre, avant de tourner lentement autour de Marissa, en soumettant son corps à l'examen minutieux de son regard. Quand il fut de retour devant elle, Jude l'embrassa furtivement.

— Vous êtes parfaite.

Ce léger baiser lui parut si naturel qu'elle en fut stupéfaite. Et quand elle lui prit le bras, elle éprouva le même sentiment. Trois jours auparavant, elle découvrait son existence. Elle avait fait sa connaissance contre son gré deux jours plus tôt. Et à présent, elle avait l'impression d'être amie avec lui.

Comme tout ce qui concernait Jude, cela n'avait pas de sens, mais il était inutile de s'y attarder. La seule chose à faire était de se réjouir qu'il soit quelqu'un d'acceptable.

Personne ne sembla leur prêter attention quand ils entrèrent dans la salle. Même Beth ne leva pas les yeux, tout absorbée qu'elle était à regarder Mr Dunwoody danser avec Nanette.

Mais Edward les avait vus. Marissa lui adressa un petit signe de tête, et il se dirigea alors vers les musiciens, le visage grave.

Il leva les mains pour faire cesser la musique. Le son de la harpe ne s'affaiblit que progressivement, comme si le morceau refusait de s'achever.

— Mesdames et messieurs, j'ai la joie de vous annoncer une excellente nouvelle, et je suis ravi que vous soyez tous ici présents pour partager notre joie. Mr Jude Bertrand, un ami honorable et cher de la famille York, a demandé la main de ma sœur. Je n'ai été que trop heureux de leur donner ma bénédiction.

Un murmure de stupéfaction parcourut l'assistance.

— Veuillez vous joindre à moi pour féliciter l'heureux couple.

Il désigna Marissa et Jude, et toutes les personnes présentes se tournèrent vers eux.

— Nous sommes tous très... heureux... de cet arrangement.

Nul ne sembla remarquer le trouble d'Edward à la fin de son discours. L'assistance n'avait probablement pas entendu ses derniers mots, au milieu des hoquets de surprise et des chuchotements. Une incrédulité plus ou moins grande était peinte sur tous les visages.

Souriante au bras de Jude, Marissa regarda autour d'elle et croisa les yeux de Mr Dunwoody. Il avait une moue qui lui tordait légèrement la figure, et il semblait tiraillé entre le scepticisme et l'horreur.

À y regarder de plus près, Marissa constata que plusieurs personnes affichaient une expression similaire. Elle tenta de sourire plus franchement, mais l'embarras rendait ses lèvres raides. Elle était gênée pour elle-même, et si elle était honnête, également pour Jude. Nul n'applaudit. Nul n'émit un signe d'approbation. Pas une seule personne n'arrivait à croire que Marissa York allait épouser cet homme. Et dans des circonstances normales, elle ne l'aurait pas épousé. Tandis qu'elle prenait conscience de cela, son estomac se noua.

Pourtant, quand elle leva les yeux vers Jude, il n'avait pas du tout l'air décontenancé.

— Je suis honoré, déclara-t-il d'une voix forte, que Miss York ait daigné ne serait-ce que jeter un regard dans ma direction, et je suis profondément ému qu'elle ait accepté ma proposition.

— Bravo ! cria Edward.

L'assistance n'eut alors d'autre choix que de l'imiter. Aidan commença à applaudir, et le reste de la salle lui fit écho. Enfin, la musique reprit et Marissa se sentit défaillir de soulagement. C'était fait. Et il était certain que les discussions sur leurs fiançailles allaient éclipser tous les autres sujets de conversation en cours.

Jude lui adressa un clin d'œil alors que quelques bonnes âmes s'approchaient d'eux. Marissa se sentit apaisée par l'humeur joyeuse de son compagnon. À sa place, n'importe quel autre homme de sa connaissance serait devenu rouge de colère. Mais Jude était aussi calme que de coutume. À ce moment-là, sa carrure de brute lui parut peu importante. C'était un homme fort, mais d'une force qui dépassait largement celle de ses muscles et de sa stature.

Ils acceptèrent des félicitations tendues pendant quelques minutes, puis Harry s'approcha et donna une tape dans le dos de Jude avec un rire jovial. Il était dans la confidence, évidemment, mais sa prestation d'acteur avait été impeccable sur toute la ligne. Ce cher Harry était la vedette de toutes les pièces de théâtre mises en scène par sa mère, et une fois de plus, il joua son rôle avec assurance. Son accolade paraissait chaleureuse et authentique, de même que ses félicitations avaient l'air à la fois sincères et surprises.

Le malaise qui régnait dans la pièce s'atténua. Marissa se détendit enfin et se mit à rire, pendue au bras de Jude.

L'espace d'un instant, toute la scène lui sembla presque réelle. Elle était heureuse et allait se marier avec cet homme, qu'elle allait aimer. Mais soudain, Marissa remarqua le visage de Beth, pétrifié par le choc, et se rappela alors qu'il ne s'agissait que d'une terrible erreur.

Chapitre 9

*M*arissa chevauchait à toute allure dans la fraîcheur de l'aube. De petits nuages de vapeur s'échappaient des naseaux de sa jument en tourbillonnant, et glissaient le long des bottes de Marissa, avant de disparaître dans la brume. Elle n'aimait pas la chasse ni le saut d'obstacles, mais cela, elle adorait. La vitesse. Monter un cheval qui galopait à un rythme si vertigineux que Marissa avait presque l'impression de voler.

Elle aurait aimé pouvoir voler.

Personne n'avait dansé après l'annonce faite par Edward. On avait répété la pièce de théâtre, parié amicalement aux cartes et joué aux charades, mais on n'avait pas dansé. Marissa s'était servie de cette excuse pour se retirer tôt dans ses appartements. À la vérité, elle avait voulu échapper aux questions subtiles et aux regards à la dérobée d'une quarantaine de personnes s'efforçant d'éclaircir le mystère de sa relation avec Jude.

Plus que perplexe, Beth avait paru véritablement effrayée. Quand Marissa avait entendu frapper doucement à sa porte vers minuit, elle avait fait semblant de dormir. Elle ne pouvait dire la vérité à Beth. Si Marissa attendait un enfant, elle s'assurerait que personne n'apprenne la vérité, mis à part sa famille proche. Elle ne déshonorerait pas Jude de cette façon, ni le bébé.

À cette pensée, elle se redressa sur sa selle et la jument se mit à ralentir. Il y avait un brouillard très léger, ce matin-là. Marissa voyait avec une clarté parfaite à vingt mètres puis, au-delà, le monde commençait à s'estomper, comme s'il n'existait plus. C'était justement ce qu'il lui fallait, aussi laissa-t-elle Cléopâtre trotter sur quelques foulées avant de la mettre au pas et de faire demi-tour. Ce jour-là, cette solitude était bienvenue.

Elle ne portait pas d'enfant. Elle en avait l'intime conviction, pourtant personne ne la croyait. Elle se sentait exactement la même qu'avant ce fameux soir. Elle n'avait même pas l'impression que cette expérience l'avait changée de la manière dont elle aurait dû le faire. Qu'est-ce que cela signifiait sur elle ? Était-elle froide ou insensible ? Manquait-elle de la féminité essentielle qui faisait une dame ? Elle s'était toujours sentie différente, même si personne autour d'elle ne semblait le remarquer. Ni ses frères ni ses parents. Personne… jusqu'à Jude. Il la voyait vraiment, lui. Cependant, elle n'était pas certaine d'avoir envie d'être vue.

Ne pas pouvoir maîtriser ce qu'il savait sur elle lui donnait parfois la sensation d'une violation de son intimité. Il ne connaissait pas ses secrets parce qu'elle les lui avait dits. Il arrivait à lire en elle comme dans un livre ouvert.

Mais là, dans le brouillard, elle était seule et se sentait en sécurité. Son avenir était aussi flou que la rangée d'arbres à l'ouest. Même sa peau fraîche lui apparaissait comme un soulagement après les bouffées de chaleur qui s'étaient si souvent emparées d'elle ces derniers temps.

Malgré tout, il lui faudrait bien revenir. À l'heure qu'il était, les hommes devaient être partis pour la chasse du matin. Si seulement elle parvenait aussi à trouver un moyen d'éviter Beth…

Elle avait parcouru la moitié de la route vers le manoir lorsqu'elle entendit des bruits de sabots s'approcher.

Étrangement, elle eut le sentiment qu'il s'agissait de Jude, et se prépara alors à affronter ses yeux perçants. Il allait sûrement chevaucher jusqu'à elle, lui jeter un coup d'œil et lui demander pourquoi elle se cachait dans le brouillard en s'apitoyant sur son sort.

Misérable insolent.

Elle se sentait prête à le voir quand le cheval surgit enfin sur le chemin devant elle. Si bien qu'elle ressentit une pointe de déception en apercevant la couleur sombre et l'étoile blanche sur le bout du nez de l'animal. Ce n'était pas l'horrible bête de Jude, et ce n'était pas non plus lui qui la montait.

La silhouette leva la main, et Marissa réprima un soupir. Elle reconnaissait ce bras mince et élégant.

Mr Dunwoody. Damnation!

Quand il arriva à sa hauteur, elle le salua d'un air maussade.

— Miss York, j'espérais bien vous voir à cheval ce matin. Le garçon d'écurie m'a indiqué que vous étiez partie dans cette direction.

— Je ne veux pas vous ralentir, monsieur. Je rentre déjà, car je sens à peine mon nez.

— Ah, dit-il avec un sourire furtif. Je vous en prie, laissez-moi vous raccompagner jusqu'au manoir…

Il fit faire demi-tour à sa monture, un hongre aux jambes élégantes, qui se mit à piaffer d'impatience. C'était un bel animal, avec des courbes aussi parfaites que la coupe de la veste de son cavalier. Marissa caressa la bête d'un regard pensif. Elle aimait les belles choses.

— Vos fiançailles ont été une énorme surprise.

— Mr Bertrand est un ami de la famille depuis quelques années déjà.

— Oui, eh bien… je suppose que je ne l'avais pas remarqué parmi vos nombreux admirateurs.

—Vous exagérez, il n'y en avait pas tant que ça.

—À mes yeux, il s'agissait d'une foule intimidante. (Il s'efforça d'afficher un sourire d'autodérision, qui ne reflétait pourtant que son inquiétude.) Êtes-vous vraiment certaine que tout va bien, Miss York ? Après votre dispute avec Mr White et maintenant ces fiançailles précipitées, je ne peux m'empêcher de me faire du souci.

—À quel propos exactement ?

Comme cela lui arrivait souvent, Mr Dunwoody se mit à rougir et secoua la tête.

—Veuillez m'excuser. Je me mêle de ce qui ne me regarde pas.

Elle aurait dû le contredire, ne serait-ce que par politesse, mais elle ne put s'y résoudre. Il disait vrai, cette affaire ne le concernait pas.

Son expression tourmentée le quitta peu à peu, et il finit par se tourner vers elle, avec son sourire habituel sur les lèvres.

—Mis à part cela…

Elle lui rendit son sourire et se demanda si elle oserait un jour parler à Mr Dunwoody de sa situation délicate. Elle ne pouvait se l'imaginer. Il avait l'air si… jeune. Elle était presque certaine qu'il aurait été horrifié, dégoûté et choqué par son histoire. Elle ne pouvait en aucun cas se représenter Mr Dunwoody lui demander sur un ton détaché si elle avait saigné.

Grimaçant à cette pensée, elle observa les contours du manoir qui commençaient à se détacher à travers la brume.

Beau ou pas, Jude Bertrand était un homme capable de la voir, même dans ce brouillard. Ses doutes à son sujet se dissipèrent.

—Dans ce cas, poursuivit enfin Dunwoody, puis-je vous demander ce que vous pensez de Miss Samuel ?

Le cœur de Marissa bondit.

—Oh, Beth est quelqu'un d'admirable. C'est mon amie la plus proche. Elle est bonne et loyale, et je suis sûre que vous avez remarqué que c'est une excellente danseuse. Tellement gracieuse.

—Bien sûr. Elle est douce et charmante. Très gentille.

—Oui.

—Et qu'en est-il de Miss Nanette Samuel ? Vous devez également être proche d'elle.

Elle sentit son estomac se nouer.

—Nanette ? Euh, oui, j'ai également passé du temps avec elle.

—Elle est belle, et tellement vivante, vous ne trouvez pas ?

—Hum.

Troublée, elle hésita un instant. Si elle disait à Mr Dunwoody ce qu'elle pensait vraiment de Nanette, il songerait sans doute que c'était l'amertume d'une rivale qui s'exprimait. Mais si elle était trop élogieuse à son sujet, il ne la croirait que trop. Elle prit une profonde inspiration.

—Nanette est belle, oui, répondit-elle, faisant taire ses inquiétudes.

S'il était intelligent, il comprendrait ce que son simple compliment signifiait. Et s'il était digne de Beth, il serait capable de voir la vérité par lui-même.

—Oui, murmura-t-il. C'est vrai.

Marissa crispa les doigts sur ses rênes, espérant avoir agi comme il fallait. Mais c'était un secret de plus qu'elle devait cacher à Beth.

Curieusement, elle ressentit soudain l'envie de se retrouver seule avec Jude pour lui raconter ses états d'âme. Il était très surprenant d'éprouver ce genre de choses pour un homme. D'avoir envie de lui parler. Vraiment très surprenant.

Chapitre 10

Marissa n'était pas descendue pour le déjeuner, et Jude commençait à s'inquiéter. Elle adorait manger, même si, comme toute dame qui se respecte, elle ne picorait que par minuscules bouchées. Personne ne semblait cependant remarquer qu'elle avait pour habitude de se resservir trois fois. Sa minceur demeurait une énigme pour Jude.

Il arpenta le couloir, la tête basse et les sourcils froncés.

Il avait envoyé Aidan aux nouvelles et celui-ci lui avait rapporté que sa sœur faisait un somme, avant de tranquillement poursuivre son chemin. Pourtant, Jude ne pouvait s'empêcher de se faire encore du souci.

Était-elle malade ? Ou regrettait-elle leurs fiançailles ? Peu importait qu'elle se tourmente à ce sujet, car il était intimement persuadé qu'ils étaient faits l'un pour l'autre, sans quoi il ne se serait jamais proposé. Comprenait-elle cela ?

Agacé par son humeur chagrine, Jude décida d'aller tout simplement lui poser la question lui-même, et monta au premier étage vers ses appartements.

Il frappa doucement. N'obtenant pas de réponse, il recommença, tout en se demandant si la réveiller de sa sieste était une bonne idée. Il avait le sentiment que Marissa York n'apprécierait pas d'être tirée de son sommeil.

— Qu'y a-t-il ? demanda-t-elle d'une voix forte, alors qu'il s'apprêtait à faire demi-tour.

Surpris, il se figea.

— C'est Jude.

Silence.

— Je voulais m'assurer que vous alliez bien.

Elle marmonna quelque chose.

Approchant son oreille de la porte, Jude crut saisir le mot « homme », mais ce fut à peu près tout.

— Un instant, dit-elle en haussant la voix.

Jude se retrouva ainsi debout dans le couloir comme un enfant qui attend une punition. Quelques très longues minutes plus tard, Marissa ouvrit la porte et le tira dans sa chambre.

Jude la regarda bouche bée. Elle était si belle. Ses cheveux habituellement coiffés à la perfection étaient simplement tressés, et sa natte blond vénitien épousait la courbe de son épaule. Ses joues et ses lèvres étaient toutes roses, comme si elle s'était emmitouflée dans des couvertures chaudes. Ses paupières étaient lourdes de sommeil. S'ils se mariaient, il aurait le bonheur de la voir ainsi tous les matins.

— Puis-je vous proposer du thé ? demanda-t-elle.

— Vous êtes si belle.

Sceptique, elle fronça les sourcils et toucha l'extrémité de sa natte avec un petit grognement.

— Vous êtes fou ou bien vous mentez. J'étais en train de faire la sieste.

— Êtes-vous malade ?

Elle mit les mains sur son ventre, attirant son regard sur le léger peignoir blanc qu'elle portait.

— Non. Mais j'ai eu des difficultés à m'endormir, hier soir.

— À cause de l'annonce ?

Baissant les yeux vers les chaussures de Jude, elle secoua la tête.

— Pas vraiment. Mais cela m'ennuie de ne pas pouvoir raconter la vérité à Beth. Je n'ai pas envie de l'éviter, mais je ne sais pas quoi lui dire.

— Expliquez-lui que je vous ai embrassée et que vous n'avez pas su me dire « non ». C'est la vérité, après tout, même si les choses ne se sont pas passées dans cet ordre.

Elle esquissa un sourire.

— Vous voulez que je la persuade que je vous aime ?

— Vous croirait-elle ?

— Je ne le pense pas. Je lui ai écrit il y a une semaine et, bizarrement, j'ai oublié de vous mentionner.

— Quelle négligence tragique.

Incapable de résister à la charmante image qu'elle offrait, il caressa ses joues rosies du dos de la main.

— Alors pourquoi ne pas lui dire que j'ai fait naître chez vous des sensations que vous n'aviez jamais connues par le passé ? Est-ce qu'elle le croirait ?

Il sentit ses joues s'échauffer sous ses doigts. Il aurait pu jurer qu'elle appuyait son visage contre sa main.

Elle leva ses yeux vert étincelant vers les siens.

— C'est possible.

Il ne pouvait pas l'embrasser. Pas maintenant. Pas dans ses appartements, quand elle ne portait rien d'autre que ce léger peignoir blanc. Elle serait si douce, s'il la touchait. Douce et… Il laissa retomber sa main et recula.

— J'ai terminé votre livre. Vous aviez raison. Le beau gentleman sauve la situation.

Elle plissa les yeux sous le coup de la colère.

— Hum. Que représente cette femme pour vous ?

— Quelle femme ?

Il se demanda s'il avait l'air aussi abasourdi qu'il l'était.

— Patience Wellingsly. Est-elle votre maîtresse ?

119

—Quoi? (Le brutal changement de sujet l'étourdit.) Non. Bien sûr que non.

—Alors pourquoi vous regarde-t-elle comme si elle avait envie que vous la dévoriez?

Il secoua la tête.

—Peut-être parce que j'ai refusé de goûter à ses charmes?

Elle croisa les bras et lui décocha un regard noir.

—Je ne vous crois pas.

—Marissa.

Jude comprit enfin de quoi il s'agissait, et découvrit alors un fait surprenant. Marissa York était jalouse. À cause de lui.

—Il ne s'est jamais rien passé entre Patience Wellingsly et moi, pas même un baiser.

—Eh bien, alors, vous avez été plus généreux avec moi. J'ai une bonne longueur d'avance.

Il ne lui fit pas remarquer qu'elle était jalouse. Elle ne ferait que le nier. Mais il y avait quelque chose qu'elle ne nierait peut-être pas.

—Vous plaignez-vous d'un manque de baisers, Miss York?

—Eh bien, quel est l'intérêt d'être fiancés si l'on ne s'embrasse même pas? J'ai été plus embrassée par le passé!

—Vraiment? Par qui donc?

—Des hommes, répondit-elle en relevant le menton.

—Vous en êtes sûre?

—Pourquoi répétez-vous toujours cela? Quelle est donc cette grande différence à vos yeux entre les hommes et les garçons?

Il s'avança vers elle, et cette fois, Marissa recula. Puis elle sembla prendre conscience de ce qu'elle avait fait, et resta sur place, les épaules en arrière et le menton relevé. Quand il l'embrassa, elle s'appuya contre lui et posa les mains sur son torse, les doigts écartés.

Il ne joua pas avec elle, cette fois, mais l'embrassa profondément. Elle avait un goût de thé chaud et sucré, et était douce. Très douce. Il toucha ses hanches et sentit leurs courbes, nullement dissimulées par le tissu léger dont elles étaient couvertes. Elle ne portait pas de corset. Elle ne portait pratiquement rien du tout.

Elle soupira et pressa son corps entier plus fermement contre le sien. Jude gémit, et sa raison lui intima de s'éloigner mais, au lieu de l'écouter, il dirigea Marissa vers son lit. Un élan spontané. Une très mauvaise idée. Mais il ne suivait plus que son instinct, désormais, tandis que la langue de Marissa caressait la sienne avec une faim avide.

La passion de Marissa lui avait fait perdre toute volonté. Elle glissa les mains sous sa veste et se fraya un chemin jusqu'à son torse. Elle agitait le genou avec impatience entre les siens. Ses petits gémissements l'affolaient tant, qu'il avait du mal à respirer.

Il la conduisit doucement vers le lit, jusqu'à ce que ses jambes touchent le matelas, puis l'étendit lentement sur le dos.

— Si j'étais un garçon, je glisserais sans doute ma main dans votre décolleté maintenant.

Elle ouvrit soudain les yeux.

— Oh !

— Je caresserais vos seins aussi longtemps que j'en aurais envie, puis je soulèverais votre peignoir peu à peu, jusqu'à ce que vous soyez suffisamment exposée. Cela vous semble-t-il familier ?

Elle le regardait fixement, les yeux écarquillés, haletante.

— Puis je caresserais votre sexe jusqu'à ce qu'il soit assez mouillé pour que je puisse vous pénétrer. Cela s'arrêterait là, cela dit, car si j'étais un garçon, mon seul objectif serait de vous pénétrer.

— Je vois, chuchota-t-elle.

— Mais je suis un homme, Marissa, et voilà ce que je vais plutôt faire…

S'allongeant sur le côté, Jude l'embrassa de nouveau, en s'assurant de ne pas l'écraser. D'une nature passionnée – ou peut-être simplement impatiente –, Marissa glissa les mains derrière son cou et l'attira plus près d'elle. Il sourit contre sa bouche en murmurant son plaisir, mais il ne la toucha pas. Il se contenta de l'embrasser, explorant sa bouche, découvrant ce qu'elle aimait et n'aimait pas, imprimant dans sa mémoire la texture de sa langue contre la sienne.

Quand elle commença à s'agiter sous lui avec ardeur, Jude interrompit enfin son baiser et fit glisser ses lèvres jusqu'à son cou. Il effleura sa peau si douce, lui mordilla l'épaule, puis embrassa le haut de son buste, sentant son propre sexe devenir plus douloureux à chaque caresse. Les geignements encourageants de Marissa le rendaient fou. Il avait envie qu'elle gémisse ainsi tout en l'accueillant en elle. Il avait envie qu'elle le supplie de lui en donner davantage.

Jude prit une profonde inspiration et tenta de recouvrer son sang-froid. Il ne la posséderait pas. Il attendrait qu'ils soient mariés. Mais il voulait au moins lui montrer qu'un homme n'était pas seulement un partenaire de danse en pantalon ajusté.

Il passa doucement ses doigts sur sa peau, juste au-dessus de l'étoffe froncée de son peignoir. Le ventre de Marissa se creusa et ses seins se soulevèrent. Le tissu délicat laissait apparaître nettement le contour de ses tétons dressés, qui pointaient à travers la soie. Jude réprima un gémissement.

Marissa avait une silhouette fine et ses seins étaient petits, mais Dieu qu'ils étaient beaux !

Il se cramponna au dessus-de-lit. Il ne suivrait pas le scénario qu'il avait décrit.

— Jude, murmura-t-elle.

Il ne tint pas compte de son appel et couvrit de baisers le contour de son décolleté. Il sentit les mains de la jeune femme se crisper dans ses cheveux et éprouva un plaisir intense. Elle avait envie qu'il continue. Elle avait envie de lui.

Jude glissa une main sous son peignoir et la posa sur son épaule, effleurant le haut de ses seins avec son pouce. Elle frissonna et se cambra contre lui.

Il était plus difficile de se maîtriser qu'il n'aurait cru, d'autant que Marissa s'offrait à lui avec un abandon total.

Jude ferma les yeux et tenta de reprendre ses esprits ; puis, se promettant de s'arrêter quand il le faudrait, il pressa ses lèvres sur la fine étoffe qui couvrait sa poitrine. Il referma sa bouche sur le téton de Marissa, qui lâcha un petit cri étouffé.

Oh, oui ! C'était ce qu'il rêvait d'entendre. Ces soupirs étranglés et passionnés. Il suça son téton, tirant d'elle des notes plus belles encore, puis le mordilla pour en entendre davantage.

Il avait une envie si violente d'arracher son vêtement pour admirer le miracle de son corps dénudé. Il désirait la déshabiller et goûter chaque centimètre de sa peau. Puis, il désirait se perdre en elle.

Mais par-dessus tout, il voulait que Marissa pense qu'elle ne pouvait pas vivre sans lui, car il commençait à penser qu'il ne pouvait pas vivre sans elle.

Il embrassa son autre sein puis le téta à travers l'étoffe, jusqu'à ce qu'elle halète de désir.

Alors, au prix d'un effort surhumain, les mains tremblantes, Jude leva la tête, et l'embrassa sur la bouche une dernière fois. Puis il roula sur le dos en grimaçant et ferma les yeux.

— Voilà la différence entre un garçon et un homme, souffla-t-il d'une voix rauque.

— Quoi ? Pourquoi vous arrêtez-vous ?

Peu disposée à rester allongée sans bouger, Marissa se hissa sur un coude.

— Vous ne m'avez pas du tout satisfaite, si c'est ce que vous pensez !

— Voyons, pour qui me prenez-vous ! La moitié de la joie que l'on éprouve à faire l'amour découle du plaisir de l'anticipation. Je parie qu'aucun de vos jeunes danseurs ne vous a jamais enseigné cette leçon.

— Mais… je n'ai pas besoin de leçons ! Vous n'êtes pas mon professeur !

— Non, je suis seulement l'homme à qui vous n'aviez pas prêté la moindre attention il y a à peine trois jours de cela. Je ne suis pas un garçon, Marissa, et je ne suis pas non plus stupide.

Elle garda le silence pendant un moment qui parut si interminable à Jude qu'il finit par se forcer à ouvrir les yeux. Elle le regardait en fronçant les sourcils, comme une nymphe inquiète revenant d'un rendez-vous galant dans les bois, les lèvres roses et enflées.

— Je n'ai pas besoin d'être séduite, Jude. Vous me plaisez suffisamment.

Il leva un sourcil.

— Suffisamment pour quoi ?

Un sourire se dessina sur ses lèvres.

— Suffisamment pour que je n'aie pas envie que vous arrêtiez.

— Je suis heureux de l'apprendre.

Elle l'examina pendant un long moment.

— Puis-je voir votre torse ?

— Je vous demande pardon ?

— J'aimerais voir votre torse.

— Je ne suis pas certain que vous l'aimiez. Il est poilu, vous savez.

— Je sais bien !

— Que voulez-vous donc voir, alors ?

Agacée, elle plissa les yeux.

— Oh, je vois. Vous avez déjà vu la poitrine d'autres femmes et n'êtes donc pas curieux de voir la mienne.

Il était inutile de protester contre ces absurdités. Jude retira sa cravate, sortit les pans de sa chemise de son pantalon et défit quelques boutons. Marissa sembla s'en satisfaire et coula sa main sous le tissu pour toucher sa peau nue.

Jude réprima un gémissement profond. Elle caressa timidement son torse, déclenchant une onde de bien-être dans tout son corps.

— Vous êtes poilu, murmura-t-elle.

Je ne vais pas l'attirer sur moi.

— Mais pas plus que de raison. C'est plutôt agréable.

Et je ne vais pas me glisser sur elle.

Elle explora son torse jusqu'aux épaules, puis descendit vers le haut de son ventre.

— Vous êtes tellement large, comparé à moi.

Jude sentit sa main passer sur son téton et serra les dents. Puis elle effleura la peau sensible de son ventre, et il aspira soudain une large bouffée d'air.

— Désolée, je vous chatouille ?

— Oui.

Oui, cela chatouillait, mais le bond qu'avait fait son cœur intensifia les palpitations de son sexe, jusqu'à ce que son érection en devienne presque douloureuse.

— C'est agréable, chuchota Marissa. J'aime bien vous caresser.

Que ce soit douloureux ou pas, il aimait bien cela aussi. Marissa posa la tête sur son épaule et la main sur son cœur, il se sentit alors envahi par quelque chose de bien plus puissant que le désir. Il ferma les yeux et lui caressa les cheveux pour la maintenir proche de lui.

— Hum, murmura-t-elle d'une voix endormie. Je comprends enfin ce que vous vouliez signifier en clamant être un vrai homme.

— Pardon ?

— Votre pantalon n'a pas du tout l'air satisfait.

Elle avait dit cela sur un ton si convenable que Jude n'en crut pas ses oreilles. Il éclata alors d'un rire franc et sonore. Marissa York ne ressemblait à aucune des femmes qu'il avait connues jusqu'à présent. Pas étonnant qu'il soit en train de tomber amoureux d'elle.

Chapitre 11

*M*arissa détestait Nanette, et commençait également à détester Mr Dunwoody. Et, songea-t-elle d'un air renfrogné, puisqu'elle était occupée à détester les gens, autant ajouter Patience Wellingsly sur la liste. Cette femme n'avait aucun droit d'être assise dehors au soleil en ce jour d'automne et de rayonner ainsi aux yeux de tous.

Dans un premier temps, Marissa avait trouvé que sa mère avait eu une excellente idée en suggérant d'organiser un grand pique-nique. C'était une journée chaude et ensoleillée, et un pique-nique romantique rendrait plus plausible l'histoire du coup de foudre entre Jude et elle, qu'ils racontaient à qui voulait l'entendre. À vrai dire, Jude déclarait qu'il l'avait aimée dès le premier regard, tandis qu'elle se contentait d'acquiescer avec un petit sourire timide.

— Encore un peu de punch, ma chérie ? demanda-t-il d'une voix forte en se mettant debout.

Patience Wellingsly, assise sur une couverture non loin d'eux, observa Jude se lever et épousseter son pantalon. On pouvait lire dans ses yeux qu'elle appréciait grandement le spectacle de ses cuisses musclées, et Marissa dut se maîtriser pour ne pas poser une main possessive sur la jambe de Jude.

— Elle est si belle, soupira Beth.

— Je sais. C'est écœurant.

— Pensez-vous que Mr Dunwoody soit amoureux d'elle?

— Pourquoi serait… ? Oh.

Elle tourna les yeux vers la couverture des Samuel, sur laquelle Mr Dunwoody se tenait assis bien droit.

— Vous devriez aller le rejoindre et lui parler. Il sera sans doute soulagé de pouvoir discuter d'autre chose que de Nanette. Ce n'est pas un sujet de conversation qui peut durer éternellement.

— Marissa! s'écria Beth en riant, mais son visage reprit rapidement son expression triste. Non, je ne peux pas aller là-bas maintenant. Il verrait que je cherche seulement à attirer son attention.

— Peut-être, mais Nanette le ferait et n'éprouverait pas le moindre remords.

— Oui, mais je ne suis pas Nanette. Malheureusement.

L'air découragée, Beth s'allongea sur la couverture et regarda fixement le ciel. Marissa l'imita.

— Dieu merci, vous n'êtes pas Nanette. Si c'était le cas, je ne vous aimerais pas du tout. Vous, au moins, vous êtes intelligente et intéressante.

— Sont-ce les qualités que vous appréciez chez Mr Bertrand? demanda doucement Beth.

Marissa sentit son cœur se glacer pendant plusieurs longues secondes.

— Je suis juste tellement étonnée! poursuivit son amie. Et je vous en prie, ne le prenez pas mal, Marissa, mais il ne semble pas du tout être votre type d'homme. Et puis vous n'en avez même pas parlé une seule fois dans vos lettres!

— Je… Oui, je sais. Tout s'est passé très vite. Et vous avez raison, bien sûr, je ne suis habituellement pas attirée par ce genre d'homme. Il a une apparence de brute, n'est-ce pas?

Beth lui prit la main.

— J'ai l'impression qu'il y a quelque chose qui ne va pas. Pas plus tard qu'hier, vous me disiez que vous n'aviez encore jamais dansé avec lui.

— Il y a plus important que la danse.

— Comme quoi ?

— Il…

Il y avait tant de choses qu'elle aurait pu dire à son sujet. Il était gentil, drôle, fort, mais Marissa savait très bien qu'elle n'était pas le genre de fille à se précipiter dans un mariage parce qu'elle avait trouvé quelqu'un de gentil. Mieux valait suivre le conseil de Jude.

— Il m'a embrassée, murmura-t-elle.

— Comme tant d'autres, d'après ce que vous m'avez raconté.

— Oui, mais il m'a embrassée et j'ai cru… (Elle ferma les yeux et l'imagina se penchant vers elle.) J'ai cru en mourir de plaisir.

Beth pressa sa main.

— Vraiment ?

— Oui. Et quand il me touche, j'ai l'impression à la fois d'avoir une valeur inestimable et d'être une fille de rien.

Beth tourna la tête vers Marissa.

— Je ne comprends pas ce que vous voulez dire.

— C'est difficile à expliquer.

— C'est encore plus difficile à comprendre. On ne m'a jamais embrassée. Pas vraiment.

— Peut-être que si vos mœurs étaient un peu moins strictes…

Elles se mirent toutes deux à rire, ce qui rompit la tension entre elles. Marissa soupira de soulagement. Beth semblait satisfaite de sa réponse, et Marissa se sentait… eh bien, elle se sentait aussi curieusement satisfaite de sa réponse. Elle n'aimait pas Jude, et n'avait pas envie de l'épouser, mais au moins se réjouissait-elle à la perspective de ses baisers. Et de son corps.

— Saviez-vous que les hommes avaient des poils sur le torse ? demanda-t-elle à Beth.

Même du coin de l'œil, elle put voir l'expression abasourdie de son amie.

— Vous voulez parler des travailleurs ?

— Non, de tous les hommes. Beth… Mr Dunwoody vous plaît-il ?

— Oui. Il est très beau. Et doux. Je crois que j'ai besoin d'un mari doux. Il y a tant d'hommes intimidants, vous ne trouvez pas ?

— Avant le dîner ce soir, je viendrai vous aider à choisir une robe, puis nous nous préparerons ensemble. Ma bonne vous coiffera, et vous mettra un peu de rouge sur les joues.

— Ma mère ne…

— Elle n'en saura rien, Beth. Croyez-vous vraiment que Nanette a les joues aussi roses naturellement ?

— Non, murmura Beth.

— Alors vous viendrez dans ma chambre. Vous pourrez être aussi timide que vous le souhaitez, du moment que vous êtes plus jolie que Nanette.

— C'est peine perdue.

— Elle a seulement un caractère plus fort que vous, et vous êtes trop gentille pour rivaliser avec elle. Mais moi, je ne suis pas gentille, déclara Marissa en souriant, alors laissez-moi faire, voulez-vous ?

— Si vous le dites, chuchota Beth d'un air peu convaincu.

Comme si elle avait peur de ce que Marissa avait en tête. C'était ridicule, bien sûr, pourtant, quand Jude surgit devant elle avec un verre de punch, Marissa sut qu'elle était démasquée. Il lui jeta un coup d'œil et sourit.

Décidément, Jude ne s'était pas trompé à son propos. Elle n'était vraiment pas convenable.

—Voilà, murmura Marissa en tirant sur le corsage de la robe de Beth.

—Marissa! s'offusqua son amie en tentant de s'échapper.

—Elizabeth Samuel, les hommes aiment les seins, et les vôtres sont une merveille, si seulement vous les montriez davantage…

Elle rendit le décolleté plus pigeonnant, puis recula.

—Savez-vous ce que je donnerais pour avoir une poitrine comme la vôtre? Quelle que soit la force avec laquelle je serre mes lacets, la mienne reste ridicule.

—Eh bien, si c'est si important, pourquoi vous a-t-on donc demandée cinq fois en mariage, et pourquoi personne n'a jamais sollicité ma main?

—Nous avons chacune des atouts différents. J'ai un cou de cygne et vous avez des seins magnifiques. Mais moi j'expose mes atouts, contrairement à vous.

—Marissa!

Beth entreprit de tirer son corsage vers le haut, mais Marissa l'arrêta d'une tape sur la main.

—Ne vous avisez même pas d'essayer. Et si Mr Dunwoody est aveugle, je pense à au moins trois autres gentlemen qui pourraient vous convenir. Je serais surprise qu'ils ne vous invitent pas tous à danser. J'ai déjà parlé avec mère et elle a promis que nous en aurions l'occasion après la pièce de théâtre. Maintenant, tenez-vous tranquille.

Marissa examina son œuvre d'un œil critique. Beth ne possédait pas de robes de couleur de pierres vives, mais elle en avait apporté une bleu ciel de la Saison précédente. Elle ne l'avait portée qu'une seule fois car elle ne s'y sentait pas à l'aise, mais Marissa avait estimé qu'elle était très belle dans cette tenue. Et c'était vrai.

La servante de Marissa avait passé près d'une heure à transformer les cheveux frisés de Beth en boucles légères, à l'aide d'un fer. Ses yeux brun ordinaire étaient rehaussés d'un discret trait de khôl, qui leur ajoutait une touche de mystère.

L'heure avançait, et la servante n'eut plus le temps que de relever les cheveux de Marissa en un simple chignon. Cela lui était cependant égal. Elle avait déjà suffisamment affaire avec les hommes ainsi.

— Vous êtes prête? demanda Marissa.

— Non, murmura Beth, lorsque quelqu'un frappa légèrement à la porte.

Une servante entra, un papier à la main. Marissa sentit son cœur s'emballer quand elle s'en empara.

— C'est Jude?

Marissa mentit en l'ouvrant. Elle savait que le message ne venait pas de Jude, mais elle ne pouvait l'avouer à Beth. Elle s'installa sur une chaise dans un coin de la pièce et lut la lettre.

Mr White n'abandonnait toujours pas. Il voulait la voir une dernière fois, pour tenter de la convaincre de l'honnêteté de ses intentions. Il lui proposait de le retrouver derrière les écuries ce soir-là à 22 heures. Il la prenait pour une idiote. Il allait sûrement la kidnapper ou provoquer une autre scène. Mais que ferait-il si elle ne se présentait pas du tout?

Maudit soit cet homme. Elle se sentait impuissante, incapable de prendre la bonne décision, et vulnérable face aux caprices de cette crapule indigne de confiance.

Elle plia la feuille et la glissa dans l'un des tiroirs de sa coiffeuse. Elle allait devoir réfléchir soigneusement. Mais pour l'instant, elle voulait que Beth sorte de son année d'exil et s'amuse.

— Venez, dit-elle en se forçant à sourire. Allons vous trouver un gentleman. Mais souvenez-vous de ce que j'ai dit à propos des baisers. Un baiser agréable, c'est bien, mais continuez jusqu'à ce que vous fassiez l'expérience d'un baiser exceptionnel !

— Vous êtes scandaleuse, Marissa ! murmura Beth, qui avait encore le sourire aux lèvres en arrivant dans le salon, quelques minutes plus tard.

Un jeune homme au visage constellé de taches de rousseur, répondant au nom de Kenworth, regarda dans leur direction. Sans erreur possible, ses yeux se posèrent sur Beth, mais celle-ci ne parut pas le remarquer. Elle était concentrée sur Mr Dunwoody, qui discutait avec Nanette, et ne leva même pas la tête vers elle.

Nanette attira également le regard de Marissa.

— Oh, qu'elle aille au diable ! s'exclama-t-elle en voyant sa robe.

Nanette était présente quand elles avaient choisi la tenue de Beth, et avait clairement cherché à l'éclipser. Elle était vêtue d'une robe bleu vif, avec un corsage qui frisait l'impudeur.

— Ce n'est pas grave, dit doucement Beth. Ce n'était pas une bonne idée. Je ne peux rivaliser avec Nanette. Mieux vaut que j'attende qu'elle se marie avant de jeter mon dévolu sur un homme.

Marissa n'était pas d'accord. Elle avait envie de crier que ce n'était pas vrai et que Beth pouvait épouser qui bon lui semblait. Qu'elles pouvaient toutes deux épouser qui bon leur semblait.

Mais il était inutile de protester, aussi se contenta-t-elle de prendre le bras de Beth et de la conduire vers un fauteuil un peu plus loin.

— La Saison prochaine sera grandiose. Vous verrez.

Sauf qu'il y avait fort à parier que la Saison prochaine serait tout sauf grandiose, du moins pour Marissa.

La pièce de théâtre était si épouvantable que Jude s'amusa énormément. C'était un extrait d'*Othello*, avec nombre de cris, de pleurs et de grincements de dents. La scène de la mort transcenda l'horreur et en devint sublime. Harry hurlait avec une douleur parfaite, et la dame qui jouait sa femme mourut après force soupirs torturés.

La mère de Jude aurait adoré ces acteurs, et il songea qu'il serait sans doute possible de convaincre lady York de l'inviter à venir leur rendre visite. Une visite secrète, bien évidemment, mais amicale malgré tout.

— Bravo, cria Jude au milieu d'un tonnerre d'applaudissements.

Il était sur le point de se lever quand il sentit une main de femme se poser sur sa nuque. S'attendant à trouver Mrs Wellingsly derrière lui, Jude eut un mouvement de recul tout en se retournant. Mais quand il constata que c'était Marissa qui lui caressait le cou, il fut brusquement parcouru par une vague de chaleur.

Elle se pencha pour lui parler à l'oreille, mais il ne parvint pas à se concentrer sur ses paroles, car il avait les yeux rivés sur son décolleté et n'arrivait plus à s'en détacher. Un peu plus tôt, ses lèvres s'étaient pressées contre cette peau. Il l'avait caressée et mordillée jusqu'à ce que la jeune femme gémisse de plaisir. La maîtrise dont il avait fait preuve auparavant lui semblait désormais effroyable. Si seulement il avait écouté son instinct, il saurait à quoi ressemblaient ses seins, nus et enflammés de désir.

Marissa commençait à se lever, il secoua alors la tête.

—Je suis désolé, je n'ai pas entendu un traître mot de ce que vous disiez.

—Je vous demandais si vous souhaitiez aller faire un tour dans le jardin avant que l'on commence à danser.

—Mon Dieu, oui.

Le sourire poli de Marissa s'élargit, et une expression de satisfaction apparut sur son visage.

— Étiez-vous en train d'observer ma poitrine, Mr Bertrand ?

— Certainement pas.

— Vous pouvez la regarder autant que cela vous chante, si sa vue vous met dans un tel état d'émerveillement et d'agitation.

— Je ne vis que pour vous satisfaire, répondit-il.

Se souvenant enfin qu'il devait se lever en présence d'une dame, il s'exécuta, remerciant Dieu de ne pas avoir regardé Marissa plus longtemps. Même ses mouvements les plus anodins semblaient attiser son désir.

— Vous êtes belle à mourir, lui murmura-t-il en lui offrant son bras.

— Pourquoi dites-vous toujours cela ?

— Parce que chaque fois que je vous vois, je suis subjugué par votre beauté.

— Avez-vous appris à charmer les femmes pendant vos années passées en France ?

— Oui, mais je ne suis pas en train de vous charmer.

— Je suis trop maigre et seulement passablement séduisante, alors c'est assurément ce que vous êtes en train de faire.

— Ma parole, vous êtes d'humeur étrange, ce soir. Je n'ai pas voulu vous déranger avec Miss Samuel, mais la situation est-elle toujours gênante entre vous ?

— Non, soupira Marissa alors qu'il ouvrait la porte donnant sur la terrasse et la conduisait au-dehors. Non, je lui ai fait croire que vos baisers m'avaient tourné la tête et m'avaient bouleversée.

— Ah, je comprends maintenant pourquoi vous êtes de cette humeur.

— Ce n'est pas pour cela. Je suis tracassée, car Mr Dunwoody paraissait épris de Beth, jusqu'à ce qu'il fasse la connaissance de sa cousine. Il semble désormais aveuglé par la beauté de Nanette. Beth, qui est pourtant plus gentille, plus douce et plus intelligente, n'existe même plus à ses yeux. Je pourrais l'étrangler !

Jude la dévisagea pendant quelques instants en se demandant si elle plaisantait. Mais ses sourcils froncés trahissaient la sincérité de son indignation.

— Marissa, vous plaignez-vous parce que Mr Dunwoody aime flirter avec les jolies filles ?

— Beth est jolie, marmonna-t-elle.

— Je suis d'accord. Mais êtes-vous réellement en train de juger un homme sur son attirance pour… la mode et les beaux tissus ?

Elle se tourna vers lui d'un air furieux.

— Il s'intéressait à Beth jusqu'à ce que sa cousine entre en scène ! Ce n'est pas la même chose !

— Si vous le dites.

Il posa une main délicate sur sa tête.

— J'aime bien vos cheveux coiffés ainsi, mon cœur. J'ai l'impression que je pourrais les libérer d'un geste.

Elle porta timidement la main à sa nuque, et toute trace de colère s'évanouit de son visage. Jude se pencha pour joindre ses lèvres aux siennes, cette fois dans un baiser lent et prudent. Marissa aussi semblait paisible. Ils s'embrassèrent doucement pendant une longue minute, mais quand il leva la tête, la jeune femme appuya son front contre sa veste avec lassitude.

— Ce n'est pas tout ce qui m'inquiète, Jude.

Il sentit son estomac se nouer et prit son menton dans sa main.

— Que se passe-t-il ?

— J'ai reçu une autre lettre de Peter White.

—Qu'a-t-il fait?

—Rien. Il veut me voir ce soir, à 22 heures. Près des écuries.

—Quel ignoble bâtard.

Marissa posa une main apaisante sur son bras. Jude se rendit compte qu'il avait les poings serrés, impatient de cogner le visage de Peter White.

—Jude, j'ai envie de lui parler. Mais je veux que vous veniez avec moi.

Il inspira profondément, essayant d'apaiser le surprenant élan de colère qui s'était emparé de lui.

—À quoi bon lui parler? Si vous le souhaitez, je peux y aller seul et le convaincre de vous laisser tranquille.

—En usant de votre charme?

—Exactement.

—Vous ne me paraissez pas très charmant en ce moment.

Il haussa les épaules et s'efforça de se radoucir.

—Non, reprit Marissa, j'ai envie de lui parler. Il est trop tôt pour en être certaine… Je ne voulais rien dire pour le moment mais j'ai… Mon ventre est un peu… douloureux.

—Nausées matinales? s'enquit-il, pris de vertige.

—Non. Ce n'est pas cela.

—Oh, fit Jude. Je vois.

—J'en aurai le cœur net d'ici un jour ou deux, mais je pensais que si je lui disais, il abandonnerait peut-être enfin.

—Ah, oui. C'est une bonne idée. Il vous laissera tranquille s'il sait qu'il n'y a plus d'espoir.

Jude se demanda s'il parlait de lui-même ou de Peter White. Mais c'était ridicule. Jude n'avait pas encore perdu espoir. Enceinte ou pas, Marissa avait commencé à s'ouvrir à lui.

—Je viens avec vous. Il est presque 22 heures.

—Merci.

Au lieu de prendre son bras, Marissa attrapa sa main et ils marchèrent ainsi en silence dans l'obscurité, tous deux perdus dans leurs pensées.

À mi-chemin des écuries, elle rompit enfin le silence.

—Comment était-ce, quand vous viviez chez votre mère?

—Eh bien, au départ, je n'avais pas d'éléments de comparaison. C'était une maison comme les autres, remplie de domestiques, de visiteurs et d'invités. Un endroit heureux, même s'il n'était pas toujours idéal pour un enfant. Ma mère m'envoyait parfois à la campagne avec ma nourrice, et je me sentais alors terriblement seul sans elle. C'est une femme chaleureuse, pleine d'esprit et d'humour.

—Étrangement, vous semblez avoir eu une enfance idéale.

—Oh, il m'arrivait bien de temps à autre de me battre avec un garnement du voisinage qui avait insulté ma mère, mais… (Il haussa les épaules comme pour chasser ce souvenir pénible.) Mais j'étais un enfant heureux et chéri.

Il vit les yeux de Marissa briller quand elle se tourna vers lui. Elle serra sa main un peu plus fort.

—Quand vous a-t-on envoyé vivre avec votre père? Vous avez été élevé chez lui, n'est-ce pas?

—Oui.

Le déchirement de la séparation lui semblait bien loin à présent, pourtant il ressentait toujours une pointe de douleur en y pensant.

—Jude…

—Cette histoire n'est ni tragique ni très dramatique. Il s'est marié quand j'avais trois ans, et lorsque j'en ai eu huit, sa famille était bien établie et il m'a fait venir. Ma mère n'était pas vraiment en mesure de refuser. Il m'avait reconnu comme son fils tout de suite, et elle ne manquait pas de me

rappeler chaque jour que je devais lui en être reconnaissant.
Et s'il voulait m'offrir la vie d'un fils de duc…

— Mais la duchesse ?

— Oh, elle était aussi compréhensive qu'il est possible
de l'être dans ces circonstances. Elle ne se montrait ni
affectueuse ni cruelle. Je pense que la situation n'a pas été
trop dure à accepter, puisqu'elle ne connaissait pas encore
le duc quand je suis né. Mes demi-frères me considéraient
comme un cousin plus âgé. Nous étions assez proches. Si je
n'avais eu le mal du pays, j'aurais été ravi de cet arrangement.

Marissa s'arrêta. Se tournant vers lui, elle posa la main
sur sa joue.

— Je suis désolée. Je ne peux pas m'imaginer qu'on
m'envoie loin de chez moi.

— La plupart des garçons sont envoyés en pension à cet
âge, vous savez. Plus tôt, même.

— Et je suis certaine qu'ils en souffrent tous. Et votre
pauvre mère… Mes frères me manquaient terriblement
quand ils étaient à l'école. Elle a dû être dévastée.

— Nous sommes toujours aussi proches. L'histoire se
termine bien.

— J'en suis heureuse, murmura-t-elle.

Jude ne put s'empêcher de l'embrasser. Leurs bouches se
rencontrèrent avec avidité. Leur baiser fut d'une ardeur sans
précédent. Une menace pesait au-dessus de leurs têtes. Cette
comédie allait peut-être bientôt toucher à sa fin, et alors
ils n'auraient plus d'excuse pour se toucher. Plus d'excuse
pour s'embrasser.

Pourtant, que le rideau tombe ou pas, Jude était
déterminé à convaincre Marissa de l'aimer, et même si elle
portait un enfant, c'était encore possible. Après tout, elle
aussi semblait sentir la menace de la fin de leur relation. Elle
avait les mains crispées contre lui, et l'embrassait comme si
elle voulait le dévorer avant qu'il soit trop tard.

Si l'arrivée de Peter White n'avait pas été aussi imminente, Jude lui aurait détaché les cheveux. Il aurait passé ses doigts dans ses lourdes boucles d'un blond vénitien et l'aurait vue telle que nul homme ne l'avait encore contemplée. Il l'aurait portée jusqu'à l'intérieur des écuries et allongée sur la paille pour lui montrer qu'elle ne pouvait pas l'éconduire.

Il la submergerait de plaisir. Il savait qu'il en était capable. Une femme comme Marissa s'épanouirait rapidement au contact d'un professeur tel que lui. Mais le désir était une base fragile pour construire un avenir. Il ne suffirait pas pour supporter une année de vie commune, encore moins toute une vie.

À ce moment-là, il sut qu'il avait envie de tout avec Marissa, et pas seulement qu'elle le désire.

Alors au lieu de la soulever dans ses bras, Jude la repoussa doucement.

— Mieux vaut en finir rapidement et revenir avant qu'on remarque notre absence.

— Oui, approuva-t-elle d'une voix si douce que l'on aurait presque pu la confondre avec le bruissement des arbres qui les entouraient.

Elle se retourna sans prendre sa main et marcha d'un pas lourd en direction des écuries.

— Marissa ! siffla une voix quand elle arriva à leur niveau. Est-ce vous ?

— C'est Miss York, répliqua-t-elle sèchement.

— Oui, bien sûr. Je ne voulais pas vous manquer de respect.

— De quoi souhaitiez-vous me parler, Mr White ?

— J'ai le sentiment que nous avons laissé les choses dans une situation fâcheuse, la dernière fois que nous nous sommes vus. Je souhaite désespérément remédier à cela, Miss York. Je crois savoir que vous abritez des sentiments pour moi, sans cela vous n'auriez pas... Au nom du ciel, qui est-ce ? s'écria Peter White affolé, en reculant de quelques pas.

Jude sourit.

—C'est Mr Bertrand, répondit Marissa sur un ton que Jude jugea légèrement méprisant.

—Eh bien, que fait-il ici ?

—Il est là pour s'assurer que vous ne me ferez pas de mal, Mr White.

—Jamais je ne chercherais à vous faire du mal, Marissa. Vous devez me croire ! s'exclama-t-il en levant les mains dans un geste théâtral.

Jude se raidit. Il était resté en arrière pour leur laisser un semblant d'intimité, mais si Peter White approchait ne serait-ce qu'un doigt en direction de Marissa, il l'assommerait sans autre forme de procès.

—Quoi qu'il en soit, poursuivit froidement Marissa, je n'ai accepté de vous retrouver ici que pour vous demander de cesser de m'écrire.

—Je ne peux pas abandonner…

—Vous le devez. Vous avez essayé de me tendre un piège pour me contraindre à vous épouser, après que j'eus refusé deux fois votre proposition. Vous avez voulu m'imposer votre volonté, et jamais je ne vous pardonnerai pour cela.

—Mais vous êtes déshonorée !

Si étonnant que cela puisse paraître, Mr White semblait sincèrement soucieux de son avenir.

—Si vous tentez d'insinuer qu'aucun homme ne voudra de moi désormais, je me vois forcée de vous informer que vous vous trompez. Mr Bertrand a demandé ma main, et j'ai accepté.

—Ce… ce n'est pas possible ! s'écria White, qui se tourna vers Jude. Quel genre d'homme pourrait se satisfaire des restes d'un autre ?

Jude était appuyé contre le mur de l'écurie, mais se redressa brusquement à ces mots.

—Je vous demande pardon ? rétorqua-t-il lentement, sentant la colère le gagner.

—Euh… (White recula de nouveau et trébucha sur une touffe d'herbe.) Je vous en prie, comprenez-moi. Elle porte peut-être mon enfant !

Jude perçut la main de Marissa sur lui. Il baissa les yeux et s'aperçut qu'elle était posée sur son poing.

—Je suis d'avis, grogna-t-il, que seul le plus vil des misérables profiterait d'une femme pour lui reprocher ensuite d'avoir été consentante. Est-ce ce que vous êtes, monsieur ? Un chien qui devrait être abattu ?

—Je…

—Et si vous pensez que je ne vais pas vous battre comme plâtre, vous êtes stupide en plus d'être immoral.

Marissa lui serra le bras, et Jude prit alors conscience qu'il s'était avancé vers White. Il était presque à la bonne distance pour le frapper. Ses mains le démangeaient furieusement.

—Mr White, dit Marissa calmement. Je ne porte pas votre enfant, le sujet est donc clos.

Les yeux de White oscillèrent avec nervosité entre Jude et Marissa.

—Vous en êtes certaine ?

—Oui. Alors je vous en prie, oubliez-moi. Je ne désire pas vous revoir.

—Et, ajouta Jude, je vous promets que si vous prononcez ne serait-ce qu'un mot désagréable à son propos, je le saurai et vous tuerai. Est-ce clair ?

White parut se rendre compte que le danger immédiat avait disparu, car il haussa les épaules et rajusta ses manches d'un air guindé.

—Oui. Au revoir, Miss York. Je regrette seulement que mes intentions aient été mal comprises. Je vous souhaite tout le bonheur possible dans votre mariage accidentel.

Même s'il brûlait d'envie de bondir sur lui, Jude laissa White tourner les talons et s'évanouir dans la nuit.

Marissa exhala un long soupir.

—Ma parole, Jude. Vous êtes terrifiant quand vous êtes en colère.

—Je ne supporte pas les hommes dans son genre. (Marissa le regarda d'un air entendu.) Et pas seulement à cause de ma mère, marmonna-t-il.

—Les hommes étaient-ils cruels avec elle ?

—Non, car ma mère est douée pour cerner la personnalité des gens. Beaucoup de ses amies ont toutefois été maltraitées. C'est souvent ainsi que ces jeunes filles se retrouvent à pratiquer cette profession. Séduites par un gentleman, qui les abandonne ensuite comme une vieille chaussette.

Il se laissa guider par Marissa en direction du manoir.

Après quelques pas, elle demanda tout doucement :

—Est-ce ainsi que mon frère se comporte avec les femmes ?

—Qui ? Aidan ?

Évitant de croiser son regard, elle acquiesça.

—Non, si c'était le cas, ce ne serait pas mon ami. Aidan est peut-être froid, mais il est d'une honnêteté sans faille. Il ne les aime pas, et ne tente pas de leur faire croire le contraire.

—Mais elles, elles l'aiment ?

—Seulement celles qui sont vraiment stupides, Marissa.

—Il est tellement froid, en ce moment. Et les histoires que j'entends… Je m'inquiète.

Ayant enfin recouvré son calme, Jude sentit la main de Marissa frissonner contre son bras et s'arrêta brusquement.

—Vous tremblez. Vous sentez-vous bien ?

—Oui, je suis juste un peu… épuisée. Je ne m'attendais pas à croire un mot de ce que Peter White dirait.

—Et pourtant vous l'avez cru ?

—Oui ! Et c'est ce qui m'effraie le plus. Il m'aimait sincèrement quand il a tenté de me contraindre à accepter un avenir dont je ne voulais pas.

Jude acquiesça en la prenant dans ses bras, mais sa poitrine se serra de douleur. Était-ce aussi ce qu'elle pensait de lui ?

—Jude, soupira-t-elle, vous avez été si bon avec moi.

Fermant les yeux, Jude respira le parfum fleuri de ses cheveux et l'attira à lui, son corps entier raidi d'excitation. Mais il ne fit que la tenir, espérant qu'il parviendrait à la calmer malgré l'agitation à laquelle il était en proie. S'il devait la laisser partir, il le ferait avec grâce. Ou du moins ferait-il semblant.

—Vous êtes chaud, murmura-t-elle en déboutonnant sa veste pour glisser les mains contre sa chemise.

Pendant un moment, il crut qu'elle recherchait juste innocemment un peu de chaleur, mais elle continua à le caresser de grands gestes lents, puis pressa ses lèvres contre son cœur.

—Marissa…

Il s'apprêtait à lui rappeler qu'on allait sûrement bientôt remarquer leur absence, mais son avertissement s'étrangla dans sa gorge quand elle susurra :

—Embrassez-moi. S'il vous plaît…

Il obéit, mais lorsque leurs souffles se mêlèrent, il eut l'impression que leurs corps fusionnaient. Marissa avait envie de plus que d'un simple baiser cette fois, et il sentit son émotion faire battre son cœur précipitamment. Elle l'embrassa avec fougue et glissa ses mains autour de sa taille, tirant sur le tissu de sa chemise… Soudain, il ressentit comme une décharge électrique au contact de sa peau nue.

Arrête-la, lui ordonna son cerveau, mais son corps était encore prêt à bondir, suite à son face-à-face avec White. Sa bouche refusait de s'éloigner. Sa gorge refusait de former un son d'avertissement. À la place, il l'encouragea d'un grognement quand elle souleva sa chemise et appliqua ses mains sur son torse.

Oui, c'était cela qu'il voulait d'elle. Ses bras qui le tenaient, ses ongles qui s'enfonçaient dans sa peau pour l'attirer contre elle. Il la voulait plus proche. Il voulait entrer en elle.

Ils se trouvaient tout près du pavillon, un petit boudoir privé où ils ne seraient pas dérangés. C'était l'endroit parfait pour séduire, même s'il n'aurait su dire avec certitude qui, de lui ou d'elle, était séduit par l'autre. Peut-être les deux.

Comme il l'avait désiré auparavant, Jude la souleva dans ses bras, et la porta dans le pavillon, en sentant sa bouche brûlante dévorer son cou de baisers. La cravate de Jude la gênait pour descendre plus bas. Il eut envie de l'arracher, et d'ôter d'un geste sa veste et sa chemise pour permettre à Marissa d'explorer son corps comme bon lui semblait. Elle avait raison, après tout ; il n'était pas son professeur. Il était son égal, et à ce moment-là, il regretta la façon dont il avait refréné son propre désir. Pour qui se prenait-il, à vouloir la protéger d'elle-même ?

Alors il fit ce qu'il rêvait de faire. Il déposa Marissa sur une banquette couverte de coussins et se débarrassa de sa veste. Il tira sur le nœud de sa cravate et fit passer sa chemise par-dessus sa tête.

Le clair de lune éclairait l'endroit à travers le treillis de bois, projetant des rubans de lumière sur le visage de Marissa. Juste assez pour qu'il puisse distinguer ses yeux ardents lorsqu'il s'assit et l'installa sur ses genoux.

— Jude, murmura-t-elle, couvrant ses épaules de baisers.

Avec avidité, elle fit courir ses mains sur ses bras, son dos, puis de nouveau sur son torse. *Mon Dieu…*

Il la tint par la taille et lui laissa faire tout ce dont elle avait envie. Absolument tout. Elle lui lécha le cou, embrassa ses tétons et frotta ses joues contre son torse velu. Elle s'extasia sur sa large carrure, sur la chaleur de sa peau, et sur la force de son désir. Son innocence était insatiable, et à ce moment-là, il s'étonna qu'elle n'ait perdu son hymen que si récemment. La passion semblait même avoir remplacé le sang qui coulait dans ses veines.

— Je veux vous voir entièrement, susurra-t-elle d'une voix dans laquelle se mêlaient étrangement le désir et l'embarras.

Il aurait refusé si elle l'avait exigé, mais elle lui avait demandé si timidement qu'il n'eut pas le cœur de dire « non ».

Se maudissant, Jude commença à défaire les boutons de son pantalon, et Marissa se recula pour lui laisser de la place.

À cet instant, la lune éclaira le visage entier de Marissa, et Jude se figea. Il avait envie de plus que ce désir, de plus que cette nuit.

— Bon sang, grogna-t-il, je ne peux pas.

— Jude, je vous en prie. Nous pouvons…

— Je ne peux pas.

Les traits de Marissa se décomposèrent. Voyant cela, Jude tendit les bras vers elle.

— Venez ici.

Il l'assit à califourchon sur ses genoux, réprimant un gémissement au contact de ses jambes agrippées contre ses hanches. Ses fesses étaient si proches de son sexe.

— Je ne peux pas, lui murmura-t-il au creux de l'oreille. Je suis désolé.

Il l'embrassa dans le cou, mais elle se mit à sangloter de désir, et Jude ne put se résoudre à la laisser dans cet état, malgré ses intentions.

Il remonta ses jupes et glissa les mains sous sa chemise.

— Jude, gémit-elle en sentant ses mains sur ses fesses brûlantes.

Dieu tout-puissant, elle était si douce, si tendre et si chaude.

Il pourrait retirer son pantalon et la guider sur son sexe. Et elle le chevaucherait, innocente ou non. Elle le chevaucherait, avec les mains de Jude agrippées sur ses fesses rondes. Ce serait le moment le plus incroyable de sa vie.

Des gouttes de sueur perlèrent sur ses tempes tandis que Marissa remuait les hanches entre ses bras, ses genoux appuyés sur les coussins de la banquette. Jude l'incita à se redresser et passa alors délicatement la main le long de sa fente, touchant sa chaleur humide du bout des doigts. Marissa tressaillit violemment contre lui, faisant battre son cœur à tout rompre.

Il pressa sa paume contre elle, et elle tressaillit de nouveau, enfonçant ses ongles dans ses épaules. Jude sentit sa bouche saliver au contact de cette peau soyeuse. Il ne put résister à l'envie d'insérer un doigt en elle, juste pour savoir ce qu'il ressentirait. De pénétrer dans la chaleur de son intimité étroite.

— Jude, gémit-elle. Oh, Jude.

Elle frissonna, ou peut-être était-ce lui. Elle se tenait si étroitement serrée contre son torse qu'il n'aurait su le dire. Il n'était plus conscient que de la sensation de ses doigts en elle et de ses cuisses frémissantes pendant qu'il la caressait, en veillant à concentrer le mouvement de ses doigts sur son étroit bouton de nerfs.

Elle répétait son nom comme une prière désespérée, les hanches se levant et s'abaissant dans un rythme qui lui faisait serrer la mâchoire avec une telle violence que ses dents le faisaient souffrir. Jude sentait son membre vibrer au diapason avec les mouvements de Marissa. Elle avait envie de lui. Envie de lui faire l'amour.

Maintenant, pensa-t-il avec l'intention d'ouvrir son pantalon et de plonger en elle, mais soudain le corps de Marissa se tendit, sa respiration s'accéléra, et elle jouit contre lui, en sanglotant et en s'agitant dans ses bras, ses cuisses tremblant et son sexe palpitant autour de ses doigts.

—Oh, Jude! Oh, mon Dieu! cria-t-elle, la bouche pressée contre son cou, l'écho de ses mots se propageant dans sa chair.

Peu à peu, elle s'apaisa et se détendit, et Jude se crut très près de devenir fou. Il sentait son souffle frissonnant contre sa mâchoire.

—Jude?

—Mon cœur, souffla-t-il d'une voix rauque. Vous sentez-vous enfin mieux?

Son éclat de rire l'aida à calmer son désir vorace.

—C'était… J'ai attendu cela pendant si longtemps. Merci. (Elle l'embrassa chastement à plusieurs reprises sur la joue et le menton.) Merci. Vous faites des miracles.

—Je dirais que c'est vous le miracle.

—Vous auriez tort. J'ai essayé d'y parvenir moi-même et… euh…

Il ne pouvait s'attarder sur cette pensée pour le moment. Il ne pouvait songer à la signification de ces paroles et à ce que Miss Marissa York faisait le soir dans son lit. Pas maintenant. Plus tard, cependant.

Il n'osa pas décoiffer ses cheveux, aussi lui caressa-t-il le dos à la place, et quand son corps fut passé de la folie à une douleur supportable, il la fit basculer délicatement vers l'arrière.

—Cela fait un moment que nous sommes partis. Nous ferions mieux de…

—Marissa! appela une voix qui venait de l'autre côté de la pelouse.

Enfer et damnation!

—Oh, non! s'écria Marissa, les yeux agrandis par la panique.

—Levez-vous, et laissez-moi faire.

Il remit ses jupes en place et la fit reculer d'un pas.

—Vous êtes parfaite.

Et c'était le cas, mis à part le léger tremblement de son corps tandis qu'elle luttait pour recouvrer ses forces.

—Mais quant à moi…

Il attrapa sa chemise et l'enfila, la rentrant dans son pantalon aussi rapidement que possible. Alors qu'il s'habillait, Marissa trouva sa veste et la lui apporta.

—Bon Dieu, marmonna-t-il en se débattant tellement avec sa maudite cravate qu'il eut l'impression de mettre un temps interminable à la nouer. Comment est mon nœud?

—Je ne vois rien. Laissez-moi…

—Nous n'avons pas le temps. Je ne suis pas à moitié nu, c'est déjà une victoire. Venez.

Il regarda avec soin de tous les côtés sans voir personne, mais alors qu'ils se dirigeaient vers la pelouse sur la pointe des pieds, la voix leur parvint de nouveau aux oreilles, plus forte cette fois.

—Marissa! Où êtes-vous! Si vous ne répondez pas, je reviens avec des torches et des fusils!

—Oh non, murmura-t-elle.

—Nous ne parviendrons pas à l'éviter.

Il lui jeta un dernier coup d'œil et estima qu'elle avait l'air parfaitement normale. Il devrait s'en offusquer, plus tard. Pour le moment, il avait à affronter un frère dans tous ses états.

— Edward, appela-t-il en tirant Marissa. Nous sommes là !

— Bon sang ! jura Edward. Je me faisais un sang d'encre !

S'apprêtant à prendre sur lui toute la responsabilité, Jude inspira profondément, quand il remarqua qu'Edward agitait une lettre dans sa main.

— Je n'arrivais pas à vous trouver, et je suis donc monté dans votre chambre, dit-il en s'avançant vers Marissa. Et voilà ce que j'ai trouvé !

— Comment avez-vous osé fouiller dans mes affaires !

— J'ai pensé qu'il vous avait kidnappée, bon sang ! Vous n'avez pas été assez stupide pour partir le retrouver, n'est-ce pas ?

— Elle m'a demandé de l'accompagner, intervint Jude. J'ai ainsi pu veiller à ce qu'elle ne coure aucun danger.

Edward l'attaqua.

— Comment avez-vous pu agir ainsi sans m'en parler ? Vous n'aviez aucun droit !

— Nous manquions de temps. Nous l'avons retrouvé, et il n'y a eu aucun problème. Je peux vous assurer qu'il y réfléchira à deux fois avant de s'approcher de nouveau de Marissa.

— Vous n'auriez pas dû le laisser partir. Je lui avais interdit de remettre les pieds ici.

— Je crois que ses intentions étaient sincères, non pas que cela change quoi que ce soit.

— Hum, grommela-t-il en regardant Jude de haut en bas. Il y a eu une bagarre, j'ai l'impression ?

Jude réprima son envie de vérifier que ses boutons étaient bien fermés.

— Euh… oui, mais rien de grave.

— Eh bien, jeune dame, poursuivit Edward, sans s'attarder plus longtemps sur les vêtements froissés de Jude. Je vous suggère de vous retirer dans vos appartements et de méditer sur ce que vous avez fait.

Les joues de Marissa s'assombrirent, et Jude put s'imaginer leur couleur.

—Je suis une adulte. Vous ne pouvez me donner des ordres.

L'indignation déforma le visage d'Edward, mais avant qu'il ait eu le temps de crier, Marissa fit un geste de la main.

—Oh, vous m'ennuyez. Je m'en vais. Je me sens déjà suffisamment fatiguée pour aujourd'hui.

L'insolente friponne! Edward et Jude la regardèrent marcher tranquillement vers la maison.

—Cette fille aura ma peau, marmonna Edward, mais Jude était presque certain que c'était lui qui demanderait grâce avant la fin du mois.

Chapitre 12

$\mathcal{E}$lle avait réussi à éviter Jude pendant toute la journée, sans même se l'avouer à elle-même. Elle ne se cachait pas. Elle se sentait juste… embarrassée.

Ce n'était pas vraiment de l'anxiété, pourtant son cœur se mettait à tambouriner lorsqu'elle ne faisait rien, et toute la scène lui revenait brusquement en mémoire. Ce qu'elle avait fait. Ce qu'il lui avait fait.

Assise au bord de son lit, Marissa porta les doigts à ses lèvres, comme si elle pouvait ainsi retenir les émotions qui se bousculaient dans sa gorge. L'excitation, la peur, la joie et les regrets… un mélange de sentiments intenses. Elle avait presque l'impression d'être poursuivie. Et d'avoir envie de se faire prendre.

Mais cela n'avait aucun sens, et elle n'avait donc aucune idée de ce qu'elle pourrait dire à Jude, ou de la façon dont elle pourrait le regarder. Il était plus simple de s'occuper l'esprit en restant avec Beth ou sa mère, ou toute autre femme vaquant à des activités bien féminines pendant la journée.

Cependant, de temps à autre, ce désir ardent, étrange et inquiétant refaisait surface. Le sentiment insidieux qu'un certain savoir rôdait près d'elle et lui échappait. Alors la scène se rejouait dans son esprit.

Jude.

Elle savait déjà que les hommes pouvaient procurer un plaisir intense aux femmes. Elle l'avait découvert presque fortuitement, deux années auparavant, même si elle avait déjà connu des sensations agréables avant cela. Mais elle n'en revenait toujours pas qu'il puisse s'agir de Jude. Cet homme qu'il y avait encore quelques jours de ça, elle n'aurait même pas gratifié d'un regard.

Si cela s'était produit avec un autre, elle aurait sans doute simplement minaudé en le revoyant. Elle lui aurait adressé un sourire rougissant en battant des cils, et en lui lançant quelques regards de braise. Mais avec Jude, elle n'avait jamais flirté. De même qu'elle se sentirait ridicule de lui jeter des œillades en papillonnant des cils et en gloussant comme une oie blanche.

Non, elle ne savait absolument pas comment se comporter avec lui en ce moment, et pourtant, il lui faudrait bien finir par l'affronter.

Une demi-heure auparavant, elle avait enfin obtenu sa preuve. Il n'y aurait pas d'enfant, et elle devait le lui dire. Ce n'était pas juste de laisser traîner cette histoire plus longtemps. En supposant que Mr White n'ait pas ébruité l'affaire, elle n'était plus forcée de se marier dans la précipitation. Plus forcée de se marier du tout. Après quelques semaines, la famille de Marissa commencerait tranquillement à faire circuler la rumeur selon laquelle les fiançailles avaient été rompues. Personne ne serait surpris. La réputation des York resterait intacte, bien que plus associée au mélodrame que jamais, et les choses reviendraient à la normale. Peut-être avait-elle perdu sa pureté, mais mieux valait être une épouse avec un défaut secret qu'une fiancée portant l'enfant d'un autre homme.

Alors pourquoi était-elle assise sur son lit, les mains crispées par l'angoisse ? Pourquoi ne se précipitait-elle pas pour annoncer la bonne nouvelle à Jude ?

La porte de sa chambre s'ouvrit soudain. Marissa inspira profondément, puis expira dans un soupir étrangement mélancolique.

Sa mère n'en remarqua toutefois rien.

— Vous souhaitiez me voir, ma chérie ?

— Oui, mère. Je suis désormais certaine de ne pas attendre d'enfant, vous n'avez donc plus besoin de vous inquiéter à ce sujet. Je comprends que ma réputation a peut-être souffert de toute cette histoire, mais puisque je ne suis pas enceinte… il n'y a plus aucune raison de poursuivre ces fiançailles.

— Oh, Marissa, s'exclama sa mère d'une voix aiguë. Oh, ma douce enfant, c'est une merveilleuse nouvelle ! Tout simplement merveilleuse ! Je n'osais même pas me représenter votre mariage avec cet homme. Sa présence est tellement écrasante, n'est-ce pas ? Et bien qu'il soit le fils d'un duc, ce n'est pas vraiment quelqu'un de respectable.

— Hum.

— Eh bien, c'est fantastique. Naturellement, nous allons attendre le temps nécessaire avant de tout annuler. Il nous faudra inventer une histoire suffisamment plausible, même si nous devrons sans doute veiller à ne pas présenter Mr Bertrand sous un mauvais jour, en considération de la gentillesse dont il a fait preuve. Oui, nous devrons agir avec prudence, même s'il est si ennuyeux d'être raisonnable ! (Elle s'arrêta quelques instants pour reprendre sa respiration, puis se rua sur Marissa pour l'enlacer.) Oh, ma chérie, je suis si heureuse pour vous. Vous devez éprouver un si grand soulagement ! Je vais de ce pas prévenir le baron.

Elle parlait toujours d'Edward comme du « baron », sauf dans les circonstances où l'appeler « mon fils ! » était plus dramatique.

— Je préférerais le dire à Jude en premier lieu, mère. C'est plus correct. Cela vous ennuie-t-il d'attendre un peu ?

— Oui, oui, vous devez lui annoncer en premier. J'en parlerai au baron juste avant d'aller dîner. Qu'en dites-vous ?

Elle acquiesça et répondit au sourire radieux de sa mère, même si son cœur lui semblait aussi lourd que du plomb. Son sourire ne fit qu'aggraver cette sensation.

Sa mère sortit de la chambre en fredonnant gaiement, Marissa se força alors à se lever et mit son malaise sur le compte de son état. C'était normal qu'elle se sente grincheuse et de mauvaise humeur pendant ces jours-là. On ne pouvait que s'y attendre.

La jeune femme descendit lentement l'escalier, en comptant machinalement les battements de son cœur. Quatre pulsations à chaque marche. Elle ralentit le pas pour être dans le rythme.

Oui, peut-être tentait-elle de retarder le moment fatidique. Mais quelles que soient ses techniques, le marbre du hall s'approchait inéluctablement. Une fois qu'elle l'eut atteint, elle réfléchit à la direction qu'elle allait prendre. Le bureau de son frère semblait assez probable, mais Marissa le trouva vide. La bibliothèque et les salons étaient également déserts. Tout le monde devait être en train de se préparer pour le dîner.

Marissa jeta un coup d'œil vers le haut de l'escalier qu'elle venait de descendre. Il ne serait pas convenable de se rendre dans la chambre de Jude, mais à bien y penser, elle songea que rien de ce qui concernait leur relation n'était convenable. Il était déjà venu dans ses appartements une fois. Et faire l'amour avec lui dans le pavillon, la veille au soir, n'était certainement pas convenable non plus. Ou quel que soit le nom de ce qu'ils avaient fait. Y avait-il un autre mot pour désigner leur étreinte torride et intense ? « S'embrasser » et « se toucher » semblaient bien en deçà de la réalité.

Pendant quelques instants, elle se perdit dans ce souvenir qui s'empara d'elle avec force et la ramena dans les bras de Jude. Son corps paraissait avoir changé. Certaines parties, auxquelles elle ne prêtait pas attention d'ordinaire, se faisaient soudain remarquer avec insistance. Tandis que d'autres, qui fonctionnaient habituellement sans difficulté, comme ses genoux, ses poumons, son cœur... semblaient désormais complètement perturbées.

Elle ne devait pas se glisser dans sa chambre. Cela ne serait pas raisonnable. Mais même après avoir pris une profonde inspiration et calmé les battements de son cœur, elle en avait toujours profondément envie.

Si elle attendait, elle se sentirait de nouveau en proie à l'anxiété et à la lâcheté. Marissa se décida donc à poser le pied sur la première marche et commença à gravir l'escalier. Seulement deux battements de cœur par marche, cette fois, alors qu'elle se précipitait vers quelque chose qu'elle n'aurait pas dû faire. Cela devenait une habitude pour elle, mais elle n'avait pas le temps de s'attarder là-dessus pour le moment.

Elle se dirigea vers l'aile sud du manoir et aperçut alors une servante qui sortait discrètement d'une chambre.

— Mr Bertrand est attendu immédiatement dans le bureau. Dans quelle chambre se trouve-t-il ?

— La chambre verte, Miss York.

Marissa poursuivit son chemin en hâte. Descendre jusqu'à la grande salle. Puis tourner. Voilà, elle était arrivée.

Si elle s'était écoutée, elle serait restée debout devant la porte à hésiter et à se tourmenter, mais que se passerait-il si quelqu'un la voyait ?

Marissa frappa plusieurs coups nerveux. Jude devait se trouver tout près de la porte, car elle l'entendit répondre « Oui ? » et vit la poignée tourner en même temps.

Quelqu'un pouvait l'apercevoir à tout moment, aussi Marissa se faufila-t-elle dans les appartements de Jude avant même qu'il ait complètement ouvert.

— Jude, murmura-t-elle en fermant derrière elle.

Il était si proche qu'elle dut lever la tête pour voir son visage. Elle respira alors l'agréable odeur de sa peau et s'adossa à la porte.

Mais ce n'était pas elle qui avait initié le mouvement. C'était Jude qui, les mains sur ses épaules, la poussait doucement contre le battant en bois, se penchant vers elle pour l'embrasser.

Son baiser était encore bien plus brûlant que dans le souvenir de Marissa. Alors qu'elle entrouvrait les lèvres, elle sentit son sang affluer violemment dans ses veines. Jude avait un goût divin, et la sensation de sa langue rappela à Marissa les délices qu'il lui avait procurées la veille dans le pavillon, lui coupant toute force dans les jambes.

Cela avait été si… indécent. Elle ne s'était jamais sentie aussi sauvage. Aussi inconvenante. Comme ce qu'il avait dit d'elle.

Elle mourait d'envie de recommencer, de lever ses bras au-dessus de sa tête et de le laisser la toucher partout. De le laisser retirer sa robe et contempler sa nudité. Mais son état ne s'y prêtait pas, se souvint-elle. Et c'était la raison de sa venue.

Tremblant sous le coup de l'effort, Marissa posa ses mains sur le torse de Jude et détourna la tête. Il n'abandonna pas et continua à la distraire en l'embrassant sur la gorge, déclenchant des étincelles jusqu'au bout de ses doigts.

— Attendez, parvint-elle à haleter. Jude.

Quand il leva la tête, elle vit ses yeux sombres noyés de désir. Pendant un moment, elle plongea dans leurs profondeurs, se laissant engloutir…

— Vous vous êtes cachée, aujourd'hui, murmura Jude. Était-ce de moi ?

À ces mots, elle recouvra ses esprits. Soudain, son corps lui parut de nouveau réel et elle se sentit accablée par le poids de la vérité.

— Non. C'est seulement que… je ne savais pas quoi dire…

— Rien, chuchota-t-il. Rien du tout.

Il l'embrassa encore et, doux Jésus, elle avait tant envie de s'abandonner à ses baisers. De laisser aller son corps à cette délicieuse faiblesse.

Mais elle recula.

— Jude. Nous devons parler.

Il se redressa avec une lenteur délibérée, ses yeux perdant peu à peu leur sombre éclat sauvage.

— Ah, je vois. Bien sûr.

Elle eut froid, soudain, appuyée contre le bois de la porte, plusieurs centimètres de solitude les séparant. Brusquement, ils étaient deux personnes distinctes. Et ils le seraient pour toujours, désormais. Elle n'avait pas pris conscience sur le coup que… ce baiser avait été le dernier. Elle n'aurait pas dû se détourner de lui.

— Je suis désolée, dit-elle. (Jude fronça les sourcils et recula encore imperceptiblement.) Je n'attends pas d'enfant.

— Avez-vous saigné ?

Elle se sentir rougir violemment.

— Oui.

— La même quantité que de coutume ?

— Mais enfin, pourquoi tenez-vous tant à m'humilier ?

— Quand j'étais enfant, j'espionnais sans arrêt ma mère et ses amies. Cette conversation n'a rien d'inhabituel pour moi.

— Pour moi, si ! Je n'ai jamais discuté de cela avec personne.

Il haussa les épaules.

— Eh bien ? Était-ce normal ?

— Oui !

— Félicitations, alors. Vous avez évité un désastre.

— Vous aussi.

159

Il inclina la tête, son visage ne dévoilant rien de ses sentiments.

— J'apprécie infiniment ce que vous avez fait pour moi, reprit Marissa. Je ne connais aucun homme qui aurait agi ainsi.

— Que voulez-vous, je suis exceptionnel.

Marissa crut percevoir une certaine brusquerie dans ses paroles. Elle pressa ses doigts contre le bois, souhaitant avoir quelque chose à quoi se raccrocher.

— C'est vrai, vous êtes exceptionnel. Un ami exceptionnel.

— Bien sûr.

— Et je suis certaine que vous êtes soulagé de ne plus avoir à vous sacrifier pour moi.

— Oh, oui en effet.

Elle aurait pu penser qu'il était en colère, si elle ne l'avait vu dans une réelle fureur la veille au soir. Son visage n'était pas déformé par la rage, il était seulement un peu plus raide que d'ordinaire. Mais il n'affichait pas le moindre sourire, pas même en coin.

Peut-être était-il tout simplement… sérieux ? Préoccupé ? Marissa leva les yeux pour l'observer, plus désorientée que jamais.

— Vous voudrez sans doute partir bientôt ?

Il fronça les sourcils.

— Pourquoi voudrais-je partir ?

— Comme la plupart des invités s'en vont demain, je pensais que vous aviez seulement prévu de rester parce que… parce que nous aurions sans doute besoin de vous.

Il la regarda pendant un long moment, puis il baissa les yeux sur son corps, mais si furtivement qu'elle crut avoir rêvé.

— Non, finit-il par dire. Je n'avais pas prévu de partir de sitôt.

Elle n'aima pas la façon dont son pouls s'accéléra à ces mots.

—Mais pourquoi ?

—Aidan m'a invité à demeurer aussi longtemps que je le désirais. Je me sens bien, ici. D'ailleurs, j'envisage même de louer une petite maison dans les environs.

—Une maison !

—Oui, ma seule demeure est à Londres, et j'aime bien cette région.

Gagnée par la panique, elle sentit son pouls palpiter.

—Ici ? Je vois. Bien sûr.

Elle serra les poings si fort que ses ongles marquèrent sa peau.

—Eh bien, je vous remercie vraiment. Du fond du cœur. J'ai apprécié le temps que nous avons passé ensemble.

Il la regarda d'un air moqueur.

—C'est… Je… Eh bien, je vous verrai au dîner, Mr Bertrand.

Un frémissement parcourut la mâchoire de Jude. Marissa posa la main sur la poignée de la porte. Pourquoi avait-elle l'impression de faire quelque chose de mal ? Pourquoi éprouvait-elle soudain un sentiment de honte ?

—Marissa. (Elle se figea en percevant la légère fermeté dans sa voix.) Nous sommes toujours fiancés.

—Je… je suppose que oui. Jusqu'à ce que tout rentre dans l'ordre, du moins.

—C'est entendu.

Elle était si troublée qu'elle en oublia toute discrétion, et s'esquiva tout simplement de la chambre. Ce n'est qu'une fois dans le couloir qu'elle se rendit compte du risque qu'elle venait de prendre. Par chance, elle ne croisa aucun invité, mais elle ne s'arrêta pas pour se réjouir de sa bonne fortune. Elle courut à toutes jambes et ne s'autorisa à ralentir qu'une fois la porte des appartements de Jude hors de portée de vue.

Son cauchemar touchait presque à sa fin. Marissa marcha d'un pas tranquille vers sa chambre, le menton haut, et s'efforça de se convaincre que c'était le soulagement qui lui nouait ainsi l'estomac.

De quoi d'autre aurait-il pu s'agir ?

Chapitre 13

— *M* ais je ne comprends pas ce qu'il fait encore ici, siffla Marissa tandis qu'ils gravissaient les marches du perron de la maison des Framersham.

L'air malicieux, Aidan lui jeta un coup d'œil.

— C'est mon invité, et je suppose qu'il reste parce que je suis encore là. La question, ma chère sœur, est de savoir pourquoi sa présence vous dérange autant. Si l'on vous écoute, Jude ne signifie rien pour vous.

Cela faisait une semaine. Une semaine de culpabilité et d'incertitude.

Tournant la tête, elle aperçut Jude, quelques mètres derrière elle, qui aidait galamment tante Ophélia à monter l'escalier. Venait ensuite son cousin Harry, accompagné de Beth et Nanette. Quant à Edward, il était déjà à l'intérieur avec la baronne, à l'abri du froid.

— Il me rappelle quelque chose que je n'aurais jamais dû faire. C'est tout.

— Eh bien, je suis ravi de voir que vous êtes capable d'éprouver des remords, Marissa, rétorqua lentement Aidan. Je n'étais pas sûr que ce fût le cas. Et je vous assure que si j'étais votre frère aîné, je vous aurais mis une sacrée rossée pour ce que vous avez fait.

Hypocrite, pensa-t-elle en serrant les dents. Elle eut la présence d'esprit de ne pas le dire à voix haute. Aidan pouvait exploser à tout moment, et elle n'avait pas envie de subir l'un de ses accès de rage en public. Le frère qu'il avait été jadis lui manquait cruellement, comme souvent.

—Bien sûr que j'éprouve des remords. Je n'ai jamais voulu vous causer du tort. J'ai seulement envie de tirer un trait sur cette histoire, et Jude est là pour me rappeler que ce n'est pas possible.

—Bien, parce que, effectivement, ce n'est pas possible. Nous ne pouvons pas encore affirmer que les rumeurs se sont dissipées, et nous n'avons toujours aucune idée de ce que Peter White racontera. Si vous ne vous sentez pas encore soulagée, je dirais que c'est un signe d'intelligence de votre part.

—Vous me pardonnerez si votre compliment ne me fait pas rougir de plaisir.

Il éclata d'un rire sec et sonore, mais au moins riait-il. Il posa sa main sur celle de Marissa et la serra fort, elle vit alors que ses yeux s'étaient adoucis.

—En naissant dans cette famille, vous ne pouviez échapper à un ou deux scandales. Espérons seulement que le pire est derrière vous.

Elle eut soudain envie de se tourner vers lui et de l'étreindre. Mais ils entraient dans la maison, aussi Marissa se contenta-t-elle de sourire.

—Danserez-vous avec moi ce soir, Aidan?

—Puisque je suis là, soupira-t-il, autant danser.

—Quelle galanterie.

—Vous me connaissez, acquiesça-t-il, lui déposant un baiser sur la joue avant de s'éloigner.

Elle savait qu'il allait à présent se donner du courage pour la soirée avec quelques verres de brandy. Quant à Marissa, elle allait se donner du courage en dansant.

Un quart d'heure plus tard, elle avait déjà salué la maîtresse de maison et dansé avec deux gentlemen qu'elle voyait pour la première fois. Le bal des Framersham était l'un de ses préférés, car il y avait toujours de nombreux invités, et presque autant de valets tenant des verres de champagne et de punch.

Au milieu de la frénésie de l'événement, il était facile d'oublier Jude et les deux semaines d'émotion intense qu'elle venait de passer. Ici, elle pouvait redevenir elle-même. Un beau jeune homme vint l'inviter à danser, et Marissa n'eut pas besoin de se forcer à accepter en battant des cils. Elle l'avait déjà vu deux fois à Londres, et ses yeux bleu azur et ses joues lisses avaient fait naître chez elle des fantasmes de baisers, et d'autres choses encore. Ce fut donc avec un enthousiasme non feint qu'elle laissa Mr Erickson la conduire au milieu des danseurs. Lorsque sa main gantée se posa dans son dos, elle ressentit des fourmillements et s'imagina dans ses bras. *Mon Dieu !*

Quand la danse les sépara, elle en profita pour examiner ses jambes minces et gracieuses. Mais quelque chose n'allait pas. La coupe de son pantalon était splendide et révélait parfaitement la courbe de ses cuisses, pourtant celles-ci lui semblèrent un peu… décevantes. Sa veste était magnifiquement taillée, cependant en dépit du savant rembourrage au niveau des épaules… eh bien, elle n'arrivait certainement pas à se représenter Mr Erickson la soulever et la porter dans un boudoir secret pour lui faire l'amour.

Il lui adressa un clin d'œil séducteur et elle s'obligea à sourire plus franchement. Après tout, qu'il puisse la porter ou non n'avait pas grande importance. L'important, c'étaient les baisers et les caresses, qui ne seraient en aucun cas affectés par la couleur anémique de sa peau. Celle-ci montrait simplement qu'il veillait toujours à porter un chapeau quand il montait à cheval.

Et puis, ses lèvres si roses et charnues semblaient faites pour embrasser. Oui, elle était certaine que les baisers de Mr Erickson seraient merveilleux, à la fois doux et habiles.

Mais curieusement, quand Marissa prit la main du danseur suivant, ses pensées dérivèrent. Elle ne songeait plus à des baisers chauds et adroits. Elle se prit à souhaiter être dévorée par une bouche exigeante, qui lui ferait ouvrir la sienne et céder. Elle imaginait des bras la soulevant jusqu'à un lit, puis la tenant fermement tandis qu'on lui ferait des choses aussi indécentes que délicieuses.

Quand elle se retrouva de nouveau face à son partenaire, elle fut déçue de sa stature menue. Pourtant, il était beau. Et ses yeux étaient d'un bleu si intense qu'elle aurait pu s'y noyer des heures durant.

Pendant les derniers pas de la danse, elle se concentra sur son visage. Sur ses yeux et la façon dont ils lui souriaient, ravis de tant d'attention.

Et lorsqu'ils quittèrent la piste de danse, il lui semblait redevenu parfait. Pas incompétent ni décevant.

Jusqu'à ce qu'elle se retourne et se retrouve nez à nez avec Jude Bertrand.

Elle leva les yeux jusqu'à ce qu'elle croise son regard ténébreux.

—Miss York, dit-il d'une voix grave.

—Mr Bertrand.

—Vous vous amusez?

—Beaucoup. Et vous, monsieur?

—Eh bien, Miss York, je passerais une soirée plus agréable encore si vous vouliez me faire l'honneur d'une danse.

—Je… je vous demande pardon?

Elle avait dû mal comprendre, tout occupée qu'elle était à se concentrer sur ses épaules si incroyablement larges.

—Une danse?

—Oui, une danse. Avec votre bien-aimé. Ce n'est sûrement pas trop vous demander.

—Bien sûr que non. Non.

— M'accordez-vous la première valse, alors ?

Savait-il danser ? Elle n'était pas très rassurée pour ses orteils, mais s'inquiétait surtout pour son pauvre cœur qui battait la chamade à la perspective des mains de Jude posées sur elle.

La première valse. Quand allait-elle arriver ? Dans quelques minutes ? Une heure ? Marissa leva la tête et le dévisagea, attirée par son regard. Jude lui adressa ce sourire en coin désormais si familier, et elle prit alors conscience qu'il lui avait manqué, ce sourire qui lui donnait le sentiment de partager avec lui une plaisanterie qu'ils étaient les seuls à comprendre.

Marissa sursauta soudain en entendant un raclement de gorge derrière eux. Elle se retourna et vit un gentleman qui s'inclinait devant elle d'un air embarrassé.

— Excusez-moi de vous interrompre, mais je crois que c'est au tour de ma danse ?

— Oh, Mr Jessup, bien sûr.

Elle prit son bras et s'éloigna en jetant seulement un coup d'œil vers Jude. Elle s'efforça de ne pas penser à la délicate ossature sous sa main.

Jude Bertrand était peut-être son ami, mais il n'était pas le type d'homme qu'elle avait l'intention d'épouser. Une ossature solide n'était pas un critère pour choisir un mari.

— Vous l'observez, dit une voix féminine derrière lui.

Tournant la tête, Jude se retrouva face à Patience Wellingsly qui lui souriait avec douceur. Elle était partie une semaine auparavant, pour se rendre dans la propriété d'un cousin à quelques lieues de là seulement. Il ne fut donc pas surpris de la voir.

— Pardon ? demanda-t-il.

— Votre fiancée. Vous l'observez. Comme si vous étiez seuls au monde. (Il inclina la tête.) J'aimerais que l'on me regarde de cette façon, soupira-t-elle.

— Voyons, Mrs Wellingsly. Vous êtes belle et charmante. Ne me dites pas que les hommes ne vous ont jamais regardée de cette façon.

— Pas les bons.

Elle eut l'air soudain si seule, si perdue, que Jude soupira, lui offrit son bras et l'entraîna vers deux chaises près du mur.

— M'autorisez-vous à vous parler avec franchise ? demanda Jude.

Elle sembla surprise.

— Bien sûr.

— Si vous voulez un homme qui vous chérisse, vous perdez votre temps avec Aidan York. Vous êtes suffisamment intelligente pour savoir cela.

Il la vit risquer un regard en direction d'Aidan. Celui-ci était appuyé contre un large pilier, et une expression d'ennui et de léger dégoût se lisait sur son visage.

— Je sais, murmura-t-elle. Mais je me sens si seule, et depuis si longtemps.

Quand elle tourna les yeux vers lui, son visage lui parut soudain triste et fragile.

— Pouvez-vous comprendre cela, Mr Bertrand ?

Elle voulut lui prendre la main, mais il eut un mouvement de recul.

— Je suis désolée, chuchota-t-elle, les yeux soudain pleins de larmes.

Jude remarqua alors ses cernes et la pâleur de sa peau, et ne put ressentir la moindre colère.

— Si vous voulez que l'on vous regarde de cette façon, alors vous recherchez l'amour, Patience, et non le réconfort éphémère d'un homme dans votre lit.

— Vous avez raison, répondit-elle en baissant la tête.

— Dites-moi que vous n'êtes pas amoureuse d'Aidan.

— Non. Pas de lui.

Jude eut brusquement la chair de poule.

— Vous ne voulez pas dire que…

— L'aimez-vous ? l'interrompit-elle. Miss York. Elle semble très jeune.

— C'est quelqu'un d'extraordinaire, et elle va devenir ma femme. Et c'est tout ce que je vous dirai à son sujet.

— Je comprends. Je vous prie de m'excuser. Sincèrement. Vous êtes un homme de bien.

Elle se leva et il l'imita, puis elle s'éloigna tranquillement, malgré les larmes qui l'aveuglaient. *Nom de Dieu !* Se croyait-elle amoureuse de lui ? Jude avait du mal à le croire. Elle avait eu beau le poursuivre de ses assiduités à Londres, il n'avait jamais passé un moment seul avec elle.

Encore troublé par la triste solitude qu'il avait lue dans les yeux de Mrs Wellingsly, Jude l'observa se diriger vers la porte. De loin, elle paraissait plus digne et maîtresse d'elle-même que jamais. Pourtant, il ne lui avait jamais vu l'air si malheureux.

Il savait que la plupart des membres de la haute société refuseraient de croire qu'une dame aussi belle que Patience Wellingsly puisse se sentir seule. Mais Jude n'était pas dupe. La plupart des femmes qui exerçaient la profession de sa mère étaient des beautés admirables, et cependant elles n'avaient jamais été véritablement aimées.

À vrai dire, à une époque différente, avec une famille différente, Marissa aurait très bien pu être l'une de ces femmes, trahie par son côté sauvage pourtant si charmant.

La musique qui résonnait dans la pièce touchait à sa fin. Jude jeta un coup d'œil vers les danseurs et vit que Marissa quittait la piste au bras d'un autre adorable jouvenceau.

Elle lui souriait, entourant son bras de ses mains. Mais quand elle regarda dans la direction de Jude, son sourire disparut et une expression de fureur mêlée de hargne se peignit sur ses traits.

Marissa était en colère, et il y avait une seule raison à cela. Elle l'avait vu parler avec Patience.

Très bien. S'il devait la regarder danser et flirter avec un millier de jeunes gentlemen, elle devrait accepter qu'il puisse aussi susciter la convoitise.

Ces dernières semaines, il n'avait pas ressenti de jalousie. Ni quand elle dansait, ni même quand elle contemplait les jambes des hommes comme s'il s'agissait de jarrets de porc dont elle allait se régaler. Il n'avait pas ressenti de jalousie car il savait que, quand il le souhaitait, il était capable de faire naître chez elle des sensations qu'elle n'avait jamais connues auparavant. Il avait voulu exciter progressivement son désir, jusqu'à ce qu'elle en devienne presque folle et ne pense plus à personne d'autre que lui. Il avait voulu lui montrer que regarder les jolis garçons était peut-être agréable, mais que pour faire l'amour, il valait mieux laisser agir les hommes.

Mais à présent, le temps lui manquait. Il l'avait séduite trop rapidement. Marissa ne voulait déjà plus de lui. Et il ne savait plus du tout comment se comporter avec elle.

Enfer et damnation! Il était condamné à danser…

Il observa Marissa déambuler d'un air guindé parmi la foule des invités élégamment vêtus, et sut qu'il n'avait pas d'autre choix. Dorénavant, ce n'était plus lui, mais Marissa, qui menait la danse. Et s'il lui restait une toute petite chance de transformer ces fausses fiançailles en un vrai mariage, il refusait de la laisser passer.

Marissa s'approcha de son frère et s'empara du verre de brandy qu'il tenait. Elle lança un regard perçant à Jude avant de détourner les yeux.

Oh, oui. Elle était en colère. Cela le réconforta infiniment, mais pas au point de lui faire oublier sa mission. Quand il aperçut la meilleure amie de Marissa qui passait près de lui d'un air pressé, il se mit sur son chemin et s'inclina devant elle.

—Miss Samuel.

—Oh! Mr Bertrand!

Elle battit des cils avec nervosité puis rougit, comme chaque fois qu'il lui adressait la parole. Miss Samuel était douce et timide, et il commençait à comprendre pourquoi Marissa s'inquiétait de ne pas la voir trouver de mari. Elle était plutôt jolie, mais entre sa cousine effrontée et la vivante Miss York, on la remarquait à peine.

—Aurez-vous la bonté de m'accorder une danse tout à l'heure?

Elle bafouilla une réponse qui ressemblait à un «oui». Jude s'écarta alors pour lui donner une chance de s'échapper et s'approcha de Marissa.

—Je crois que la prochaine danse est la valse, lui dit-il à voix basse.

Elle se raidit et resta silencieuse. Aidan lui adressa un sourire railleur.

—Une querelle d'amoureux?

—Je ne saurais vous dire. Vous ai-je offensée, mon cœur?

—Bien sûr que non, répondit-elle sèchement. Mais j'ai soif. Auriez-vous la galanterie de m'apporter un verre de limonade?

—Je suppose que par «limonade», vous entendez «vin»?

Elle s'étouffa d'indignation et il se retira alors pour lui trouver un verre de vin. Juste pour le cas où elle ne plaisantait pas, il lui rapporta également un verre de limonade. Mais à son retour, elle prit le vin sans prononcer un mot et lui laissa la limonade tiède et diluée. Aidan les observait tous deux comme s'il attendait le commencement d'une pièce de théâtre.

Jude lança un regard furieux à son ami pour lui signifier de ne pas se mêler de leurs affaires. Mais après tout, il était le frère de Marissa, il n'allait donc pas se laisser dicter sa conduite.

—Alors, la date du mariage a-t-elle été fixée? demanda-t-il en souriant à ses deux interlocuteurs qui le foudroyaient du regard. Cette alliance suscite bien des réactions. Nous devrions peut-être exiger un droit d'entrée pour le grand jour. Les gens sont curieux.

Marissa se retourna d'un air désinvolte pour regarder derrière elle, et vit la même chose que Jude. S'ils en croyaient toutes les paires d'yeux qui les épiaient, les gens étaient effectivement curieux. Marissa afficha alors un sourire éclatant, qui ne pouvait en rien laisser deviner ses paroles acerbes :

—Pensez-vous que cela leur plairait, si je vous giflais?

Aidan ajusta l'une des boucles qui dégringolaient en cascade sur les épaules de Marissa, et lui murmura qu'elle était devenue une vraie dame.

Marissa finit son vin sans se départir de son sourire. Un sacré exploit. Jude était encore en train de méditer là-dessus quand elle mit soudain son verre dans la main d'Aidan et se tourna vers Jude.

—Allons danser cette valse, voulez-vous?

Il était si concentré sur elle qu'il n'avait pas entendu l'orchestre annoncer la valse.

—Certainement, dit-il en s'inclinant légèrement.

Il tendit sa limonade à Aidan et offrit le bras à Marissa.

Marissa marcha d'un pas lent vers la piste de danse. Il avait remarqué qu'elle avait tendance à devenir convenable quand elle était tendue.

—Qu'est-ce qui vous a contrariée ainsi ? demanda-t-il doucement.

—Je ne suis pas contrariée. Pas du tout.

—J'ai pourtant eu la nette impression que vous me regardiez d'un air furieux, tout à l'heure.

—Vous dites n'importe quoi.

—Marissa…

—Si vous voulez cette femme, chuchota-t-elle vivement, je ne peux vous blâmer. Elle est belle. Mais je vous prierai d'attendre au moins que nos fiançailles aient été rompues !

—Je suppose que vous voulez parler de Mrs Wellingsly ?

—Vous savez exactement de qui je parle.

Ils s'approchaient des autres couples se préparant à danser, et Marissa ralentit encore le rythme.

—Vous étiez blottis l'un contre l'autre dans un coin de la salle comme si vous étiez…

—Nous n'étions pas du tout blottis l'un contre l'autre. Et du reste, je ne vois pas en quoi cela peut vous déranger.

—Les gens vont jaser !

—Ah, vous voudriez donc que je sois discret, alors que vous flirtez ouvertement avec tous les adolescents qui dansent dans votre champ de vision ?

—Je n'ai jamais rien fait de tel !

Sa voix résonna dans les oreilles de Jude. Elle cilla, outrée, avant d'oser jeter un coup d'œil autour d'eux. Dans un rayon de cinq mètres à la ronde, tout le monde les dévisageait. Même le chef d'orchestre se racla la gorge avant d'indiquer précipitamment à l'orchestre de jouer les premières notes de la valse. Marissa et Jude étaient au bord de la piste de danse, face à face. Elle avait les yeux écarquillés.

Jude se contenta alors de lui prendre la main et de la placer sur son épaule. Le scandale serait d'autant plus grand si elle laissait éclater sa fureur. Elle semblait aussi en être consciente, et prit la main qu'il lui tendait. Ils portaient tous deux des gants, et le dos de Marissa était protégé par un corset. De plus, ils étaient tous deux en colère. Mais curieusement, ces obstacles ne firent qu'intensifier les sensations qu'il éprouvait à la tenir près de lui.

La fureur avait accéléré la respiration de Marissa et ses seins se pressaient contre son corsage. Ses joues et ses lèvres paraissaient maquillées tant elles étaient rouges, et ses yeux étincelaient de passion. Marissa York avait l'air excitée, et Jude avait envie de grogner son désir dans le creux de sa jolie oreille. Il n'avait pu voir clairement la jeune femme dans le pavillon, mais c'est telle qu'elle était à présent qu'il se la représentait, déchaînée, exigeante, les joues empourprées.

— Patience Wellingsly n'est pas ma maîtresse, et ne le sera jamais.

— Elle vous regarde comme si elle allait vous dévorer. (Elle observa son torse pendant un bref instant.) Ce qui est absolument ridicule, vu votre taille.

Jude envisagea de faire un trait d'esprit en suggérant qu'elle ne ferait qu'une bouchée de lui, mais il se rappela que malgré son inconvenance, Marissa n'était pas une amie de sa mère.

— Je ne vous déshonorerai pas de cette manière, Marissa. Nous sommes censés être de véritables fiancés, et en ce qui me concerne, j'ai l'intention de continuer à me comporter comme tel.

Son visage perdit un peu de sa raideur quand il la fit tourner, en évitant de justesse un autre couple. C'était une valse lente, heureusement, car il était incapable de se concentrer sur ce qui l'entourait.

— Qu'est-ce que vous insinuez ? demanda-t-elle.

— J'ai l'impression d'avoir endossé le rôle d'un étranger pour vous, cette dernière semaine.

Elle observa un point au-dessus de son épaule.

— Je suis navrée.

— Je me suis porté volontaire pour servir vos intérêts, et je savais ce que cela impliquait. Mais j'ai été assez stupide pour penser que nous pourrions devenir amis.

Elle le regarda alors dans les yeux.

— Je… Nous le sommes devenus. Vous êtes très gentil. Et drôle. Mais vous éveillez chez moi un sentiment de…

Une vague de chaleur s'empara de lui à la pensée de ce qu'elle allait peut-être dire.

— Quoi ?

— Un sentiment de…

Tout son être sembla être attiré vers elle.

— … de honte.

L'espoir insensé qu'elle avait fait naître chez lui s'écroula subitement, et il sentit comme un poids sur sa poitrine.

— De honte.

— Oui, mais seulement parce que j'ignore comment me comporter avec vous. Je n'arrive pas à savoir ce que vous représentez pour moi. Sommes-nous amis ?

Il ne répondit pas. Il ne le pouvait pas.

— Je suis désolée, murmura-t-elle.

— Je vois. Eh bien, si je vous inspire de la honte, je suppose que je devrais agir comme un gentleman et mettre fin à mon séjour dans votre famille.

— Jude, non. C'est ma faute. Je suis simplement excessive, comme vous le disiez. Nous sommes amis. Ou du moins j'espère que nous l'étions. Et… nos conversations me manquent.

Il ne savait pas comment réagir à ces paroles.

— Depuis un mois, je fais n'importe quoi, déclara Marissa.

— C'est vrai.

Ses épaules s'affaissèrent. Dépitée, elle avança la lèvre inférieure dans une moue séduisante. Elle inspira profondément en le regardant de ses yeux vert brillant écarquillés. Jude savait que, s'ils se mariaient vraiment, il allait au-devant de gros ennuis. Il était incapable de lui résister quand elle était ainsi.

— Pourrez-vous me pardonner, Jude ?

La douceur avec laquelle elle prononça son nom le fit tressaillir. Il se concentra sur la valse pendant un moment, comme s'il réfléchissait vraiment à la réponse qu'il allait lui donner. Il finit par lui sourire.

— Je suppose que oui. Mais j'en serais plus certain si vous veniez me voir dans mes appartements ce soir et me reposiez la même question.

— Oh, taisez-vous ! le gronda-t-elle, sa moue se transformant en un sourire hésitant.

— Sur mon honneur, je n'en dirai mot à personne. Nous ne ferons que parler.

Pendant un moment, elle inclina la tête, comme si elle étudiait la question, puis elle éclata de rire.

— Vous avez une influence exécrable sur moi, Mr Bertrand.

— Je fais ce que je peux.

— Si vous voulez vraiment que nous parlions, peut-être pourrions-nous manger un morceau ensemble plus tard ? Mrs Framersham fait toujours servir de délicieux mets.

— J'en serais honoré, Miss York. Sincèrement.

Quand ils quittèrent la piste de danse, quelques instants plus tard, Marissa riait et le taquinait, lui déclarant qu'il était finalement un danseur correct. Et Jude était de nouveau déterminé. Plus que jamais.

Il allait épouser Marissa York, mais elle n'en savait rien du tout, la pauvre chérie.

Chapitre 14

— *C'*est un merveilleux danseur, répéta Beth pour la troisième fois de la matinée. Je n'en revenais pas.

Même si Marissa n'avait pas vraiment prêté attention à sa façon de danser, elle hocha la tête. Elle se souvenait surtout de la largeur de son torse et de la force de ses bras. Ils avaient dansé, elle le savait. Et d'autres couples avaient dû valser à leur côté, mais elle n'en avait rien vu à cause de ses épaules.

— Vraiment, poursuivit Beth, il était très charmant. À la fin de la danse, j'avais même oublié qu'il était si intimidant.

— Oui. Il est vraiment très civilisé.

Beth se figea.

— Oh, je suis désolée. Ce n'est pas ce que j'ai voulu dire. Je reconnais avoir été choquée quand votre frère a annoncé…

— Non, ce n'est pas grave. Je vous avoue que j'ai éprouvé la même chose quand je l'ai rencontré.

— Mais désormais, je comprends votre affection pour lui, et je suis si soulagée de m'en être rendu compte. Il est très intelligent, et a des yeux magnifiques.

Ses yeux. Oui, ils étaient assez beaux, malgré leur couleur sombre et menaçante. Elle jeta un coup d'œil par la fenêtre au petit groupe d'hommes qui attendait en selle. Jude se démarquait, comme toujours. Il paraissait taillé dans le roc, alors que les autres semblaient façonnés dans de l'argile.

Il tourna la tête vers la maison, comme s'il avait perçu le regard de Marissa. Elle tressaillit à cette pensée et s'agita sur sa chaise. Il lui avait demandé de venir dans sa chambre, la veille au soir. Il avait dit ça pour plaisanter, mais malgré tout… elle aurait pu accepter. Si elle avait osé. Il ne l'aurait pas éconduite.

Marissa termina son omelette, et ses yeux dérivèrent de nouveau vers la fenêtre. Edward arrivait enfin, mais il n'était pas sur sa monture. Il traversait la pelouse à pied et semblait dans tous ses états.

— Miss York, dit doucement le valet qui se tenait près d'elle. Le baron demande à vous voir dans son bureau, le plus rapidement possible.

Marissa croisa le regard effrayé de Beth et sa gorge se noua.

— Bien sûr, répondit-elle à voix basse.

Elle posa doucement sa serviette sur la table, et son regard fut alors attiré par des mouvements au-dehors. Aidan et Jude avaient mis pied à terre et suivaient Edward en direction de la maison. Gagnée par la panique, elle sentit son cœur s'emballer. Elle se leva, ses jambes se dérobant presque sous elle.

D'effroyables pensées lui traversèrent l'esprit. Elle rejeta l'idée que sa mère soit tombée malade. On ne lisait ni inquiétude ni chagrin sur le visage d'Edward, mais de la fureur.

Alors de quoi s'agissait-il ? Une fois encore, elle devait être à l'origine du problème, avec son horrible comportement. Peter White ne les avait-il pas pris au sérieux ? Avait-il répandu des histoires sur son compte ?

— Marissa ? murmura Beth.

Marissa se força à sourire.

— Je suis sûre que ce n'est rien.

—Je vais demander à ma mère de retenir la calèche pendant quelques…

—Non, n'en faites rien. Votre mère semble un peu fatiguée. Il est temps qu'elle rentre chez elle. S'il vous plaît, ne retardez pas votre départ pour moi. Quoi qu'il en soit, nous nous verrons dans quelques jours à l'occasion de la prochaine soirée.

Beth la serra longuement dans ses bras. Marissa traversa avec lenteur l'entrée, puis emprunta le couloir qui menait au bureau d'Edward. Elle entendit un brouhaha de voix masculines qui s'intensifia, puis s'acheva brusquement avec le bruit d'une porte claquée. Elle tourna à l'angle et parcourut les derniers mètres effrayants qui la séparaient de l'inconnu. Pendant un moment, elle fut incapable de bouger, les jambes trop lourdes pour avancer, et les pieds comme collés au tapis.

Quelque chose de terrible s'était produit, par sa faute.

Cette fois-ci, elle ne rechignerait pas à obéir, quelle que soit la solution qui serait adoptée. Qu'on lui ordonne de se marier, de partir pour un voyage en Europe, ou encore d'entrer au couvent. Marissa se força à mettre un pied devant l'autre, et parvint même à tourner la poignée avant que tout courage l'abandonne de nouveau. Sa mère, ses frères, son cousin et Jude. Cinq paires d'yeux qui attendaient qu'elle ferme la porte derrière elle. Une fois de plus.

—C'est ce que nous redoutions, dit Edward.

Elle se faufila à l'intérieur et referma aussi doucement que possible.

—Il est passé à l'acte.

—Qui? souffla-t-elle.

—Peter White.

Edward brandit un morceau de papier.

—Il a envoyé sa menace.

—Le mariage? Il veut toujours m'épouser?

Edward crispa ses mains sur la lettre.

— Non. Il veut cinq mille livres.

Marissa et sa mère poussèrent un cri étranglé. Demander de l'argent semblait encore plus mesquin que d'essayer de la contraindre au mariage. La jeune femme traversa la pièce, se laissa tomber sur le canapé près de sa mère et lui prit la main.

— C'est scandaleux ! éclata Harry.

Jude serra ses mains derrière son dos.

— Cinq mille livres ou bien quoi ?

Ils se tournèrent tous vers Edward, qui laissa lentement retomber sa main le long de son corps. Il pinça les lèvres sans répondre.

— Que va-t-il faire ? insista Marissa.

Edward se racla la gorge.

— Oh, mais lisez le message, Edward ! s'écria-t-elle, incapable de supporter l'attente plus longtemps.

— Oui, faites, renchérit leur mère.

À l'évidence, ils ne pourraient pas juger de ce qu'il convenait de faire sans connaître tous les détails.

Il se racla de nouveau la gorge, puis leva brusquement le papier devant ses yeux.

« J'ai appris que l'honorable Miss Marissa York avait été récemment prise sur le fait dans une étreinte scandaleuse. Si vous vous souciez de protéger la précieuse réputation de Miss York, vous remettrez la somme de cinq mille livres au lieu et à la date spécifiés ci-dessous. »

— Je suppose, dit lentement Jude, que la lettre n'est pas signée ?

— Effectivement.

— Alors comment pouvez-vous être sûr qu'il s'agit de White ?

Le visage d'Edward s'empourpra. Il serra les dents, la mâchoire tressaillante.

Aidan s'appuya contre le mur et croisa les bras.

—Cela pourrait être le fait de n'importe qui.

—Il donne une preuve, lâcha enfin Edward.

—Oh, baron ! s'écria leur mère. Continuez, enfin !

Marissa vit les oreilles de son frère s'enflammer quand il regarda le papier, et même si elle n'avait aucune idée de ce qui y était inscrit, elle commença à lever la main pour l'arrêter. Elle intervenait trop tard.

—« Si, reprit Edward avec réticence, l'argent n'est pas livré selon les conditions décrites, je révélerai à la bonne société que Miss York a été compromise. En guise de preuve, je pourrai décrire sa tache de naissance en forme de cœur située sur le haut de sa cuisse. »

À ces mots, Marissa eut l'impression qu'un vacarme assourdissant prenait subitement possession de la pièce. Oh, il s'agissait principalement des exclamations des personnes autour d'elle. Sa mère, en particulier, gémissait bruyamment sans discontinuer. Mais à cela s'ajoutait le bruit de l'océan qui pénétrait par vagues dans ses oreilles.

—Croit-il vraiment que nous n'allons pas le tuer ? entendit-elle Aidan rugir.

—J'ai pourtant été très clair, rétorqua Jude avec son calme habituel.

Harry posa une question pertinente.

—Quelqu'un sait-il où il se trouve ?

Marissa entendait toujours des vagues bourdonner dans ses oreilles, jusqu'à ce qu'elle prenne enfin conscience que c'était le bruit de son sang qui battait à ses tempes.

—Il n'est sûrement pas loin, répondit Edward d'une voix dure. Je suppose qu'il séjourne chez les Brashears. La belle-famille de sa sœur. Ils habitent à seulement une heure d'ici, environ.

—Eh bien, alors, dit Aidan lentement, allons lui rendre une petite visite, qu'en pensez-vous ? Il semble avoir besoin qu'on lui rappelle que sa vie est plus précieuse que cinq mille misérables livres.

Marissa entendit les murmures des hommes qui s'étaient rassemblés dans un coin de la pièce, et prit alors conscience qu'elle avait fermé les yeux. Même si elle avait envie de disparaître, elle se força à les rouvrir. Si seulement elle pouvait fuir, pour ne pas avoir à affronter ce qui l'attendait.

Coinçant ses mains sous ses genoux pour les empêcher de trembler, elle déclara :

— Ce n'est peut-être pas lui.

Ces mots n'eurent aucun effet sur les hommes, tout occupés qu'ils étaient à discuter de leurs projets pour aller semer la terreur et la destruction.

À côté d'elle, sa mère marmonnait des paroles incompréhensibles. Les mots « chantage », « scandale » et « vaurien » revenaient régulièrement. Elle paraissait à la fois scandalisée et fascinée, mais Marissa crut aussi déceler dans le regard de sa mère une lueur de joie.

— Ce n'est peut-être pas lui, répéta-t-elle en haussant la voix.

Un par un, les hommes cessèrent de parler et se tournèrent vers elle.

— Pardon ? dit Edward.

— Peter White. Ce n'est peut-être pas lui qui a envoyé la lettre.

Aidan leva les yeux au ciel, comme si elle n'était qu'une oie blanche dont le cerveau fonctionnait au rythme d'un escargot.

— Marissa, il s'agit forcément de lui. Ou de l'un de ses complices, tout au moins.

La confusion était peinte sur tous les visages. Tous, sauf celui de Jude. Il haussa un sourcil, et ses yeux pétillèrent d'une curiosité amusée.

— Il y a une petite possibilité…, commença-t-elle. (Elle toussa en mettant le poing devant sa bouche, sa gorge sèche la gênant pour articuler.) Il y a une petite possibilité pour que quelqu'un d'autre ait écrit cette lettre.

Une expression horrifiée gagna les traits d'Aidan, puis ceux d'Edward. Quant à Jude, il la couvait d'un œil rieur.

— Marissa, menaça Edward.

— Je ne voudrais pas voir Mr White injustement assassiné.

Aidan arracha la feuille à Edward et la tendit à Marissa.

— Il dit qu'il a vu vos cuisses, Marissa. Alors comment pourrait-il s'agir de quelqu'un d'autre ?

— Oui, eh bien…

Au nom du ciel, que pouvait-elle répondre à ça ?

Marissa tressaillit en entendant Aidan froisser la lettre avec rage.

— La description est-elle exacte ?

— Je…

— Est-elle exacte ? hurla-t-il.

Étrangement, la colère d'Aidan donna du courage à Marissa. Elle redressa les épaules, leva le menton et affronta les yeux verts furibonds d'Aidan.

— Oui, elle est exacte. Alors avant de pendre Mr White à l'arbre le plus proche, vous voudrez peut-être aussi parler à Fitzwilliam Hess.

— Fitz… william…, balbutia Aidan, dont la figure devenait dangereusement cramoisie.

Edward posa une main sur le bras de son frère.

— Marissa, vous ne voulez pas dire que… vous nous avez affirmé que vous étiez vierge.

— Je l'étais, répondit-elle, sans oser regarder Jude dans les yeux. Il n'y a eu que des baisers entre Fitzwilliam et moi. Et ce qui va avec.

— Ce qui va avec ! cria Aidan.

—Oui.

Marissa eut l'impression d'être brûlée par les yeux étincelants de ses frères. Elle sentit des gouttes de transpiration perler sur son visage. Mais c'était presque terminé. Presque.

Les poings serrés sur les hanches, Edward laissa retomber sa tête.

—Mais Hess est-il dans le pays ? Aux dernières nouvelles, il était sur le continent.

D'autres voix se joignirent à celle d'Edward, chacune donnant son avis sur l'endroit où se trouvait Mr Hess. Marissa jeta un coup d'œil par-dessus son épaule et constata que sa mère s'était évanouie, et que sa tête pendait dangereusement sur le côté du canapé. Elle semblait véritablement inconsciente, cette fois.

C'était maintenant ou jamais. Marissa porta son attention sur une rose décolorée du tapis du bureau.

—Et, commença-t-elle d'une voix juste assez forte pour mettre un terme aux conversations, il y a une petite probabilité qu'il s'agisse d'un troisième gentleman.

Au début, elle crut que le bruit étouffé qu'elle avait entendu était celui d'un sanglot masculin. Elle fut tellement surprise qu'elle détacha ses yeux de la rose.

Elle vit Jude, debout, le visage rouge vif et la main devant la bouche. Était-il en train de… pleurer ? Le même bruit se fit de nouveau entendre et, malgré la stupéfaction que les paroles de Marissa avaient fait naître, tout le monde se tourna vers lui.

Marissa se sentit prise de vertige à l'idée d'avoir peut-être brisé le cœur de Jude, et esquissa un geste dans sa direction.

—Veuillez m'excuser, marmonna-t-il alors, se couvrant toujours la bouche.

Il se précipita vers la porte du bureau. Ses yeux étaient brillants de larmes. Son cou était rouge écarlate. Bouche bée,

Marissa le regarda avec horreur disparaître dans le couloir en claquant la porte derrière lui.

— Pour l'amour du ciel, qu'est-ce…, commença Edward, qui fut interrompu par un rugissement de rire à faire trembler les murs.

Même du bureau, on pouvait clairement en percevoir l'écho dans le couloir. Jude Bertrand riait à gorge déployée. Il se moquait d'elle.

— Pour l'amour du ciel ! souffla sa mère, miraculeusement revenue à elle.

Stupéfaite, Marissa gardait les yeux rivés sur la porte. Le rire bruyant et étouffé de Jude continuait à s'infiltrer dans la pièce.

Edward fut le premier à recouvrer ses esprits. Il regarda sa sœur d'un air furieux, sans la moindre trace d'amusement dans les yeux.

— Dieu tout-puissant, Marissa, j'espère pour vous qu'il s'agit d'une plaisanterie.

Elle aurait aimé que cela en soit une. Si seulement les autres personnes présentes avaient pu trouver l'histoire aussi amusante que Jude.

— C'était il y a des années, Edward.

Edward ouvrit la bouche pour s'exprimer, mais aucun son ne sortit de sa gorge. Elle se mit soudain à souhaiter qu'il crie. Aidan s'en chargea pour lui.

— Eh bien, c'est une sacrée chance que vous ayez un fiancé, Marissa York, parce qu'il ne fait plus aucun doute que vous allez devoir vous marier ! Avec tous ces hommes qui ont mis les mains sous vos jupes, c'est un miracle que la vérité n'ait pas éclaté plus tôt !

Marissa sentit sa gorge se serrer en entendant le dégoût dans les paroles de son frère.

— Charles et moi étions amoureux. Vous devriez être capable de comprendre cela, Aidan.

Les yeux de son frère se rétrécirent et ses narines se dilatèrent, mais pour une fois, il parvint à ne pas laisser exploser sa colère.

— Charles. Charles LeMont ?

Baissant la tête, elle acquiesça doucement.

— Ne s'est-il pas marié il y a trois ans ?

— C'était une union arrangée par sa famille. Il ne voulait pas de ce mariage.

— Donc, rugit Aidan, vous avez pensé que ce n'était pas un problème d'avoir une liaison avec un homme marié ?

— Aidan York ! glapit-elle, se levant d'un bond. Pour qui me prenez-vous ! Charles et moi étions amoureux avant ses fiançailles, et nous… nous… peut-être nous sommes-nous légèrement laissés aller au moment des adieux. Et d'ailleurs, qui êtes-vous pour me juger ainsi ?

— Marissa…, dit Edward en guise d'avertissement.

Elle n'en tint pas compte.

— Oh, cessons enfin de le traiter comme s'il était une petite chose fragile. Il déteste cela, de toute façon, ou du moins c'est ce qu'il prétend.

Sa mère lâcha un petit gémissement puis retomba sur le canapé, inconsciente.

— Oh, mère, soupira Marissa.

Elle commença cependant à penser qu'elle allait peut-être agir de même, car elle se trouvait au milieu d'un groupe de gens embarrassés, qui la regardaient comme si elle était un monstre.

Marissa s'effondra.

— Je…

Mais Aidan interrompit ses excuses.

— Oh, pour l'amour du ciel, elle a raison ! Quelqu'un d'autre aurait tout intérêt à intervenir, car je suis mal placé pour faire la morale.

Harry émit une toux gênée, et tout le monde se tourna vers lui.

— Quoi qu'il en soit, finit par dire Marissa, je suis sûre que ce n'est pas Charles. Il a toujours été d'une extrême gentillesse envers moi.

— Gentillesse, marmonna Edward, mais Aidan l'arrêta.

— Et Fitzwilliam Hess ?

— Je ne sais pas. Vu sa réputation, j'ai du mal à l'imaginer.

— C'est vrai, renchérit Harry. C'est un véritable don Juan.

Marissa savait qu'elle aurait sans doute dû se sentir insultée, mais tout ce à quoi elle pouvait penser, c'était qu'avec son grand savoir-faire, il n'était pas étonnant qu'il soit aussi populaire auprès des dames de la bonne société. Pourtant, Jude était encore plus doué.

Comme attiré par ses pensées indécentes, Jude rentra dans la pièce d'un air penaud.

— Veuillez m'excuser, murmura-t-il. J'avais quelque chose dans la gorge.

Il jeta un coup d'œil derrière Marissa.

— Votre mère va bien ?

— Oui, répondit-elle sans regarder.

La baronne poussa un gémissement pitoyable.

— Alors, demanda-t-il d'un air réjoui, qu'a-t-il été décidé ?

Edward se laissa tomber sur sa chaise.

— Vos fiançailles ne sont plus une comédie.

— Ah. Parfait.

— Par ailleurs, soupira Edward, les choses se sont légèrement compliquées.

Le silence qui s'abattit dans la pièce devint oppressant, et Marissa soupira de soulagement quand Edward agita la main pour les congédier.

— J'ai besoin de réfléchir. Revenez tous dans une heure.

Marissa se précipita vers la porte, sans se préoccuper d'aider sa mère à se lever. Celle-ci pouvait se débrouiller seule. Marissa, quant à elle, se sentait piégée et déconcertée, et avait l'intention de profiter de l'occasion qui se présentait pour s'échapper.

Elle fut assez rapide pour se faufiler devant Harry et quitter la pièce en premier, mais Jude lui ouvrit la porte, en s'inclinant légèrement. Mon Dieu, s'il esquissait le moindre sourire, elle serait capable de le gifler. Mais Jude avait recouvré son sang-froid, et son visage était redevenu sérieux.

— Avez-vous quelques instants à m'accorder, Miss York ?

— Oh, pour l'amour du ciel ! Oui, très bien.

Elle le suivit jusqu'à la bibliothèque, et s'en prit violemment à lui dès qu'il eut refermé la porte.

— Comment avez-vous pu me faire ça ?

— Faire quoi ?

— Vous… vous avez ri ! Comme si l'horrible humiliation que j'ai subie était une farce.

— Marissa, commença-t-il d'un ton implorant qui contrastait avec le sourire qui se dessinait sur son visage et s'élargissait au fur et à mesure qu'elle pestait. Comment aurais-je pu m'en empêcher ?

— Ce n'était pas drôle.

— Oh, mon cœur. C'était la chose la plus drôle que j'aie jamais entendue !

— Jude, cria-t-elle, tapant du pied sans même s'en rendre compte.

— Je vous embrasserais tout de suite, si je n'avais peur que vous me mordiez.

Elle le ferait. Elle ferait disparaître ce sourire odieux d'un coup de dents.

— Maintenant je sais pourquoi vous êtes si douée. Pour embrasser. Vous avez une sacrée expérience.

Elle allait se mettre à hurler. À piquer une crise, et puis peut-être aussi lui jeter quelques livres à la tête, tant qu'elle y était.

— Faites, dit Jude.

— Faites quoi?

— Ce qui fait étinceler vos yeux ainsi. Vous lancez des éclairs, chérie.

— Vous ne devriez pas me provoquer, le menaça-t-elle.

Mais une fois de plus, les paroles de Jude l'avaient soulagée. Son énervement retomba, comme si elle avait vraiment tapé du pied et hurlé. Elle s'assit lentement dans le fauteuil derrière elle.

Jude remplit un verre de xérès et le mit dans les mains de la jeune femme.

— Merci. Je ne parviens pas à croire ce qui arrive. À nouveau.

Il se laissa tomber sur un siège voisin et croisa les jambes, aussi calme qu'à son habitude.

— Voulez-vous m'expliquer ce qui s'est réellement passé?

— Avec les hommes?

— Oui, répondit-il dans un sourire. Avec les hommes.

Elle secoua la tête, mais elle avait tant envie d'en discuter. Elle n'en avait jamais parlé à personne, et garder tout cela pour elle avait été une torture.

— N'allez-vous pas être… jaloux?

— Est-ce que j'ai l'air du genre jaloux?

— Non, et d'ailleurs c'est un des traits que je ne comprends pas chez vous.

— Je m'efforce de rester mystérieux. Alors… les hommes.

Les hommes. Cela semblait tellement sordide. Ou inconvenant. Ou tout au moins déplacé. Comment Jude était-il parvenu à deviner autant de choses gênantes sur elle? Elle poussa un soupir de capitulation. Elle avait envie d'en parler, et c'était donc ce qu'elle allait faire.

—Charles savait qu'il devait épouser quelqu'un d'autre.

—Charles ?

Elle lui lança un regard irrité.

—Oui, Charles LeMont. Vous avez manqué cette partie pendant que vous vous remettiez de vos émotions.

—Ah. Continuez.

—Sa famille… Elle tenait à tout prix à ce qu'il conserve des relations politiques. Mais nous nous croyions amoureux, et toute l'histoire fut par conséquent très tragique et très romantique.

—Vous avez donc consolé votre cœur meurtri dans les bras l'un de l'autre ?

—Oui, c'est à peu près ça. Mais c'était assez innocent, si tant est que cela soit possible. Nous étions jeunes, et ne désirions que quelques moments d'intimité. C'était… merveilleux.

—Les baisers, et ce qui va avec ?

Elle rougit.

—Oui. Et ensuite il s'est marié, et les choses se sont arrêtées là. Il n'a même pas ne serait-ce que flirté avec moi depuis son mariage. C'est pourquoi je ne peux croire qu'il soit l'auteur de la lettre.

—Et ensuite, il y eut Fitzwilliam Hess. Je n'ai pas besoin de vous demander les circonstances dans lesquelles vous vous êtes retrouvée seule avec lui.

—Il est très charmant.

—C'est ce que j'ai entendu dire. Ce que tout le monde a entendu dire. Il est tristement célèbre.

—Et ce n'est pas pour rien, lança-t-elle sans réfléchir.

—Ah, peut-être que je suis jaloux. Mais savez-vous qu'une jeune demoiselle convenable est censée éviter les hommes dotés de ce genre de réputation ?

Elle repensa à la façon dont Fitzwilliam l'avait touchée et sentit son visage s'empourprer, ce qui ne l'empêcha pas de rétorquer :

— Il aurait pu me prendre ma vertu, mais il ne l'a pas fait. Il a juste… il a provoqué chez moi un sentiment de bien-être. Et d'inconvenance. Et j'aurais recommencé si j'en avais eu l'occasion.

Elle retint sa respiration, attendant une réponse. Elle avait aimé ce qu'elle avait fait avec Fitzwilliam. Pour la première fois de sa vie, elle avait perçu le danger qu'il pouvait y avoir à flirter avec un homme. C'était risqué. Quand il avait répondu à ses avances, il y avait eu plus que de l'admiration dans ses yeux : il avait semblé intrigué, comme si elle était un code qu'il avait envie de déchiffrer.

Elle avait fait semblant de ne pas le remarquer, de même qu'elle avait prétendu ne pas se rendre compte qu'il l'avait emmenée bien trop loin dans les jardins lors du bal de Windsor.

En dépit de sa grande capacité à jouer l'aveuglement, elle savait pertinemment qu'en pénétrant dans la serre avec un libertin notoire, elle ne pouvait espérer que les choses se terminent correctement. Et pourtant, cela avait été le cas. Relativement, du moins. L'instinct de préservation de Fitzwilliam l'avait protégée. Il n'avait pas du tout envie de se retrouver contraint à l'épouser.

Il le lui avait expliqué, tout en couvrant son cou de baisers fébriles.

— Ne vous inquiétez pas, avait-il murmuré. Je ne vous compromettrai pas.

Et pourtant, il l'avait compromise. Ces choses qu'il lui avait faites dans le noir. Les endroits secrets où il avait posé sa bouche. Les caresses qu'il lui avait demandées en retour…

Malgré ses promesses, Marissa avait été compromise, parce qu'elle en avait voulu davantage. Davantage de plaisir.

Davantage d'expérience. Mais elle avait été raisonnable. Par la suite, elle n'avait pas répété l'expérience avec d'autres gentlemen, malgré sa curiosité sauvage. Et quand elle revoyait Fitzwilliam Hess, elle se contentait de danser avec lui.

Non, elle avait enfermé ses désirs secrets dans un coin de son cœur… jusqu'à cette soirée fatidique avec Peter White.

Mon Dieu, quel gâchis cela avait été. Ni agréable comme avec Charles. Ni incroyable comme avec Fitzwilliam. Et surtout, à des lieues du plaisir sauvage que Jude Bertrand lui avait fait connaître.

Elle jeta un coup d'œil vers Jude et se rendit compte qu'il regardait fixement sa bouche. Elle y avait inconsciemment porté sa main en se remémorant ses souvenirs, et tenait le bout de ses doigts pressé contre ses lèvres.

— Je suis à peu près sûr d'être jaloux, à présent, murmura-t-il.

Elle laissa brusquement retomber sa main sur ses genoux et faillit avouer que c'était à lui qu'elle pensait alors, et non à Fitzwilliam. Mais en quoi cela serait-il préférable ?

— Je ne vous connaissais pas, à l'époque, dit-elle sèchement.

— Ah, mais si le choix vous revenait, vous ne me connaîtriez pas non plus aujourd'hui.

Que pouvait-elle répondre ? Ne l'avait-elle pas congédié, à peine le danger passé ?

Il se pencha vers elle.

— Ne vous inquiétez pas. Au fil des années, j'ai moi aussi fait l'expérience d'un certain nombre de baisers. Et de ce qui va avec.

Marissa hocha la tête et se leva pour sortir, mais curieusement, les paroles de Jude ne l'apaisèrent pas. Bien au contraire, elles ne firent qu'accroître son agitation.

Chapitre 15

$\mathcal{J}$ude Bertrand était d'une humeur massacrante. Cela l'ennuyait déjà assez d'avoir de nouveau affaire à Peter White. Mais de surcroît, il devait faire face à une vérité dérangeante.

Deux semaines auparavant, il était encore parfaitement confiant quant à sa capacité à séduire Marissa York. Elle possédait en effet un côté sauvage et inconvenant, mais il avait été assez stupide pour penser qu'il pourrait lui faire tourner la tête de plaisir. Il avait l'intention de lui montrer exactement ce à quoi l'inconvenance pouvait mener.

Quel imbécile arrogant il avait été. Apparemment, elle ne connaissait déjà que trop bien le plaisir que pouvait offrir l'inconvenance. Soudain, Jude ne trouvait plus amusante l'attirance de Marissa pour les garçons inexpérimentés. Il avait croisé Fitzwilliam Hess une ou deux fois. En plus d'être un amant confirmé, il était exactement le genre d'hommes qui attirait Marissa. Mince, beau et raffiné. Et ce Charles… Même s'il n'avait aucune raison de le rencontrer, si ce n'est pour se torturer l'esprit, Jude était curieux de savoir à quoi il ressemblait.

Quand Peter White pénétra enfin dans le salon des Brashears, Jude montra les dents d'un air prédateur. Son sourire s'élargit lorsqu'il vit le malotru se tordre les mains de nervosité, et qu'il constata que son œil au beurre noir était toujours visible. Jude s'apprêtait à lui donner un coup

195

sur le nez, quand Aidan le devança en empoignant White par sa cravate pour le soulever du sol.

—Qu'est-ce…, croassa-t-il tout en essayant d'attraper le poignet d'Aidan.

—Avez-vous des difficultés à tenir votre langue ? demanda Aidan d'un ton hostile.

—Non ! Je… je vous en prie…

Quand le visage du malheureux devint violet, Aidan le reposa enfin à terre et le poussa pour se donner bonne mesure. White chancela en arrière et se rattrapa au mur.

—Vous feriez mieux de commencer à vous expliquer, dit Aidan d'une voix forte pour couvrir la toux de White. Si je suis satisfait de votre honnêteté, peut-être vous laisserai-je la vie sauve.

—Je… je suis venu la voir, je l'admets. Nous nous sommes entretenus, mais il ne s'est rien passé ! (Ses yeux enflés se posèrent sur Jude.) Il était là, lui !

—La lettre, dit Aidan, inflexible.

—Qu… quelle lettre ? Je lui ai fait parvenir des lettres, c'est vrai, mais j'essayais seulement de la convaincre de m'épouser. C'était en tout bien tout honneur, je vous le jure sur ma vie.

Jude prit enfin la parole.

—Qu'en est-il de la dernière ?

—Que voulez-vous savoir ? Elle est venue me retrouver, et je lui ai dit ce que j'avais à lui dire. J'en ai fini avec elle. C'est une perfide petite…

Il regarda autour de lui, puis ferma la bouche d'un coup sec.

Les autres hommes se regardèrent. Edward s'avança tout près de White d'un air menaçant.

—À qui d'autre l'avez-vous raconté ?

—Personne ! Bon sang, mais vous me prenez pour un fou ? Même si je racontais l'histoire sans parler de moi, tout le monde saurait que j'y ai tenu un rôle. Je serais rayé de la moitié des listes d'invités de la bonne société.

—Mais vous l'avez menacée, dit Edward en s'approchant. Cette nuit-là. Vous l'avez menacée d'ébruiter l'affaire, et voilà que…

—Ce n'est pas moi ! Je vous en supplie, croyez-moi. Je reconnais l'avoir séduite, mais je n'avais pas l'intention de la déshonorer. Je l'aimais, et j'ai cru qu'elle était juste un peu intrépide. Je n'ai jamais voulu que la situation en arrive là !

Il fit un geste brusque de la main pour montrer la pièce et les hommes qui s'y trouvaient.

—Je vous ai pourtant prévenu que si j'entendais un seul mot sur cette histoire, je vous en tiendrai pour responsable, reprit Edward.

—Si quelqu'un parle, je vous promets que ce n'est pas moi.

—Qu'en est-il de vos hôtes ?

—Je ne leur ai rien raconté du tout.

Edward jeta un coup d'œil par-dessus son épaule, et aperçut Jude qui indiquait d'un signe de tête le coin le plus éloigné de la pièce. Edward vint l'y rejoindre.

—Je crois qu'il dit la vérité, fit Jude à voix basse.

—C'est pourtant un suspect tout désigné.

—Il semblait sincère, l'autre soir, en évoquant ses sentiments pour Marissa, il est suffisamment terrifié maintenant pour dire la vérité.

Ils regardèrent en direction d'Aidan, qui s'approchait dangereusement de Peter White. Celui-ci était accroupi, les mains sur la tête.

—Il est trop peureux pour se mettre dans une situation qui le ferait entrer en conflit avec cette famille et avec la loi.

White lâcha un sanglot, et Edward haussa les yeux au ciel avant de traverser la pièce avec fureur.

— En vérité, Mr White, que vous ayez parlé ou non, ma sœur ne se trouverait pas dans cette situation si vous ne vous étiez pas aussi mal comporté.

Celui-ci leva furtivement les yeux.

— Je sais. Je suis navré. Ce n'était pas ce que j'avais à l'esprit. Je pensais que nous serions déjà fiancés et heureux de l'être, à l'heure qu'il est.

— Quittez cette région sur-le-champ, et ne vous avisez surtout pas de revenir.

Le visage de Peter White s'empourpra, mais il acquiesça. Edward se retourna et sortit du salon.

Dès qu'ils furent hors de la maison, Aidan attrapa son frère par le bras.

— Comment pouvez-vous être certain qu'il ne s'agissait pas de lui ?

Edward se dégagea.

— Jude est sûr que ce n'est pas lui.

— Pourquoi ?

— White n'aurait pas les tripes de fomenter un coup pareil.

— Sur les trois hommes que nous soupçonnons, c'est lui qui l'a compromise. Je devrais retourner de ce pas à l'intérieur pour aller l'étrangler. Il n'a aucune morale. Bon sang, Marissa n'est même pas la première femme qu'il a dévergondée !

— C'est un lâche, approuva Jude, mais chaque homme a ses faiblesses, n'êtes-vous pas d'accord ? Il la désirait comme un enfant désire un jouet. Il n'était pas avide d'argent. Et à l'heure qu'il est, sa réputation ne tient plus qu'à un fil. Si l'histoire s'ébruite, son nom sera cité, à n'en pas douter.

Edward hocha la tête.

— Jude a raison. White n'a rien à gagner et a beaucoup à perdre. Et puisque nous avons toute une série de coupables potentiels…

Aidan jura et marcha d'un pas furieux vers les chevaux, laissant Jude et Edward derrière.

— Eh bien, grommela Jude. Il prend ça plutôt bien.

— Marissa n'a pas tort. Nous l'avons dorloté depuis que sa bien-aimée est morte. Quoi qu'il en soit… (Il jeta un regard sombre vers Jude.) … nous allons nous rendre dans la propriété des LeMont. J'aimerais que vous retourniez au manoir.

Jude se raidit. Il souhaitait voir LeMont de ses propres yeux.

— Ne croyez-vous pas que je pourrais vous être utile ? Je suis assez doué pour cerner le caractère des gens.

— Je préfère que Marissa ne reste pas seule, au cas où la personne qui nous fait chanter voudrait lui faire du mal. De toute façon, cela ne peut vous faire que du bien à tous les deux de passer un peu de temps ensemble. Il paraît désormais presque certain que vous allez vous marier.

Jude regarda au loin. À l'ouest, vers le manoir des York. Dans une heure, il serait de retour auprès de Marissa. Il avait bien plus envie d'être près d'elle que de voir à quoi ressemblait Charles LeMont. Et puis, qu'espérait-il exactement découvrir chez cet homme ? Une ressemblance avec lui-même qui lui donnerait de l'espoir ?

C'était ridicule. Et pitoyable.

Il donna donc son assentiment et partit pour sa chevauchée en solitaire. Il ne semblait plus très loin d'obtenir ce qu'il voulait – Marissa York pour épouse –, pourtant, il n'était plus aussi sûr qu'auparavant que l'histoire aurait une fin heureuse.

Le froid avait fini par s'installer. Dans le salon, on entendait juste le bruit du feu sifflant et crépitant. Marissa était seule avec Jude, après un long dîner tendu avec sa mère, sa tante Ophélia et son cousin Harry.

La baronne les avait rejoints dans le salon, mais elle venait de partir, après avoir lourdement insisté sur son état de fatigue.

—Non, non ! Restez là tous les deux ! avait-elle protesté, même si ni Marissa ni Jude ne s'étaient opposés à son départ.

Elle avait alors bâillé à se décrocher la mâchoire, puis s'était enfin éclipsée de la pièce, fermant la porte derrière elle.

Marissa savait pertinemment ce que sa mère avait en tête. Elle lui avait annoncé plus tôt dans la journée qu'un mariage serait inévitable, et que Marissa avait tout intérêt à s'assurer que Jude ne change pas d'avis.

« *Tu sais ce qu'il te reste à faire*, avait-elle murmuré en pointant le doigt sur la cuisse de Marissa. *Manifestement.* »

Sa mère voulait que Marissa séduise Jude.

Mais pas de chance, Jude ne paraissait pas d'humeur à être séduit. Marissa l'observa à la dérobée et vit qu'il était toujours dans la même position que cinq minutes auparavant. Une cheville posée sur le genou opposé. Le pouce sous le menton et les doigts sous la lèvre inférieure. Perdu dans ses pensées, il regardait fixement le feu, comme s'il ne voyait plus rien de ce qui l'entourait. Il tenait un verre de brandy, et là au moins, les choses avaient évolué. Cinq minutes auparavant, il était encore plein, et à présent, il était vide.

En dépit des attentes de sa mère, Marissa pensait n'avoir aucun pouvoir de séduction. Elle avait toujours été séduite. Toute son expérience consistait à acquiescer.

Elle resta donc assise, les yeux rivés sur le feu, à essayer de se représenter son avenir. Mais celui-ci semblait impossible à prévoir, alors même que le présent la mettait dans un tel état de confusion.

Après la semaine qui venait de s'écouler, elle ne savait absolument pas si Jude souhaitait toujours l'épouser, pas plus qu'elle ne savait si elle le voulait pour mari. Le désirait-elle ?

À cette pensée, Marissa eut l'impression que tous les muscles de son corps se contractaient progressivement. Elle se leva d'un bond pour faire disparaître cette sensation.

— Encore un peu de brandy ? demanda-t-elle en se dirigeant à grands pas vers la table pour attraper la carafe.

— Volontiers, merci.

Quand elle se pencha pour le servir, un sourire en coin apparut sur le visage de Jude, puis s'évanouit aussitôt. Il reprit cette expression sinistre qu'elle ne lui connaissait pas, et qui lui donnait l'impression de ne pas exister. Marissa observa les larges doigts de Jude autour du verre, et son cœur se serra. Jude ne la regardait même pas, alors comment diable allait-elle l'inciter à la toucher ?

— Avez-vous visité des propriétés qui vous plaisaient, cette semaine ? s'enquit-elle en revenant précipitamment vers la table pour se servir un verre à son tour. Je veux dire, si vous êtes toujours à la recherche d'une maison à louer, bien sûr.

— Peut-être. Oui, il est possible que j'en aie trouvé une à un peu moins d'une heure d'ici. Plus près de Grantham, je crois.

— C'est un très joli endroit. Très verdoyant.

— En effet.

Et de nouveau, un silence gêné retomba, chacun sirotant son brandy, les yeux tournés vers le feu.

Il regrettait de s'être proposé de l'épouser, elle en était certaine.

Marissa se promena dans la pièce, en buvant à petites gorgées et en touchant différents objets, essayant de paraître à son aise. Mais son cœur palpitait d'incertitude. Sa vie était en suspens, quelque part entre son passé et son avenir, et elle éprouvait une sensation d'irréalité. Son corps lui paraissait trop léger, et son esprit, si lointain.

— Que se passe-t-il, mon cœur ?

Marissa termina son verre et le reposa délicatement avant de baisser les yeux vers lui. Pour une fois, elle était trop fatiguée pour être spirituelle.

— Je crois que je suis censée vous séduire, mais vous ne semblez pas vraiment d'humeur.

Elle avait attiré son attention. Jude leva la tête et posa le pied par terre. Peut-être aimait-il vraiment quand elle tenait des propos scandaleux.

— Je suis pourtant toujours d'humeur à être séduit, dit-il. Qui vous a suggéré cela ? Je lèverai mon verre à sa santé.

— Ma mère.

— Ah. Peut-être que je m'abstiendrai d'en parler, alors. Mais je devrais faire tout mon possible pour contenter ma future belle-mère. Comment vous a-t-elle conseillé de procéder ?

— Oh, taisez-vous. N'avez-vous pas remarqué ses efforts peu subtils pour nous laisser seuls ? Elle craint que vous ne regrettiez votre proposition, dit Marissa d'une voix qu'elle voulut légère.

— Vraiment ? Et elle pense que vous devriez me séduire en me flattant ?

— Plutôt… en vous satisfaisant, je crois.

Les yeux de Jude s'assombrirent et il la gratifia d'un grand sourire. Le cœur de Marissa tambourina dans sa poitrine. Elle se sentit soudain plus sûre d'elle. Peut-être saurait-elle jouer les séductrices.

— En me satisfaisant ? demanda-t-il d'un air caressant.

— Peut-être.

Son sourire s'élargit.

— Venez, lui ordonna-t-il en se tapotant les genoux.

Marissa sentit une pointe d'appréhension la traverser, mais elle prit son courage à deux mains et s'approcha de lui. Elle s'arrêta derrière son épaule.

—Il est impossible de me séduire d'ici, Marissa.

Elle n'était pas certaine qu'il dise vrai. Jude, lui, paraissait capable de la faire succomber depuis l'autre bout de la pièce. Mais son genou lui faisait signe, et sa cuisse semblait si accueillante. Il lui serait sans aucun doute plus facile de le séduire de là.

Sans se laisser le temps de changer d'avis, elle contourna le fauteuil et s'assit sur son genou. Elle ne savait pas ce qu'il éprouvait, mais à l'idée de ce qu'elle venait de faire, elle sentit une vague de frissons lui parcourir l'échine. Elle était assise sur le genou d'un homme. Dans le but de l'émoustiller.

Tapotant doucement ses pieds l'un contre l'autre, elle ferma les poings et les posa sur ses jambes. De nouveau, elle ne savait plus que faire. Mais Jude fit disparaître ses inquiétudes en mettant une main sur sa hanche et l'autre sur son genou pour l'attirer plus près.

Elle se tint à lui pour trouver l'équilibre, et Jude l'entoura de ses bras pour la faire basculer contre son torse. Curieusement, elle n'avait pas du tout l'impression d'être séduisante, dans cette position. Sa joue était pressée contre son épaule et il la tenait trop serrée pour qu'elle puisse bouger et l'embrasser.

—Doucement, murmura-t-il, vous n'avez pas besoin de me séduire.

Marissa se raidit contre lui et regarda sa gorge en fronçant les sourcils. Pourquoi disait-il qu'elle n'avait pas besoin de le séduire? Parce qu'elle lui plaisait déjà ou parce qu'il ne tenait plus à elle?

—Jude…, commença-t-elle.

Elle sentit sa force en posant la main sur son torse, et soudain son cœur lui fit mal. Elle voulait… quelque chose de lui. Mais elle ne savait plus du tout de quoi il s'agissait.

—Tout va bien, mon cœur, dit-il en lui caressant le dos.

Elle se détendit alors un peu et perçut les battements du cœur de Jude contre son oreille.

— Avez-vous commencé à lire un nouveau roman ? demanda-t-il.

Elle hocha la tête, confuse.

— Racontez-moi l'histoire.

— Mais quel est le rapport avec notre conversation ?

— Il n'y en a aucun. J'ai juste envie de l'entendre.

Après quelques secondes d'hésitation, Marissa haussa les épaules et se lança. Tandis qu'elle parlait, Jude lui caressait le dos et le bras. Puis, posant la main sur sa nuque, il la massa délicatement, en décrivant de petits cercles. Il rit quand elle lui raconta les parties qu'elle trouvait amusantes, et gloussa en entendant les péripéties et intrigues qui arrivaient aux couples du roman. Sans jamais cesser de la toucher.

Marissa n'avait pas envie qu'il s'arrête, aussi continuait-elle à parler. Quand elle atteignit l'endroit du livre où elle s'était arrêtée, elle inventa la suite. Elle se sentait en sécurité dans ses bras. Chérie. Et comprise. Cela semblait si étrange de considérer un homme comme un ami, et pourtant c'était ce qu'il représentait pour elle, et qu'elle refusait de perdre.

Quand elle se tut enfin, Jude poursuivit ses légères caresses. À ce moment-là, elle désira qu'ils soient mariés, juste pour qu'ils puissent grimper dans leur lit et rester tranquillement allongés sous les couvertures, sans tissus empesés ou corset entre eux. Elle avait envie d'appuyer sa main sur son torse nu et de sentir sa peau contre sa joue.

— J'ai réfléchi…, commença-t-il.

Le cœur de Marissa cria de douleur. Voilà. C'était terminé. Il allait tout annuler. Elle retint sa respiration et attendit qu'il prononce les mots fatidiques.

— Pensez-vous qu'il serait possible que votre cousin soit derrière cette histoire de chantage ?

Elle sortit brusquement de sa rêverie, déconcertée.

— Quoi ? Quel cousin ?

— Harry.

— Harry ! s'exclama-t-elle en s'appuyant sur son torse pour se redresser. C'est absurde.

Jude haussa un sourcil.

— Vraiment ? Il est au courant de toutes vos escapades.

— C'est uniquement parce qu'il est toujours là. Il est comme un frère pour moi, je dirais.

— Et pourtant il n'est pas votre frère.

— Il passe tous les étés avec nous. Nous sommes sa famille.

Jude l'attira doucement contre lui. Elle se laissa faire, réconfortée par sa chaleur malgré ses paroles si déroutantes.

Il posa la main sur son cou et lui caressa la nuque avec son pouce.

— Il est donc presque un frère pour vous, mais pas tout à fait. Il est toujours le bienvenu dans la maison familiale, qui pourtant ne sera jamais sa…

— Eh bien, où voulez-vous en venir ? l'interrompit Marissa.

— N'avez-vous jamais pensé que cette situation puisse être douloureuse pour lui ? J'ai une certaine expérience dans ce domaine, vous savez, affirma Jude.

Marissa comprit soudain à quoi il faisait allusion. Oui, bien sûr qu'il connaissait cette situation.

— Vous voulez dire que vous éprouviez du ressentiment à l'égard des membres de votre famille ?

— Non, mais j'aurais pu. Et la même chose est valable pour Harry.

— C'est impossible. Ce n'est pas son genre. Il a une immense affection pour nous.

— Très bien. C'était juste une idée qui m'a traversé l'esprit. Je n'ai pas passé beaucoup de temps à faire sa connaissance.

Troublée, Marissa observa le feu. C'était juste une idée. Que l'on puisse être membre d'une famille sans vraiment lui appartenir. Pourtant, il ne lui serait jamais venu à l'esprit de ressentir de la compassion pour Harry. Leur en voulait-il? Sûrement pas.

—Ce ne peut pas être lui! s'écria-t-elle soudain. Vous avez oublié la tache de naissance, n'est-ce pas?

—Ah, oui, c'est vrai. L'affaire semble donc close.

—Oui. Très bien. Ce ne peut pas être lui.

—Je ne voulais pas vous contrarier. Harry paraît être quelqu'un de très agréable.

—Oui, il l'est vraiment.

—J'essayais juste de réfléchir à un potentiel coupable.

Ils se turent tous deux. Marissa recouvra rapidement son calme, apaisée par les caresses délicates de Jude. Il avait toujours cet effet-là sur elle. Ses pensées dérivèrent alors inévitablement vers le mariage et ces fiançailles si compliquées.

Il l'embrassa sur le sommet de la tête, et elle éprouva alors une curieuse sensation.

—Pourquoi ne me laissez-vous pas vous séduire? chuchota-t-elle.

—Je n'ai pas besoin d'être séduit.

—Alors que moi, oui?

—Je ne sais pas, mais vous avez besoin de quelque chose, ma belle.

Mon Dieu, c'était vrai. Interdite, Marissa ne put que rire, le visage appuyé contre son torse. Si elle versa quelques larmes par la même occasion, personne n'en sut jamais rien. Pas même Jude.

Chapitre 16

Le lendemain, les doutes de Jude s'étaient envolés. Oh, il n'était pas plus certain qu'avant des sentiments de Marissa à son égard. Elle s'était montrée très câline sur ses genoux, mais au départ, c'était uniquement pour s'assurer qu'il était toujours disposé à l'épouser.

Sa seule consolation était que Marissa semblait avoir tout autant de difficultés à décrypter ce qu'il éprouvait pour elle, puisqu'elle croyait qu'il était nécessaire de lui rappeler à quel point elle comptait pour lui. Pour séduire, il fallait aussi montrer une certaine résistance, après tout. Pourtant, il n'avait pas de désir plus profond que de l'emmener dans son lit et de l'y garder.

Il n'était donc pas plus confiant ce matin-là, mais il était fatigué de ruminer. Elle l'aimerait ou elle ne l'aimerait pas. Et ses lamentations n'y changeraient rien.

Quant à la jalousie… Jude n'avait jamais compris la jalousie. Il avait toujours été d'avis que les hommes jaloux étaient avides et stupides. Mais désormais, il avait une meilleure compréhension de ce sentiment, non pas qu'il l'approuve davantage. Il n'était pas vraiment jaloux du corps de Marissa. Il avait juste envie de garder tout son plaisir à elle, pour lui-même, même celui qu'elle avait ressenti par le passé.

—Imbécile, lâcha-t-il en enfilant sa veste et en sortant de la pièce, furieux.

N'avait-il pas passé un nombre incalculable d'heures à ressentir du plaisir dans les bras d'autres femmes ? En quoi ses sentiments pour Marissa s'en trouvaient-ils affectés ?

Même s'il avait décidé de cesser de broyer du noir, Jude n'était pas vraiment d'humeur plaisante, tandis qu'il se dirigeait à grands pas vers la bibliothèque. Edward et Aidan auraient dû rentrer la veille au soir, mais il était 9 heures et il n'avait encore eu aucune nouvelle. Avaient-ils découvert le coupable ? Lui avaient-ils infligé la punition qu'il méritait ?

Dieu sait qu'il aurait aimé les accompagner. Sauf qu'il n'aurait pas passé cette heure si agréable avec Marissa blottie tout contre lui.

Jude se réjouit de trouver la bibliothèque déserte. Il demanda à un domestique de lui apporter son petit déjeuner, se plaça devant l'une des fenêtres situées dans un recoin et observa les écuries. La salle du petit déjeuner donnait uniquement sur une partie de la cour de l'écurie. De la bibliothèque, Jude pourrait surveiller chaque allée et venue.

Cependant, la première personne qu'il aperçut ne s'approchait pas du manoir, mais en partait. Harry sortit à pas pressés par l'arrière de la maison, un paquet coincé sous le bras, et disparut dans les écuries. Quelques minutes plus tard, il en ressortit, les mains vides, en regardant autour de lui avec une nervosité non dissimulée.

Intrigué, Jude vit un jeune garçon sortir des écuries avec un vieux hongre. Il attacha le paquet derrière la selle et se mit en route.

C'était étrange.

Oh, un homme avait, bien entendu, le droit d'envoyer un courrier. Jude avait lui-même envoyé une lettre, seulement deux jours auparavant. Mais Harry avait un air franchement… furtif. De quoi, Harry, toujours si joyeux, pouvait-il donc avoir peur ?

Un quart d'heure plus tard, Jude était encore en train de réfléchir avec inquiétude à la scène qui venait de se produire, quand il vit enfin les frères York arriver à cheval. Jude se dirigea droit vers le bureau et l'arpenta de long en large, en attendant les deux hommes.

— Quelles sont les nouvelles ? demanda-t-il d'un ton hargneux, à peine Edward eut-il franchi la porte.

Celui-ci secoua la tête, et Jude jura.

— Charles LeMont semble avoir été absent ces trois dernières semaines. Il sera de retour demain.

— En êtes-vous certain ?

Edward passa une main dans ses cheveux ébouriffés et s'affala sur le fauteuil derrière son bureau.

— Nous avons parlé à sa femme. La sœur de Charles est tombée malade à Bath et il est parti lui rendre visite.

Jude fronça les sourcils.

— Et son épouse ne l'a pas accompagné ? Voilà qui est suspect.

Aidan entra à son tour dans le bureau et lança sa veste sur une chaise.

— Elle attend un enfant. Elle en est à quatre ou cinq mois, je crois. C'est une belle femme, qui semblait désireuse de nous aider.

Edward hocha la tête.

— Elle m'a paru sincère. Je ne crois pas que son mari soit le coupable.

— Que lui avez-vous raconté ? demanda Jude, qui avait recommencé à arpenter la pièce.

— Je lui ai dit que l'un de nos chevaux était en train de mourir, de la même maladie qui avait frappé l'une des juments des LeMont, il y a dix ans, et que nous n'arrivions pas à nous souvenir du traitement administré par l'ancien maître d'écurie.

Aidan leur servit à tous les trois un verre de brandy, avant de s'avachir sur le canapé. Jude ne parvenait pas à rester tranquille.

—Pour l'amour du ciel, pourquoi avez-vous mis tant de temps? demanda-t-il en s'approchant de la fenêtre et en regardant dehors d'un air furieux.

—Nous avons dû trouver une auberge sur le chemin du retour, car il s'est mis à pleuvoir, grommela Edward. Rappelez-moi de ne plus jamais partager une chambre avec Aidan. Il ronfle comme une locomotive.

—C'était vous, mon vieux, rétorqua Aidan, qui vida son verre d'un trait avant de se tourner vers Jude. Qu'est-ce qui vous a mis dans une humeur aussi exécrable? Faire la cour ne vous réussit pas?

Sans répondre, Jude s'adressa à Edward.

—Le coupable serait donc Fitzwilliam Hess?

—Tous les gens que nous avons interrogés nous ont indiqué qu'il était sur le continent depuis le début de la Saison.

—Peut-être a-t-il besoin d'argent?

Edward haussa les épaules.

—Il aurait sûrement pris pour cible une famille plus aisée que la nôtre.

—Serait-ce possible qu'il renfloue ses caisses de cette façon? De l'avis général, c'est un bon à rien.

—Un riche bon à rien, intervint Aidan. J'ai eu affaire à certaines des sociétés qui gèrent ses investissements. Il n'a nul besoin de faire chanter qui que ce soit, il a largement de quoi financer son mode de vie. Je vous dis que c'est White!

—Tout n'est pas tout noir ou tout blanc, répondit Jude. J'ai passé ma vie au contact d'hommes qui s'employaient à la transgression d'une manière ou d'une autre. Je pense que les caprices de ce monde me sont plus familiers qu'à vous.

Edward leva les yeux vers lui.

—Mais peut-être Aidan et moi avons-nous une meilleure compréhension de ce qu'est l'honneur chez les gentlemen.

Il prononça ces paroles d'une façon désinvolte, comme s'il ne s'agissait pas le moins du monde d'une insulte. Jude ne se donna pas la peine de relever. Il lui était impossible de nier qu'il était un bâtard.

Le silence se prolongea. Jude envisagea un instant de leur faire part de ses soupçons concernant Harry, mais il se ravisa. Il n'avait pas l'ombre d'une preuve, et Marissa avait raison. Harry semblait être un homme bon au caractère simple. Jude tiendrait sa langue, mais garderait l'œil ouvert.

—Mis à part White, qui nous reste-t-il? demanda Jude, l'air pensif. L'un des hommes que Marissa a connus aurait-il parlé? À un ami, peut-être?

Aidan s'éclaircit la voix comme s'il était soulagé de changer de sujet.

—Ou à une autre conquête, plus récente?

—Drôle de confidence sur l'oreiller, fit remarquer Jude.

—J'ai entendu plus étrange encore.

Il n'avait pas tort. Les hommes parlaient avec leurs maîtresses.

—C'est vrai, murmura-t-il. Pas une épouse, mais une conquête.

Il se mit à réfléchir. Peter White avait paru sincèrement contrit, pour ne pas dire terrifié. Par ailleurs, Jude n'avait pas entendu de rumeurs liant ce dernier à une autre femme que Marissa, ces derniers temps. Peut-être Harry en saurait-il davantage.

Quant à Charles LeMont, il n'aurait su dire s'il avait ou non une maîtresse. Mais Fitzwilliam Hess…

Une crainte le fit soudain sursauter.

— Bon Dieu. Et qu'en est-il de Mrs Wellingsly ?

— Eh bien, que voulez-vous dire ? s'enquit prudemment Aidan.

— N'a-t-elle pas eu une liaison avec Hess, l'année dernière ?

— Pas que je sache, mais cela semble assez plausible. Je ne vois cependant pas pourquoi vous la soupçonneriez. Elle a hérité de près de la moitié de la fortune de son mari. Elle n'a nullement besoin d'argent, et je ne peux pas croire qu'elle agirait ainsi juste pour me punir.

Jude se tourna de nouveau vers la fenêtre.

— Non, mais peut-être voudrait-elle me punir, moi.

Malgré sa faible intensité, la voix de Marissa se fit entendre dans toute la pièce.

— Pourquoi voudrait-elle vous punir ?

Jude se retourna, saisi de frayeur. Marissa se tenait sur le seuil, son visage figé coïncidant parfaitement avec son ton monocorde.

— Vous m'avez dit ne jamais avoir passé ne serait-ce qu'un moment seul avec elle.

— Je…, commença-t-il en levant une main.

— Vous m'avez menti !

— Je ne vous ai pas menti, Marissa, je vous le jure. Elle…

Il jeta un coup d'œil implorant à Aidan, mais celui-ci sourit, sans faire un geste pour lui venir en aide. *Damnation !* Jude ne pouvait tout de même pas réprimander Aidan devant sa sœur. Marissa avait à présent les yeux brillants de larmes.

— Écoutez, dit Jude suppliant alors qu'elle s'apprêtait à partir. (Elle s'arrêta, sans toutefois le regarder.) L'autre soir, Patience Wellingsly a avoué avoir des… sentiments à mon égard.

— L'autre soir ? demanda sèchement Marissa.

Jude leva les yeux au plafond, mais cela ne l'aida pas plus que de regarder Aidan York.

Il entendit Marissa prononcer doucement son nom quand il passa devant elle, et sentit qu'elle lui effleurait la main, mais il ne s'arrêta pas. Qu'elle s'inquiète donc de ce qu'il pensait d'elle ; il avait passé suffisamment de temps à en faire de même à son sujet.

Elle ne l'estimait pas digne d'affection, et ses frères le considéraient trop vil pour comprendre l'honneur. Il avait toujours aimé la maison des York, mais à présent, il n'avait qu'une seule envie : s'en échapper pour quelques heures.

— Elle a laissé entendre qu'elle était amoureuse de quelqu'un. Peut-être de moi.

— Je vois. A-t-elle été envoûtée par vos baisers ?

Marissa criait presque, et s'il n'avait été aussi paniqué, Jude aurait apprécié le spectacle. Sa jalousie était pourtant bon signe, se rassura-t-il, tant que Marissa n'en perdait pas la raison.

— Je vous ai déjà dit que je ne l'avais jamais embrassée.

— Mais cela n'a pas de sens. (Elle pointa un doigt dans sa direction.) Comment pourrait-elle vous aimer, alors ?

Il s'était avancé d'un pas vers elle, mais il s'arrêta net à ces mots.

— Comment ?

— Si vous ne l'avez même pas touchée, pourquoi tomberait-elle amoureuse de vous ?

C'était bien plus qu'une question. C'était une insulte qu'elle lui lançait en pleine figure.

— Vous ne pouvez envisager qu'une femme puisse m'aimer pour une autre raison ?

— Comment pourrais-je le savoir ?

Le silence se fit soudain.

— Marissa, intervint enfin Edward d'un ton calme.

Elle haussa les sourcils dans un bref instant de confusion, avant que sa colère reprenne le dessus.

— Vous m'avez dit qu'il n'y avait absolument rien entre vous et cette femme, et voilà que je découvre qu'elle est peut-être amoureuse de vous.

Jude avait beau avoir décidé qu'il ne broierait pas du noir ce jour-là, il lui était difficile de s'y tenir alors qu'il avait l'impression d'avoir reçu un coup de poignard dans le cœur. Il se détourna de la femme qui l'avait blessé si cruellement et déclara à Edward York :

— Je vais aller lui rendre visite. Il y a peu de probabilités qu'il s'agisse d'elle, mais mieux vaut en avoir le cœur net.

Chapitre 17

Toujours furieux contre Marissa, Jude marchait de long en large dans le salon des Wellingsly. Elle lui avait fait l'affront de considérer qu'il n'était bon que pour le plaisir physique.

Mais de quel droit se mettait-il en colère ? Tout son plan consistait à la séduire pour qu'elle finisse par l'aimer. Oui, il avait aussi espéré qu'ils deviendraient amis, mais la séduction… c'était l'essence même de son plan. Alors pourquoi s'offusquait-il tant qu'elle ait mis le doigt dessus ?

Il ne parvenait pas à apaiser sa colère. De surcroît, il était désormais presque convaincu que Patience Wellingsly était derrière cette histoire de chantage. Lui avait-il envoyé des signes sans s'en rendre compte, alors qu'il pensait qu'ils flirtaient simplement ensemble ? Mais elle avait la réputation de tomber rapidement amoureuse, et peut-être aurait-il dû se montrer plus prudent.

— Bon sang, murmura-t-il en se passant une main dans les cheveux.

Il s'était mis à pleuvoir pendant sa chevauchée vers la propriété des Wellingsly, ce qui n'avait rien fait pour égayer son humeur.

— Mr Bertrand, dit Patience Wellingsly en entrant dans la pièce, un grand sourire aux lèvres. Quel plaisir de vous voir.

— Mrs Wellingsly.

Il s'inclina poliment, mais la brutalité qui perçait dans sa voix était clairement perceptible. Elle s'apprêtait à tendre les mains vers lui, comme pour s'emparer des siennes ou pour l'enlacer, mais quand elle croisa son regard, elle les laissa retomber. Son sourire s'effaça.

— Que se passe-t-il ?

— Je suis venu m'entretenir avec vous d'une affaire délicate.

Pendant une fraction de seconde, ses yeux brillèrent et son visage s'éclaircit, plein d'espoir, mais elle se ressaisit et secoua légèrement la tête.

— Je vois. Une affaire délicate et déplaisante ?

— Vous savez donc pourquoi je suis ici ?

— Je n'en ai pas la moindre idée, répondit-elle avant de se laisser choir avec grâce sur un fauteuil.

Tout ce qu'elle faisait était toujours empreint de cette élégance parfaite. Jude s'assit en face d'elle et se racla la gorge.

— L'autre soir, j'ai eu le sentiment que vous étiez sur le point de me confesser quelque chose. Me trompais-je ?

Elle déglutit et s'efforça de sourire aimablement.

— Je ne vois pas quel rapport cela pourrait avoir avec ce dont vous voulez me parler.

Comment parviendrait-il à savoir ce qu'elle lui cachait ? Il la connaissait à peine. Estimant qu'il n'avait pas grand-chose à perdre, Jude lui donna une version légèrement édulcorée de la vérité.

— J'ai reçu une lettre très dérangeante. Une lettre anonyme. Je me demandais si elle venait de vous.

— Moi ? s'exclama-t-elle. De quel genre de message s'agit-il ?

— C'était… Cette lettre a été écrite dans le but de nuire à ma relation avec Miss York.

— Et vous pensez que je pourrais souhaiter une telle chose ?

— Au bal, vous avez laissé entendre que vous éprouviez une certaine… affection pour moi, si je ne m'abuse.

Elle l'observa, le visage pétrifié, les yeux brillants.

Jude tressaillit en voyant la douleur dans son regard, mais il ne fléchit pas.

— Avez-vous envoyé cette lettre ?

— Non, répondit-elle en le regardant droit dans les yeux, sans trembler.

Il inclina la tête, mais n'ajouta rien. Comme il s'y attendait, le silence fut vite insupportable à son interlocutrice.

— C'était bien de vous… au bal, c'était bien de vous que je parlais. Mais ce n'était pas… (Elle déglutit avec difficulté, puis posa ses mains agitées sur ses genoux.) Je croyais que j'étais en train de tomber amoureuse de vous.

Même s'il était venu chez elle pour obtenir une réponse à cette question, Jude ressentit un choc en entendant ces paroles qui l'ébranlèrent au plus profond de lui-même.

— Patience…

— Ne dites rien, l'interrompit-elle. Après notre discussion pendant le bal, j'ai pris conscience que j'avais jeté mon dévolu sur vous de façon injustifiée. Je me sens seule, Mr Bertrand. Et vous êtes un homme séduisant. Il y a quelque chose chez vous…

Jude sentit une bouffée de chaleur intempestive lui monter au visage. Il savait qu'il rougissait, et ne pouvait rien faire pour l'empêcher.

— Il y a quelque chose chez vous qui me fascine. Je vous voulais tellement que j'ai même poursuivi Aidan de mes ardeurs, dans l'espoir de vous rendre jaloux.

Jude resta bouche bée, mais elle détendit alors l'atmosphère par un petit rire.

— Non pas qu'il manque de charme.

— Je ne… Je suis désolé. Je ne sais pas quoi dire.

—Vous n'avez pas besoin de dire quoi que ce soit. Je suis une veuve de quarante ans. J'ai beau être parfois aussi stupide qu'une jeune fille, au moins suis-je assez clairvoyante pour m'en rendre compte. Et vous aviez raison. Si je veux vraiment trouver l'amour, je dois cesser de m'enticher ainsi à tout-va. Il existe sûrement quelqu'un pour moi. Peut-être un homme qui a déjà eu des enfants et que cela ne dérangera pas d'avoir une épouse stérile.

—Patience, fit-il. Vous comptez parmi les plus belles femmes que je connaisse. Il est facile de vous aimer. Et pensez-vous vraiment que j'aimerais moins Marissa si elle ne pouvait pas avoir d'enfants?

—Ne serait-ce pas le cas?

Jude ne souhaitait pas en révéler trop sur ses sentiments pour Marissa, mais il connaissait déjà la réponse à cette question.

—Absolument pas. Et si vous avez une piètre opinion de vous à cause de cela, vous vous dénigrez injustement, madame.

—Ce n'est rien, dit-elle en acceptant le mouchoir que Jude lui tendait pour sécher ses larmes. Je suis sincèrement désolée de vous avoir mis dans une position délicate, Mr Bertrand. Je vous promets que je ne vous souhaite que le meilleur, à vous et à Miss York.

Il la croyait. Oh, peut-être était-ce stupide, mais Jude n'avait aucune raison de ne pas la croire. Si elle désirait vraiment se mettre entre lui et Marissa, elle lui aurait au moins avoué qu'elle l'aimait.

Si tel avait été le cas, qu'aurait dit Jude? Entendre Patience reconnaître qu'elle était attirée par lui l'avait rempli d'un étrange mélange de gratitude et de… malaise? Non, il s'agissait de quelque chose de plus fort. Après avoir fait ses adieux à Patience, Jude quitta le manoir d'un pas lourd.

Elle n'était pas la première à reconnaître éprouver une curieuse attirance pour lui. Bon sang, Marissa elle-même lui avait dit presque la même chose. Il avait profité de cet avantage, avec elle et avec d'autres. Il était étrangement séduisant, et cela ne l'avait jamais dérangé. Il avait accepté cela comme son dû.

Jude n'était plus qu'à une dizaine de pas de son cheval quand il s'arrêta soudain.

Son dû. Sa place. Le rôle qu'il tenait dans ce monde de gens polis et de réalités impolies.

Son estomac se noua tandis que Jude prenait soudain conscience d'une vérité insupportable : il ne se sentait pas l'égal de tous ces gens.

— Je suis sûr que tout s'est bien passé.

Marissa leva les yeux de sa broderie et vit que Harry s'était assis près d'elle, sans qu'elle le remarque.

— Pardon ?

— Jude va bientôt revenir avec de bonnes nouvelles, j'en suis persuadé.

— Vraiment ? soupira Marissa.

Rien ne lui semblait moins certain. D'ailleurs, elle était même presque sûre que si Jude revenait, ce serait avec d'horribles nouvelles. Il leur dirait d'abord que Mrs Wellingsly n'était pas le maître chanteur, puis qu'il s'était rendu compte combien il était agréable d'être près d'une belle femme qui l'aimait sincèrement. Plus Marissa y réfléchissait, plus cela lui paraissait évident. Quel homme ne voudrait pas de cela ? Quel homme préférerait une fille puérile qui l'accablait d'injures et se servait de lui à des fins égoïstes ?

Marissa cligna des yeux pour refouler ses larmes.

— Merci, Harry.

— Vous avez… si vous me permettez de vous dire les choses franchement, cousine, vous avez une mine horrible.

Elle ne se donna même pas la peine de prendre un air offensé. Harry n'était pas aussi proche d'elle qu'un frère, mais certainement autant qu'un… eh bien, qu'un cousin. Le lien qui existait entre lui et ses frères était plus fort car ils étaient allés à l'école ensemble, toutefois au fil des étés, elle avait appris à nager, à monter à cheval et à tricher aux cartes avec lui.

— Vous ne devriez pas vous inquiéter ainsi, poursuivit-il. Nous allons prendre soin de vous.

— Merci, Harry.

Elle le dévisagea pendant un moment, tentant de se représenter l'homme qu'il était, et pas seulement le cousin. Mais il lui paraissait impénétrable. Un vrai gentleman de la haute société, intéressé uniquement par les chevaux et… oui, aussi un peu par l'élevage de moutons, mais pas par la politique.

Elle n'avait jamais vraiment réfléchi à son sujet. Il avait simplement toujours fait partie de sa vie. Mais Jude avait commencé à lui apprendre à voir au-delà des apparences, non qu'elle semble avoir très bien retenu la leçon.

— Puis-je vous demander quelque chose, Harry ?

— Bien sûr.

— Vous est-il arrivé de vous sentir… seul ? En passant autant de temps chez nous ?

Perplexe, Harry secoua la tête.

— Que voulez-vous dire ?

— Eh bien, entre l'école et le temps que vous passiez ici…

— Mon Dieu, non. C'était un soulagement. Ma mère est si grincheuse que, aujourd'hui encore, j'ai du mal à supporter de passer du temps chez elle. Et je ne me souviens pas de mon père, j'étais si jeune quand il est mort. Votre père a été bien plus qu'un oncle pour moi. C'était quelqu'un de merveilleux.

C'était vrai. Son père était un homme tranquille, dénué de l'acrimonie de sa sœur. Il était toujours prêt à s'amuser des caprices de sa femme et de ses enfants.

— Vous m'en voyez heureuse. Vous êtes si bon acteur que je me suis demandé si vous ne faisiez pas seulement semblant d'être heureux avec nous.

— Absolument pas. Votre famille est la seule que j'aie jamais vraiment connue.

Marissa lança un coup d'œil à son petit coussin et songea que, deux semaines auparavant, elle avait taquiné Jude en lui parlant de sa broderie. Qui, cela étant dit, avançait plutôt bien. En d'autres circonstances, elle l'aurait raconté à Jude et ils auraient ri ensemble. Elle lui aurait parlé de son père, qui était mort sept ans auparavant. Mais ce matin-là, elle avait dénigré l'amitié de Jude, la lui avait jetée à la figure aussi sûrement que si elle l'avait giflé.

— Merci, dit-elle enfin.

Harry se racla la gorge.

— Je crois que Mrs Samuel essaie de me convaincre d'épouser sa fille ou sa nièce.

Sortant de ses pensées, Marissa s'enquit :

— Vraiment ? Laquelle ?

— Je pense que cela lui est égal. Elle estime que toutes deux attendent le mariage depuis suffisamment longtemps.

Eh bien, il fallait reconnaître que Mrs Samuel avait le sens pratique, à défaut d'autre chose. Beth lui avait confié que le seul objectif de sa mère était de les voir, elle et sa cousine, se marier, afin qu'elles aient quelqu'un pour prendre soin d'elles si elle venait à retomber malade.

— Et… avez-vous une préférence ?

— Je n'y ai pas vraiment réfléchi. Miss Nanette Samuel semble avoir un sacré caractère. Je ne suis pas sûr qu'elle fasse une épouse idéale.

Marissa ne savait pas si elle devait fonder des espoirs pour Beth, ou s'offusquer que Harry aborde le sujet avec tant de froideur. Après tout, songea-t-elle, les mariages étaient généralement arrangés ainsi.

—Beth est mon amie la plus chère. C'est une personne exceptionnelle.

—Oui, elle est plutôt gentille, n'est-ce pas ? Je pense que je devrais y réfléchir. Elle est pudique et séduisante, et je crois que nous irions bien ensemble.

Marissa hocha la tête, gênée par l'étrangeté de la situation.

—Ne souhaitez-vous pas trouver l'amour, Harry ?

—Je suis certain que nous finirons par nous aimer. Je sais que d'ordinaire, notre famille aborde ces choses-là avec un peu plus de fougue, mais je suppose que je ne suis tout simplement pas d'une nature passionnée.

Marissa ne put retenir un sourire.

—C'est étrange, si l'on en croit vos talents d'acteur. Quel dommage que vous soyez né dans un milieu si respectable, sans quoi vous auriez pu écumer les planches à Londres.

Un tressaillement agita son visage.

—J'aurais bien aimé, je crois. J'avoue me sentir parfois un peu inutile.

—Pourquoi donc ?

—Edward détient toutes les responsabilités liées à son titre. Aidan possède une société importante. Quant à moi je… je suis seulement un divertissement agréable. J'ai toujours apprécié mes séjours ici, comme je vous le disais, mais je songe parfois que j'aurais dû me rendre utile en devenant pasteur.

—Vraiment ? Bonté divine, je n'arrive pas à vous voir en pasteur.

Il eut un sourire furtif.

— L'idée plaisait beaucoup à mère. J'aurais sans doute pu rendre les choses assez vivantes.

— Ce qui est certain, c'est que vos sermons auraient été animés ! Je vous imagine tout à fait illustrer toutes les paraboles avec des scènes de Shakespeare.

— Vous avez raison ! Peut-être est-il encore temps d'entrer dans les ordres.

Marissa se mit à rire, puis prit sa main entre les siennes.

— Je comprends ce que vous voulez dire, Harry. J'ai ressenti la même chose que vous. Après tout, que puis-je faire de ma vie à part me marier ? Mais vous êtes un gentleman. Vous avez une rente. Vous pouvez faire ce que bon vous semble, vous savez.

— Mais que pourrais-je faire ?

Elle haussa les épaules.

— Voyager autour du monde. Partir en Afrique. Visiter l'Orient. Vous avez la vie devant vous. Personne ne vous force à demeurer ici.

— Non, je suppose que je reste simplement parce que je suis bien. L'Afrique, hein ? (Il parut réfléchir à cette éventualité un moment, puis secoua la tête.) Non, j'aime trop cette famille, je crois, sans parler du confort de l'Angleterre. Et qui divertirait votre mère si je partais ?

— Je pense qu'elle est capable de se divertir elle-même.

Ils pouffèrent à cette idée, mais s'interrompirent subitement en voyant Jude entrer dans le salon avec un visage de marbre, les cheveux ébouriffés par le vent.

Glacée par le regard de Jude, Marissa se leva, laissant tomber son coussin à ses pieds.

— Ce n'était pas elle, dit-il simplement, avant de faire demi-tour et de sortir.

Ce fut tout. « *Ce n'était pas elle.* » Pas un mot de plus. Mrs Wellingsly l'aimait-elle réellement ? Comment savait-il qu'elle n'était pas coupable ? Que s'était-il passé quand cette femme s'était enfin retrouvée seule avec lui? Ses questions demeurèrent sans réponse.

Elle fut soudain assaillie par toutes les images épouvantables qui lui avaient traversé l'esprit pendant la journée. Jude parlant en privé avec Mrs Wellingsly. Lui, très ferme. Elle, défaillant sur lui. Et ensuite?

Marissa marcha à grandes enjambées vers la porte pour forcer Jude à répondre à ses questions, mais il n'était pas dans le couloir.

Elle leva les yeux juste à temps pour voir son ombre disparaître à l'angle, en haut de l'escalier, et la suivit sans hésitation.

Patience Wellingsly était une beauté délicate aux manières raffinées et aux yeux brillants d'intelligence. Elle n'aurait jamais dit à Jude qu'il était laid ni n'aurait insulté son charme, puisqu'elle le désirait. Non, elle faisait partie de ces femmes qui savaient flatter l'ego des hommes. Marissa n'avait jamais su faire ce qu'il fallait pour qu'ils se sentent importants, virils et valorisés. Elle savait éveiller leur désir, mais qu'en était-il de l'amour? Il s'agissait de deux choses complètement différentes.

Patience Wellingsly, elle, ressemblait à une princesse de contes de fées en détresse, et Jude avait déjà révélé son aptitude à jouer le rôle du vaillant héros.

Malade d'angoisse, Marissa gravit l'escalier à toute vitesse, en direction de l'aile sud du manoir.

Elle se rua vers la chambre de Jude, sans avoir à se préoccuper des autres invités. Seuls Jude et Harry couchaient à cet étage, bien qu'il y ait toujours le risque qu'un domestique parle. Mais pour l'heure, Marissa n'avait que faire de ce genre de petits commérages.

Une fois devant la porte, elle frappa. Puis, trop impatiente pour attendre une réponse, elle ouvrit d'un geste théâtral.

Jude leva les yeux vers elle. Il était en train de retirer ses boutons de manchette, et avait déjà ôté sa veste et sa cravate. Il n'était plus qu'un homme en culotte d'équitation, bottes et chemise. Il affichait une expression mauvaise. Marissa ne put s'empêcher d'arrêter sa course folle pour l'observer.

— Vos autres invités doivent vous manquer si vous en êtes réduite à me reluquer, moi.

Elle le regarda fixement encore un instant, puis entra dans la chambre et referma la porte derrière elle.

— Je veux savoir ce qui s'est passé avec Mrs Wellingsly.

— J'en suis certain.

Elle leva le menton.

— L'avez-vous vue ?

— Bien sûr que je l'ai vue.

Il posa son second bouton de manchette sur le buffet et sortit sa chemise de sa culotte, ce qui détourna l'attention de Marissa pendant un moment.

— Eh bien ? Qu'a-t-elle dit ?

— Elle a dit que ce n'était pas elle.

Elle ressentit comme un coup de poignard à l'idée qu'il ait trahi sa confiance.

— Vous lui avez raconté la vérité ?

— Non.

— Alors comment…?

Jude passa sa chemise au-dessus de sa tête d'un geste brusque qui provoqua un bref mouvement d'air sur le visage de Marissa. Elle sentit flotter jusqu'à elle la touche épicée caractéristique d'un savon masculin, mélangée à une odeur de transpiration et de cheval causée par sa longue cavalcade.

— Je lui ai dit que j'avais reçu une lettre étrange et que je voulais savoir si elle en était l'auteur. Maintenant, si vous voulez bien m'excuser, Miss York, j'aimerais me laver.

« *Miss York*. » Ces mots lui firent étrangement mal.

Il venait de la congédier. Il se retourna pour verser dans une bassine de l'eau qui se trouvait dans l'aiguière, comme s'il était seul. L'eau devait être glacée, pourtant il y plongea un linge qu'il frotta ensuite contre un pain de savon.

— Je ne comprends pas pourquoi vous la croyez juste parce qu'elle affirme que ce n'est pas elle.

— Parce que nous avons parlé d'autres choses, qui laissent penser qu'elle disait toute la vérité.

De nouveau l'angoisse submergea Marissa. Mais tandis qu'elle observait Jude passer son linge savonneux sur son cou et son visage, puis sur son torse et sous les bras, une certaine excitation vint se mêler à sa peur. Elle sentit son sexe se contracter à la vue de l'eau qui ruisselait sur le corps de Jude.

Comme il était curieux d'être spectatrice de cette scène : Jude effectuant les mêmes mouvements qu'elle quand elle se lavait. C'était une activité si terre à terre, et pourtant elle le regardait avec fascination savonner son torse athlétique et ses bras musclés. L'eau laiteuse dégoulinait le long de son ventre, dans les poils qui descendaient jusqu'à sa taille.

C'était la première fois qu'elle le voyait aussi dénudé, et il lui semblait si… différent. Large là où elle ne l'était pas, et mince aux endroits où son corps avait des formes. Son dos formait un V fascinant, puis devenait droit au niveau des hanches.

Marissa entendit sa propre respiration s'accélérer. Il plongea de nouveau le linge dans la bassine et se rinça avec l'eau propre.

— Est-ce qu'elle vous aime ? lâcha Marissa, alors qu'il s'apprêtait à déboutonner sa culotte d'équitation, sans la regarder.

Il lui jeta un coup d'œil et laissa retomber ses mains. Elle pensa qu'il était pudique, mais il s'assit alors sur une chaise et commença à retirer ses bottes. Il n'était pas pudique. Il avait juste oublié ses chaussures.

— Sans doute pas.

Marissa serra les poings.

— Pourquoi vous sentez-vous obligé de parler de façon aussi exaspérante ? Qu'est-ce que cela veut dire ?

Et pourquoi êtes-vous aussi froid ? Elle se retint de poser la question. Elle savait pourquoi. Elle avait seulement envie de savoir si c'était permanent. Quelle question stupide. *Pensez-vous que vous allez rester longtemps en colère contre moi ?*

Jude la regarda fixement en retirant sa seconde botte, puis ses chaussettes. La vue de ses pieds la fit sursauter. Ils étaient très larges. Parfaitement proportionnels à son corps, sans doute – elle ne leur avait jamais prêté attention auparavant. Mais désormais, nus, ils étaient grands et forts, et il y avait même des poils sur ses orteils. Elle refréna l'envie de retirer sa chaussure et de placer son propre pied à côté. Il paraîtrait si minuscule.

Elle se força à détourner le regard de ce spectacle et se rendit compte qu'il avait toujours les yeux rivés sur elle. Sans ciller, Jude se leva et commença à défaire les boutons de son pantalon.

— Mrs Wellingsly et moi-même nous sommes assis ensemble. (Premier bouton.) Je lui ai demandé ce qu'elle avait voulu dire lors de notre dernière conversation. (Deuxième bouton.) À propos de l'amour. (Troisième bouton.)

Il se tourna pour être face à la bassine, puis fit descendre sa culotte d'équitation. Marissa ne put retenir un hoquet de surprise. Il l'avait sûrement entendue, mais il ne lui accorda pas un regard. Il tendit simplement le bras vers le linge. Comme s'il n'était pas nu. Comme si ce n'était pas la première fois qu'elle voyait un homme nu.

Il pivota légèrement et, les yeux écarquillés, Marissa regarda fixement ses fesses. Mettant la main devant sa bouche pour étouffer d'autres éventuels bruits de surprise, elle le dévora des yeux. Elle avait l'impression de voir deux collines de muscles, avec de légères fossettes qui se creusaient sur les côtés quand il bougeait. Sa peau était si lisse et pâle, comparée au reste de son corps. L'envie de le toucher la démangea. De les laisser courir le long de sa colonne vertébrale, jusqu'à ses fesses. Puis de continuer, le long de ses cuisses qui saillaient vers l'extérieur, puissantes, et se couvraient de poils.

Marissa regarda l'eau dégouliner sur les cuisses de l'homme, avant de serpenter autour de ses mollets, puis de goutter sur le tapis. L'odeur épicée du savon se fit plus lourde dans l'air et l'enveloppa, l'étourdissant légèrement.

Il attrapa une serviette et la plaça sous ses pieds pour éviter d'inonder le sol. Distraite par la serviette, Marissa mit quelques instants avant de prendre conscience qu'il s'était tourné vers elle. En le voyant de face, elle pressa ses doigts si fort contre sa bouche qu'ils s'engourdirent.

Jusqu'à ce jour, elle avait seulement jeté quelques coups d'œil furtifs à des hommes dans l'obscurité. Elle avait une connaissance rudimentaire de l'aspect et du fonctionnement de leur corps, cela s'arrêtait là. Mais à présent, elle voyait la virilité de Jude dans toute… sa splendeur.

Sa verge pendait, longue et épaisse, d'une couleur plus rougeâtre qu'elle ne se l'était imaginé. Autour, ses testicules, ronds et fermes. Il avait déjà dû se laver, car la toison sombre entourant son membre était humide, et sa peau luisante. Tandis qu'elle le contemplait, le sexe se raidit devant ses yeux. Elle inspira profondément, tentant d'apaiser les palpitations de son cœur.

— Lors de notre conversation, poursuivit-il comme si de rien n'était, Mrs Wellingsly a reconnu qu'elle avait envisagé la possibilité de tomber amoureuse de moi.

Ces paroles étaient sans doute les seules qui auraient pu lui faire détourner les yeux de la virilité de Jude. Elle leva la tête vers son visage, et fut frappée par la froideur brutale qui se lisait dans son regard.

— Vraiment ?

— Oui, répondit-il en s'essuyant lentement le torse avec la serviette. Elle m'admire et me désire.

Choquée, Marissa eut soudain l'estomac retourné.

— Mais elle s'est rendu compte qu'elle ne m'aimait pas. Pas vraiment. Elle aime seulement l'idée d'être amoureuse de moi.

Le soulagement envahit Marissa, mais brusquement, une autre peur s'empara d'elle. Venait-il de penser à Patience Wellingsly ? Après tout, comment pourrait-il s'en empêcher ? Une si belle femme, qui venait de lui avouer son admiration et son désir pour lui… Il devait se demander ce que cela ferait d'accepter ce qu'elle lui proposait. Il devait se l'imaginer…

Pendant que Marissa se tourmentait ainsi, Jude avait terminé sa toilette. Il se rinça une dernière fois, puis attrapa un autre drap de lin.

— Mrs Wellingsly vous envoie ses meilleurs vœux, à propos. Elle a déclaré se réjouir de notre union. Je crois qu'elle était sincère.

Il ne la quittait pas des yeux en s'essuyant, tandis que Marissa promenait son regard sur sa nudité, tentant de s'en imprégner, remarquant la façon dont son sexe grossissait et se dressait dans une excitation impatiente. Comme quand elle avait touché son torse. Quand elle l'avait embrassé, assise à califourchon sur lui.

Il la désirait encore. Même quand il était en colère contre elle. Et elle voulait obtenir davantage de lui.

— Alors oui, dit Jude, je l'ai crue. Et si vous vous demandez si je l'ai touchée, la réponse est non.

— Je… (Elle se força à lever les yeux, et vit que l'émotion avait assombri son regard, désormais impénétrable.) Je craignais seulement que…

— Mais vous, Marissa, je vais vous toucher, tout de suite, si vous ne partez pas.

— Quoi ?

Elle prit une profonde inspiration, tandis qu'une légère appréhension faisait frémir son corps excité.

— Je vais vous posséder maintenant et mettre fin à cette farce ridicule entre nous. Et nous allons nous marier. Comprenez cela. Si je vous possède, il y aura un mariage.

Elle parcourut son corps des yeux, sentant la peur accentuer son excitation. Il la posséderait. Si elle le laissait faire. Il l'allongerait sur le lit et étendrait son corps nu sur le sien, puis il se glisserait entre ses jambes et…

— Retournez-vous, rugit-il. Cessez de me regarder comme si vous en aviez envie et partez. Parce que nous savons tous deux que vous allez le regretter demain matin, quand vous vous rendrez compte que vous êtes coincée avec moi pour le reste de votre vie.

— Jude…

— Partez !

Sa voix éclata dans la chambre en faisant trembler les murs, du moins c'était son impression. Il s'avança vers elle d'un air hargneux, et Marissa sut qu'elle aurait dû avoir peur, mais ce n'était pas le cas.

Pourtant, elle ne le voulait pas de cette façon, alors qu'il était animé de désir et de haine. Il avait raison, elle aurait des regrets, si ce n'était plus.

Elle jeta donc un dernier regard au corps fier de Jude et tourna les talons, même si son cœur battait à tout rompre. Son cœur le voulait, lui, et se révoltait contre la maîtrise sévère de sa raison. Marissa était plutôt d'accord.

Chapitre 18

*I*l ne restait plus que sept personnes dans la maison. Sept personnes seulement, et pourtant, Marissa n'avait pas même réussi à ne serait-ce qu'entrevoir Jude depuis la scène dans sa chambre. Il était absent pendant le petit déjeuner, car il était parti à cheval. Marissa avait déjeuné dans les appartements de sa mère, pendant que la couturière terminait des retouches de dernière minute sur les robes que la baronne avait fait transformer. L'après-midi avait été passé à trier de vieux vêtements que sa mère tenait à faire parvenir aux pauvres du village avant que le temps se refroidisse davantage.

Mais pendant toute la journée, la nervosité avait donné de l'énergie à Marissa. Les hommes avaient décidé qu'il fallait se résoudre à payer les cinq mille livres. Ils n'avaient pas d'autres suspects à interroger. Pas d'autre piste à suivre. Si Charles était présent au bal, il serait pris à part et questionné dans la plus grande discrétion. L'argent serait cependant déposé conformément aux instructions, et les hommes surveilleraient à tour de rôle la cachette pour voir qui viendrait le retirer. La fête qui devait avoir lieu ce soir-là était très prisée, ce qui expliquait sans doute pourquoi cette journée avait été choisie. Le coupable pourrait se cacher parmi des dizaines de voisins ou d'invités. Il n'y aurait aucun moyen de mettre la main sur le maître chanteur, à moins que le piège fonctionne parfaitement.

Et ensuite, que se passerait-il?

Marissa arpenta le salon avec inquiétude. Le front douloureux à force de trop froncer les sourcils, elle faisait des allers et retours entre la cheminée, où flambait un grand feu, et les fenêtres glacées.

Elle était certaine que le maître chanteur serait attrapé, mais la question était de savoir s'il pourrait être arrêté. Parviendraient-ils à le convaincre d'abandonner ses plans et de garder le silence?

À moins d'un meurtre, il n'y avait aucun moyen pour qu'ils en soient certains, et sa vertu compromise n'était pas une raison suffisante pour tuer.

Et puis, elle avait tant d'autres soucis en tête. Que pensait Jude? Que voulait-il? Que ferait-il une fois que toute l'histoire serait réglée?

La porte du salon s'ouvrit brusquement, et Marissa se retourna dans l'espoir de voir Jude, mais c'était seulement sa mère.

—Où sont tous les autres? demanda Marissa d'une voix plaintive.

Sa mère enfila des gants et vint s'asseoir dans un fauteuil proche du feu.

—Il fait si froid que j'ai demandé aux hommes de monter d'abord dans les calèches. Une fois que les braseros les auront réchauffées, nous les rejoindrons.

—Ils sont déjà dehors, alors?

—Pour la plupart, oui.

Marissa tendit le cou pour jeter un coup d'œil dans le couloir.

—Et Jude?

Sa mère écarta la question d'un geste de la main.

—Je ne sais pas. Mais je veux que vous montiez dans ma voiture. Il y a encore tant à faire pour organiser la fête du lendemain de Noël. Je refuse de prendre le même chœur que l'année dernière. Mon Dieu, il était si ennuyeux, vous n'êtes pas d'accord ?

— Ses chants étaient un peu spirituels, mère, mais…

— C'était affreux ! Cette année, je voudrais des mimes. Ne serait-ce pas merveilleux ? Et des feux d'artifice ! Oh, Marissa, cela va être spectaculaire !

— Avez-vous parlé de vos projets à Edward ?

Sa mère fit un geste dédaigneux.

— Bah. Ces soirées ne font qu'élever son statut dans la société.

— Et épuiser les réserves de ses coffres.

Sa mère ricana comme s'il s'agissait d'une plaisanterie, mais Marissa ne s'inquiéta pas outre mesure. Elle savait qu'Edward réservait chaque année une certaine somme pour les frivolités de sa mère. De temps en temps, il intervenait pour remplacer, par exemple, des roses rouges françaises au prix exorbitant par de modestes roses anglaises. Mais le fleuriste avait pour consigne de leur laisser une appellation française. Il était suffisamment intelligent pour savoir comment se comporter avec la baronne douairière.

Quoi qu'il en soit, Marissa n'avait pas le temps de se tracasser pour l'argent d'Edward. Elle était occupée à penser au corps nu de Jude et se demandait si elle le reverrait un jour. Jude était tellement en colère. Elle avait dans l'idée de s'installer à côté de lui dans la voiture et de le harceler jusqu'à ce qu'il lui avoue ce qu'il ressentait pour elle, mais il semblait qu'elle soit coincée avec sa mère.

Marissa serra la mâchoire et, quand le valet entra dans la pièce en s'inclinant pour annoncer que les calèches étaient suffisamment chaudes, elle fit un geste en direction de sa mère.

— Après vous.

Elle la suivit vers la calèche de tête et parvint à y jeter un coup d'œil pendant que l'on y installait sa mère. Pas de trace de Jude, juste Harry, Edward et tante Ophélia. Marissa posa un pied sur la marche, puis s'arrêta brusquement et regarda autour d'elle.

— Oh, excusez-moi, mère. Je viens juste de me souvenir que je devais parler avec Aidan au plus vite !

— Mais, Marissa ! s'exclama sa mère alors que sa fille tournait les talons et se précipitait vers le second équipage.

Avant de l'atteindre, elle entendit sa mère soupirer profondément :

— Eh bien, baron York, je suppose que c'est vous qui allez devoir m'aider à prendre des décisions.

Pauvre Edward.

Mais, Marissa avait réussi à s'échapper, et oublia donc vite sa compassion. Elle ouvrit brusquement la porte de la calèche et se hissa à l'intérieur. Son étole traînait derrière elle, aussi la tira-t-elle avant de se laisser tomber sur le siège à côté d'Aidan.

Et en face de Jude.

Elle tenta de réprimer sa nervosité et le regarda droit dans les yeux. Elle sentait qu'elle avait les joues en feu, mais elle eut l'impression de déceler également un soupçon de rouge sur ses pommettes à lui, ce qui lui donna le courage de lever un sourcil. Jude détourna la tête et fit semblant de regarder par la fenêtre.

— Bonsoir, ma sœur, dit Aidan d'une voix lente.

Elle jeta un coup d'œil vers lui et vit qu'il était affalé contre le siège, paupières closes. Il avait l'air d'un libertin impénitent, les bras croisés et les jambes étendues, comme s'il voulait piquer un petit somme avant les festivités.

— La nuit a été courte ? demanda-t-elle.

— Je n'arrivais pas à dormir, répondit Aidan en bâillant.

— Et vous, Mr Bertrand, avez-vous bien dormi ?

— Oui, répondit Jude.

—Vraiment? Quant à moi, j'étais dans un état plutôt agité. Mon esprit ne voulait pas cesser de penser.

—Signe d'une conscience coupable? marmonna-t-il.

Aidan pouffa.

—C'est généralement mon problème. Peut-être s'agit-il d'un trait de famille. Vous sentez-vous coupable du drame dans lequel vous avez mêlé tout le comté, Marissa?

—Je n'ai rien demandé à personne! Et non, ce n'était pas de la culpabilité. J'étais en colère contre Jude. Savez-vous que cette femme lui a avoué qu'elle avait envisagé de tomber amoureuse de lui?

Aidan ouvrit un œil.

—Vraiment? Réfléchissez avant de vous jeter dans ses griffes, mon ami. À votre place, j'agirais prudemment.

—Aidan York! s'écria sèchement Marissa. Jude est mon fiancé!

Il referma les paupières.

—Je croyais que vous vouliez vous en débarrasser.

—Je... (Horrifiée par ces paroles crues, elle regarda son frère, puis Jude, qui plissa ses yeux sombres devant son hésitation.) Il n'est pas question de cela. Nous nous sommes tous deux mis d'accord pour respecter le décorum de ces fiançailles.

Son frère émit un grognement d'indifférence.

Jude reprit ses efforts pour faire mine de ne pas la voir, mais Marissa n'en avait pas terminé.

—J'essaie seulement de vous parler. Est-ce trop vous demander que de m'accorder quelques minutes d'attention?

—Je ne suis pas d'humeur à parler, grommela-t-il.

—Très bien, dit Aidan en se redressant pour cogner contre le plafond de la calèche et signaler au cocher de s'arrêter. Je ne supporterai pas de demeurer quarante-cinq minutes là-dedans avec vous deux. Avec toutes ces accusations inexprimées, l'air est irrespirable. Je vais passer devant à cheval. Et tenez-vous bien.

Sautant dehors, il laissa Marissa seule avec Jude, qui resta assis à regarder d'un air furieux la porte qu'Aidan venait de claquer.

L'atmosphère entre eux était chargée d'électricité, comme si un gros orage se préparait au-dessus de leurs têtes. La calèche s'ébranla et se remit en route.

—Pourquoi êtes-vous si cruel ? demanda Marissa.

Il ne la gratifia même pas d'un regard.

—Je suis désolée si je vous ai blessé hier. C'est juste que… je ne comprends pas.

—Vous avez été très claire à ce sujet.

—Comment cela ?

—Vous ne comprenez pas l'attirance que Patience éprouve pour moi.

Patience. Oh mon Dieu, entendre Jude prononcer ce nom lui fit l'effet d'étincelles lui enflammant la peau.

—Ce n'est pas juste elle. J'ai vu la façon dont d'autres femmes vous regardaient. Comme si… comme si vous étiez le meilleur parti de la Saison. Riche, titré et…

—Beau ? la coupa-t-il d'un ton amer.

Oui, répondit-elle dans sa tête. *Elles vous regardent comme si vous étiez beau alors que vous ne l'êtes pas.* Mais c'était une vérité qu'elle ne pouvait pas énoncer à voix haute, même s'il s'en était déjà chargé une fois. *« Vous me trouvez laid »*, avait-il dit. Marissa sentit sa gorge se serrer.

—Vous me troublez tellement, murmura-t-elle.

Il tourna enfin les yeux vers elle. Elle s'attendait à les trouver brûlants, mais ils étaient toujours glacials.

—Je ne vais pas vous faire la liste de toutes mes qualités comme si je m'efforçais à tout prix de gagner votre approbation. Je vous ai proposé de vous donner mon nom parce que je vous aimais bien, et que j'espérais réussir à vous inspirer la même admiration.

— Mais je vous aime bien ! Je vous l'ai déjà dit.

— Et pourtant vous vous torturez l'esprit pour essayer de comprendre ce que les autres femmes voient en moi. Désirez-vous vraiment le savoir ?

— Je… je vois bien que vous êtes un homme de bien, Jude. Je le comprends.

— Ce n'est pas ce qu'elles cherchent chez moi, grogna-t-il. Elles ne veulent pas mon cœur, douce Marissa, elles veulent l'homme que je suis. Elles veulent mon corps. Elles veulent les choses que je peux leur faire et les sensations que je peux faire naître chez elles. Je suis grand et fort, et j'ai des origines peu glorieuses. Elles savent que ma mère était une catin, et se disent que je serai un animal dans leur lit.

Il s'arrêta, comme s'il la mettait au défi de lui répondre.

Marissa se rendit compte qu'elle avait la bouche ouverte. Elle songea qu'elle aurait dû dire quelque chose, mais quoi ?

— Je connais cette sorte d'admiration depuis longtemps. Je la comprends parfaitement, que ce soit votre cas ou non. Et cela ne m'a jamais dérangé. Jamais. Jusqu'à ce que je prenne conscience que je souhaitais susciter plus que cela chez vous. Mais c'est également la seule chose que vous voyez en moi, n'est-ce pas ? Une grande brute laide qui peut vous satisfaire en privé, mais avec qui vous ne pouvez rien envisager d'autre, n'est-ce pas ?

— Non ! s'écria-t-elle. C'est faux !

— Au contraire, mais je comprends que vous refusiez d'admettre votre superficialité.

Elle inspira si brusquement qu'elle ressentit une douleur quand l'air pénétra dans ses poumons, comme s'il la glaçait jusqu'au sang.

— Mais je vous ai dit… je vous ai dit que je vous considérais comme mon ami. (Il rejeta ses paroles d'un geste brusque de la main.) Jude, je vous en prie. Je sais que je vous ai lancé des horreurs, hier, mais c'était uniquement parce que j'étais… blessée.

Marissa avait récupéré son attention, pourtant elle se prit presque à souhaiter qu'il détourne de nouveau son regard. Il avait toujours été capable de déceler chez elle des choses qu'il était le seul à voir, mais il s'agissait de choses qu'il aimait. Il l'avait taquinée, lui avait fait des compliments, et avait voulu en apprendre davantage. Mais à présent, elle lisait du mépris dans ses yeux. Et de la douleur.

— Peut-être que demain, rétorqua-t-il, je vous prierai aussi de m'excuser pour avoir dit des horreurs. Mais ce soir, j'aimerais qu'on me laisse en paix.

Marissa ne parvint à retenir ses larmes qu'au prix d'un immense effort.

— Je n'ai rien demandé de tout ce qui m'arrive. Je n'ai pas demandé à vous plaire. Je vous ai encore moins demandé de vous proposer pour devenir mon mari. Vous n'avez aucun droit de me tenir rigueur pour mes sentiments ni de les juger. Ce que vous voulez ou ne voulez pas de moi est votre responsabilité, et non la mienne.

L'espace d'un instant, Marissa aperçut une lueur dans son regard glacial, une lueur d'une telle intensité qu'elle baissa instinctivement les yeux vers ses mains, serrées et tremblantes.

— Vous avez raison, bien sûr, murmura-t-il. Veuillez m'excuser d'avoir tenté de mettre sur vos épaules une responsabilité que vous n'avez pas choisie. C'était très égoïste de ma part.

Les mots de Jude n'apaisèrent pas sa douleur. Au contraire, ils ne firent que l'accentuer, jusqu'à ce qu'elle ait l'impression que quelque chose se déchirait en elle.

Elle n'avait jamais pratiqué l'introspection à outrance, mais elle comprenait malgré tout certaines choses sur elle-même. Elle avait toujours été un peu différente des autres filles de la bonne société. Elle ne ressentait pas les choses de façon aussi intense qu'elles semblaient le faire. Elle s'était déclarée amoureuse de Charles à une époque, mais à la vérité, il ne s'agissait que d'une attirance. Et elle avait éprouvé de l'attirance pour un grand nombre d'hommes.

Par ailleurs, elle avait rarement été blessée par les paroles ou les opinions des autres. Mais désormais, elle ne pouvait plus nier sa capacité à ressentir des émotions aussi profondes et authentiques qu'une autre. Son cœur avait semblé transpercé par la souffrance de Jude, et la jeune femme sentait à présent un flot de sang se répandre dans sa poitrine.

Pourquoi ? Parce qu'il était réellement son ami ? Ou plus que cela ?

Elle avait affirmé ne pas comprendre Jude ni son pouvoir de séduction auprès des autres femmes, mais peut-être s'était-elle trompée pendant tout ce temps. Peut-être n'arrivait-elle tout simplement pas à comprendre ses propres sentiments pour lui, des sentiments qui ne faisaient que s'intensifier.

Le mépris avait cessé de briller dans les yeux de Jude, qui regardait la nuit tomber au-dehors. Marissa l'observa, sans craindre qu'il ne s'en rende compte. La première fois qu'elle l'avait vu, elle avait été frappée par son visage curieux – et oui, elle l'avait trouvé laid. Mais en le contemplant à présent, elle songea simplement que c'était Jude. La colère conférait à son visage inégal un air mauvais, pourtant il n'était pas effrayant. Sa bouche avait beau être trop large, elle était de la largeur idéale pour l'embrasser en lui faisant oublier tout le reste. Ses yeux sombres rehaussés de sourcils épais n'évoquaient pas la moindre trace de douceur, mais ils semblaient faits pour lui inspirer des pensées qui la faisaient frissonner jusqu'au plus profond de son être.

Il n'était pas beau, mais avec lui, Marissa avait envie de plus que de la beauté. Plus que des jambes élégantes et des amourettes frivoles.

Elle attendait également plus d'elle-même.

—Jude…

—Laissez-moi tranquille, Marissa. Je vous en prie.

—Mais après ce soir… si nous devons nous marier…

Il secoua la tête. Que signifiait ce geste?

Les mots que Marissa s'apprêtait à prononcer moururent sur ses lèvres. Il ne voulait même pas lui parler. Il ne voulait plus rien d'elle, alors qu'elle avait justement envie de tellement plus.

Elle baissa la tête et tenta de se rassurer en se disant que tout irait bien. Et si Jude refusait de l'épouser alors qu'elle était compromise… eh bien, elle n'aurait obtenu que ce qu'elle avait mérité. Heureusement, aucune sœur ne risquait d'être entraînée dans sa chute. Au moins il n'y avait qu'elle, elle seule.

Chapitre 19

La foule aux vêtements colorés tourbillonna devant Jude comme une volée d'oiseaux agités. Il parcourut la salle de bal d'un regard noir, insensible à la joyeuse animation qui y régnait.

Il était trop troublé pour pouvoir apprécier la beauté de la scène. Parmi tant d'autres inquiétudes inavouées, il craignait que Harry ne soit impliqué dans cette histoire de chantage. Si c'était le cas, Marissa aurait le cœur brisé par sa trahison.

Mais plus encore, Jude était perdu dans son propre passé, accablé par le poids qu'il portait sur les épaules.

Quand il avait rejoint la demeure ducale de son père, Jude pensait qu'il ne se sentirait pas à sa place. Qu'il serait marginalisé au moins, détesté au pire. Mais il avait été agréablement surpris par l'accueil qui lui avait été réservé. Sans non plus le traiter comme l'un de ses enfants, la duchesse avait été bonne avec lui et ne l'avait pas méprisé. Quant à ses deux jeunes demi-frères, ils avaient ressenti de l'admiration pour ce garçon étranger si fort.

Depuis qu'il était devenu adulte, il suscitait également ce sentiment chez un grand nombre de dames de la bonne société.

Il se rappelait encore la satisfaction qu'il éprouvait dans la maison de son père. Même s'il avait eu le cœur brisé en quittant sa mère, puis le mal du pays, il avait aussi été soulagé de s'intégrer si facilement dans son nouveau foyer.

Il en avait toujours éprouvé de la reconnaissance, et n'en avait pris conscience que récemment. Le bâtard d'une courtisane était une chose, mais le bâtard d'un duc en était une autre. La chaleur de la maison maternelle lui manquait et il la retrouvait toujours avec délices pendant les mois d'été qu'il passait auprès d'elle, cependant il appréciait le respect qu'il inspirait en sa qualité de fils de duc.

Ce respect lui avait procuré la confiance qui imprégnait toutes les fibres de son être. C'était cette confiance qui lui permettait de se mouvoir dans la bonne société en se sentant l'égal de ses membres.

Ou du moins, c'était ce qu'il avait toujours cru. Mais Marissa avait mis le doigt sur le fait qu'il n'était pas tout à fait leur égal. Peut-être pas leur inférieur, mais sans aucun doute quelqu'un de différent. C'était un secret qu'il pouvait s'avouer et assumer, mais il avait plus de mal à digérer le fait qu'il éprouvait toujours du soulagement à se sentir accepté.

Ce secret expliquait la façon dont il avait eu l'intention de faire la conquête de Marissa York. Il se rendait à présent compte qu'en la séduisant, il voulait simplement faire tomber ses défenses pour se frayer un chemin jusqu'à son cœur, et l'amener ainsi à ressentir un véritable amour pour lui. Comme si, pour pouvoir l'aimer, une dame devait être prise au piège.

Il sourit amèrement et guetta Marissa sur la piste de danse.

Mon Dieu, c'était une véritable beauté. Il le lui avait déjà souvent dit, mais il ne pensait pas qu'elle ait compris qu'il ne parlait pas uniquement de son apparence. Elle était vivante, intelligente, courageuse et passionnée. Et oui, un peu futile. Mais elle avait raison de souligner qu'elle n'était pas responsable de la douleur qu'il ressentait. Il ne pouvait s'en prendre qu'à lui-même.

Sentant une présence à ses côtés, Jude tourna la tête et regarda Aidan d'un air grave.

— Tout est en place ? demanda Jude à voix basse.

— Oui. Edward prend le premier tour de garde. Je le retrouverai à la folie grecque dans une heure. Ensuite ce sera à vous, puis de nouveau à Edward.

— Nous risquons d'y passer la nuit.

— C'est possible, approuva Aidan.

Marissa apparut devant eux, dansant un quadrille, le visage légèrement figé.

— J'ai le sentiment que vous avez changé d'avis à propos de ma sœur. Allez-vous tout annuler ?

Jude secoua la tête.

— Eh bien, la perspective de votre mariage ne semble pas vous réjouir beaucoup.

— Ne vous en mêlez pas. Nous avons eu une dispute. C'est tout.

— À propos de Patience ?

— Je vous ai dit de ne pas vous en mêler.

— Pour l'amour du ciel, marmonna Aidan. Vous agissez comme un imbécile…

Jude serra les dents et regarda la piste de danse avec des yeux si étincelants de colère qu'un gentleman lui lança un coup d'œil effrayé.

— À vrai dire, vous semblez dans un état aussi misérable que moi quand j'ai perdu ma… la femme que je voulais épouser.

Aidan n'abordait jamais le sujet, aussi Jude fut-il si surpris par ses paroles qu'il en oublia un instant sa mauvaise humeur.

— Mais elle est morte, observa-t-il stupidement.

—Oui, mais une dispute avait eu lieu. Avant. Nous nous étions séparés quelque temps… puis je ne l'ai jamais revue.

—Mon Dieu, je suis désolé.

Aidan haussa les épaules, comme s'il voulait chasser ce souvenir.

—Mais revenons-en à vous…

—Je ne préférerais pas.

Aidan n'insista plus. Ils restèrent côte à côte dans un silence glacial, comme les gentlemen de la bonne société le faisaient souvent. Après un certain temps, Jude se rendit compte que les danseurs avaient changé de partenaires et jeta un coup d'œil à l'homme qui donnait le bras à Marissa.

—Qui est-ce ?

Aidan suivit son regard, et son visage se durcit.

—Le tristement célèbre Charles LeMont.

—Bonté divine !

Comme Jude s'en doutait, le premier amour de Marissa était un homme à la silhouette élancée, avec des boucles dorées savamment décoiffées. Son visage était pâle et lisse, comme celui d'une fille. *Quelle plaisanterie !*

—Il a pratiquement violé votre sœur. Allez-vous simplement les laisser danser ?

—Et vous ? demanda Aidan lentement.

Jude vit rouge. Il respira alors profondément et songea que provoquer une scène dans la salle de bal serait encore pire que de laisser le maître chanteur répandre des rumeurs sur le compte de Marissa.

—Edward l'a pris à part dès notre arrivée, mais LeMont ne semblait pas avoir la moindre idée de ce qu'il lui voulait. Sa femme s'est alors précipitée sur lui pour lui demander de jeter un coup d'œil à notre cheval malade. Il a l'air parfaitement inoffensif.

Malgré sa colère, Jude dut reconnaître que c'était vrai. Il avait beau être joli garçon, il ne ressemblait en rien à un débauché, et ne touchait Marissa que quand la danse l'exigeait. Jude ne se détendit pas pour autant. Marissa dansait avec son ancien amant, en sachant que Jude la verrait et qu'il serait jaloux. Juste à cet instant, les yeux de Marissa croisèrent les siens à travers la pièce. Elle le regarda avec insistance, sans la moindre rougeur embarrassée sur ses joues.

Et Charles LeMont avait vu ses cuisses. C'était plus que ne pouvait en dire Jude.

Énervé contre lui-même, il tourna les talons et se dirigea vers la grande salle, sans un mot pour Aidan. Jude n'avait jamais pensé que la jalousie était une solution, quelle que soit la situation. C'était un sentiment stérile, qui s'emparait des individus sans fierté. Une femme avait envie d'un homme ou n'en avait pas envie. Elle était fidèle ou elle ne l'était pas. Aucun accès d'angoisse ni de rage n'y changerait rien.

Et pourtant, voilà qu'il se tourmentait à propos de Marissa, comme si elle était une babiole qu'il pouvait posséder.

Il était sorti de la salle de danse juste pour fuir la foule, et peut-être prendre un verre de brandy pour calmer ses nerfs. Mais alors qu'il était à deux doigts de s'échapper de la soirée, une femme lui barra soudain la route. Jude se retrouva pétrifié.

—Bonjour, Jude, fit-elle doucement, ses yeux se plissant dans un sourire.

—Corrine, répondit-il dans un état de choc, incapable de trouver autre chose à dire.

—Quelle joie de vous revoir.

—Vous êtes rentrée de Jamaïque.

À l'évidence.

—Le climat y est horriblement chaud. J'ignore comment ma sœur fait pour survivre là-bas, dit la jeune femme en soupirant de façon charmante.

Petit à petit, le cœur de Jude se calma et il recouvra en partie ses esprits.

— Comment se portent votre sœur et sa famille ?

Elle parla un peu de la plantation qu'elle avait visitée et de la vie sur l'île, tandis que Jude essayait de se remettre du choc qu'il avait ressenti en voyant son ancienne maîtresse, à un bal de campagne au milieu de nulle part. Ses cheveux noirs et ses yeux bruns n'avaient pas changé, mais sa peau s'était légèrement hâlée pendant son séjour, et elle avait minci.

— Si j'ai bien compris, des félicitations sont de rigueur, dit-elle enfin, son regard tombant sur son torse tandis qu'elle secouait la tête. Je ne sais pas pourquoi je suis surprise, mais je le suis.

— Merci. Ne vous êtes-vous pas encore remariée ? J'étais pourtant certain que vous rencontreriez un fringant capitaine de bateau qui vous emmènerait faire le tour du monde.

Elle se mit à rire, de ce rire de gorge qu'il connaissait si bien et qui, il fut un temps, suffisait à susciter chez lui un désir impatient. Objectivement, c'était une femme d'une beauté moyenne, mais sa joie de vivre était telle que tous les gens qu'elle rencontrait tombaient sous son charme.

Corrine secoua la tête.

— Un capitaine de bateau pourrait en effet être un mari idéal, mais j'ai l'impression qu'ils sont plus souvent sérieux et grognons que fringants.

— Quel dommage.

— En attendant, allez-vous m'inviter pour une danse ? C'est peut-être ma dernière chance de me glisser dans vos bras, si votre mariage se révèle heureux. Et je suis partie si vite pour la Jamaïque que j'ai déjà laissé passer une chance de prendre dignement congé de vous. Je détesterais manquer également cette occasion.

Ces mots contenaient une promesse, qui allait bien au-delà de la simple danse. Jude répondit par un sourire embarrassé et s'apprêta à trouver une excuse pour refuser cet honneur. Il n'était pas homme à laisser le désir lui dicter ses actions, et ne se sentait pas tenté, malgré la relative incertitude de son avenir avec Marissa.

Mais il se ravisa juste à temps, en se rappelant la façon dont Marissa l'avait regardé, tandis qu'elle dansait dans les bras de son ancien amant.

—J'en serais honoré, s'entendit-il dire, en s'inclinant devant Corrine et en lui offrant le bras.

Cela ne lui ressemblait pas. Pas du tout. Mais il percevait le goût amer de la jalousie dans sa bouche, et ne parvenait pas à s'en débarrasser.

Il danserait avec Corrine, ne serait-ce que pour se dire qu'il n'avait pas perdu cette bataille. Mais la guerre… La guerre était une tout autre histoire. Il y avait seulement deux issues possibles. Soit Marissa poursuivrait sa vie de son côté, soit ils se marieraient, et il aurait une femme pensant avoir épousé quelqu'un en dessous de sa condition.

Sachant pertinemment que cela ne conduirait à rien, Jude mena Corrine au milieu de la piste, au moment où les premières notes de la valse retentissaient.

Essoufflée après avoir dansé, Marissa se fraya un chemin parmi la foule pour retrouver Aidan et Jude. Elle avait quelque chose à leur dire, sans quoi elle les aurait sans doute évités pendant toute la soirée. De loin, elle avait vu que Jude avait l'air d'un taureau furieux, désireux d'encorner au moins quelques invités avant la fin de la soirée. Quand elle vit qu'Aidan était seul, elle ne s'étonna pas de ressentir un vif soulagement. En dépit de cela, elle éprouva un pincement au cœur à l'idée qu'elle ne serait pas près de Jude.

—Vous vous amusez, Marissa ? s'enquit Aidan en faisant signe à un valet d'apporter une coupe de champagne.

—Je ne vois pas comment je le pourrais. Je veux seulement que cette soirée se termine. Edward est-il… ?

—Oui. J'irai le remplacer dans environ une demi-heure.

—Aucune nouvelle, donc ?

—Aucune.

Un valet lui tendit une coupe de champagne, et Marissa la garda dans ses mains sans la boire.

—J'ai dansé avec Charles.

—J'ai vu. Nous nous sommes demandé avec Jude si votre intention était d'inciter l'un de nous deux à la violence.

Elle leva les yeux au ciel.

—Charles est innocent, c'est ce que je suis venue vous dire. Il n'a fait que parler de la grossesse de sa femme. Il est fou de joie. Il n'y avait même pas l'ombre d'une gêne entre nous. Je suis donc absolument certaine que ce n'est pas lui.

—Peut-être espérait-il vous blesser, en vous entretenant de l'enfant qu'il allait avoir avec une autre ?

—Non, je suis sûre qu'il ne s'agissait pas de ça. Il a parlé de son épouse avec une grande tendresse. Avant, il y avait toujours une certaine tension entre nous, comme si Charles se souvenait des sentiments que nous avons autrefois partagés chaque fois qu'il me voyait. Mais c'est du passé, désormais. Ou peut-être ai-je changé… je ne saurais dire.

—Avez-vous changé ? demanda-t-il.

Elle secoua la tête, incapable de répondre. Avait-elle changé, ou bien était-ce simplement le résultat de tout ce qui s'était produit ce dernier mois ?

Alors qu'elle méditait sur cette question, Marissa entrevit une paire d'épaules familières sur la piste de danse. Elle mit quelques instants avant d'être sûre qu'il s'agissait de Jude, car il était entouré de danseurs. Mais c'était bien lui, et tandis qu'il tournait au rythme lent et sensuel d'une valse, Marissa aperçut sa partenaire.

Celle-ci lui était inconnue, ce qui la surprit, car les mondanités de la saison de la chasse s'adressaient généralement à un cercle restreint. Elle avait de beaux cheveux noirs et des yeux bruns chaleureux, mais mis à part cela, son visage n'avait rien d'exceptionnel. En temps normal, Marissa l'aurait à peine remarquée. Et elle aurait certainement rejeté avec mépris l'idée d'être menacée par cette femme.

Mais malgré son apparence ordinaire, la cavalière de Jude rayonnait de… de savoir. Elle se mouvait au rythme de la musique comme si son corps était un mystère qu'elle seule comprenait. Elle était consciente du pouvoir de ses grands yeux, et n'hésitait pas à en user. Et elle connaissait Jude. Intimement. Marissa s'en aperçut tout de suite. Patience Wellingsly regardait Jude avec du désir dans les yeux. Mais cette femme le regardait comme si elle l'avait déjà eu, et savait qu'elle l'aurait de nouveau.

Marissa voyait cela au sourire imperceptible sur ses lèvres et au haussement de son sourcil. Elle le voyait aussi à sa façon de tenir le bras de Jude. Sans le serrer ni le cramponner. Ses doigts reposaient dessus avec décontraction et légèreté. Elle leva les yeux vers lui en riant, et Jude lui sourit.

Ce sourire. Ce sourire en coin qu'il réservait à Marissa. Il adressait à cette étrangère ce sourire qui faisait toujours battre le cœur de Marissa un peu plus fort. La femme tourna la tête sur le côté, et Marissa vit le regard de Jude descendre sur sa gorge.

Marissa sentit tout son corps se glacer, malgré sa peau brûlante.

Aidan lui parla, mais elle ne comprit pas ses paroles.

—Pardon ?

—Je voulais savoir si vous désiriez autre chose à boire.

—Non, merci.

Elle but une gorgée pour qu'il ne lui pose pas d'autres questions, tout en observant Jude et sa partenaire disparaître dans la foule. Il ne lui restait plus qu'à observer les autres danseurs, comme elle avait déjà l'impression de l'avoir fait pendant des heures interminables. Mais ce soir-là, les danseurs ne semblaient pas... pas comme d'habitude. C'était une différence subtile. Un an auparavant, elle aurait seulement fait attention aux séduisants gentlemen qui montraient leurs jolies jambes en s'inclinant pendant les danses folkloriques. Ou aux dames qui portaient une robe suscitant sa convoitise. Elle aurait contemplé les sourires charmants et les mains élégantes. Elle aurait remarqué les plus beaux couples, et aurait estimé qu'ils étaient les plus heureux.

Mais à présent, elle voyait l'envers du décor, comme les esquisses de crayon sous une aquarelle, qui n'étaient pas destinées à être vues, mais qui devenaient visibles quand on s'en approchait.

Sur la droite, un beau jeune homme dansait avec une grâce parfaite, mais sans un regard pour sa cavalière, une femme radieuse au visage rond et rougi, dont il semblait n'avoir que faire. C'était une scène assez courante, mais d'autant plus tragique qu'il s'agissait d'un couple de jeunes époux dont le mariage avait été arrangé pour cause de dettes. Elle paraissait heureuse, mais le mari ne cachait pas son mécontentement, dont il voulait faire part à tout le monde.

Sur la gauche, un couple de danseurs élégants affichait une égale souffrance. Quatre ans auparavant, leur alliance avait été annoncée comme le mariage parfait, mais une rumeur disait qu'ils ne parvenaient pas à concevoir d'enfants. Leur beauté ne paraissait pas pouvoir soulager leur déception. Ils étaient charmants, mais malheureux.

Un peu plus loin, vers le milieu de la piste, un homme et une femme, tous deux fâcheusement petits et trapus, étaient lancés dans une valse peut-être moins gracieuse, mais ils se regardaient avec un sourire rayonnant de joie. L'homme susurra alors quelques mots à l'oreille de son épouse, qui pouffa en rougissant. Marissa savait qu'ils étaient mariés depuis près de vingt ans, car leur fille aînée venait de faire ses débuts dans la société.

Peut-être s'agissait-il d'observations ridicules que même un enfant serait en mesure de faire, mais Marissa voyait pourtant ces vérités pour la première fois. Un homme élégant n'était pas forcément un bon mari, ni un bon amant. D'ailleurs, l'élégance était une qualité si insignifiante au regard de quelques années passées ensemble.

Mais Jude ne pourrait-il pas la rendre malheureuse aussi bien qu'un beau jouvenceau ?

Elle aperçut de nouveau l'intéressé, et son cœur bondit dans sa poitrine. C'était un danseur correct, sans doute pas aussi gracieux que certains des autres gentlemen, pourtant Marissa mourait d'envie d'être dans ses bras. Les siens, et ceux de personne d'autre. Elle brûlait de pouvoir observer ses jambes, en pensant qu'elle les verrait nues plus tard dans la soirée. Elle désirait caresser encore son torse, l'embrasser, et cette fois le lécher aussi, pour voir s'il ronronnerait de plaisir comme un animal satisfait.

Cette femme, cette étrangère, connaissait sans doute la réponse à cette question, elle. Au lieu d'être envahie par la colère, Marissa se sentit submergée par le désespoir, car elle craignait que sa prise de conscience n'arrive trop tard.

Elle vit la femme dire quelque chose à Jude, qui leva alors la tête d'un air réjoui. Mais quand son regard rencontra celui de Marissa, son sourire s'effaça lentement, comme si sa vue le faisait décliner.

Et à ce triste moment, Marissa sut qu'elle l'aimait.

Chapitre 20

Les arbres autour de lui s'agitaient dans un ballet permanent de feuilles mortes et mourantes, bruissant et murmurant dans le vent. Impossible de percevoir le moindre bruit de pas ou de respiration, mais Jude ne put manquer de voir la silhouette noir de jais qui montait vers les pierres artistiquement empilées de la folie grecque.

Jude fut surpris par l'accès de fureur qu'il éprouva à cette vue. Il avait envie d'en finir une fois pour toutes avec cette histoire. S'il se retint de précipiter l'individu à terre, ce fut uniquement en raison de sa petite taille. Il s'abstint de frapper la personne au visage dissimulé par la capuche, mais lui plaqua une main sur la bouche et l'attrapa par-derrière. Un cri ténu franchit ses lèvres, étouffé par la main de Jude. Il ne fut pas étonné par la hauteur du son, ni par la douceur du corps collé contre le sien. Il avait tout de suite distingué qu'il avait affaire à une femme, malgré l'obscurité qui régnait et la cape sombre qu'elle portait, et il avait été profondément soulagé qu'il ne s'agisse pas de Harry.

Le sac rempli d'argent tomba aux pieds de Jude tandis que la femme se débattait dans ses bras. Elle était toute menue, et il n'eut aucun mal à lui coincer les bras le long du corps et à attraper le sac. Elle se tortilla de plus belle lorsqu'il l'attira vers les arbres.

—Restez tranquille. Vous vous êtes fait prendre, et rien de ce que vous tenterez n'y changera quoi que ce soit.

Elle tenta de crier malgré sa main sur sa bouche et de lui donner des coups avec sa tête.

—Arrêtez. Vous n'allez réussir qu'à vous faire mal.

Après quelques minutes d'efforts et de gigotements, elle finit par capituler et s'affala contre lui. Jude s'immobilisa pour calmer les battements de son cœur. Il n'avait pris son tour de garde que cinq minutes auparavant, et son cœur s'était mis à battre la chamade quand il avait vu cette silhouette noire se faufiler vers la folie. Il était encore stupéfait d'avoir découvert qu'il s'agissait d'une femme. Patience lui aurait-elle menti ?

La capuche était rabattue sur la tête de sa prisonnière, aussi Jude ne pouvait-il même pas entrevoir la couleur de ses cheveux à la faible lueur de la demi-lune. Peut-être était-ce Patience. Elle était mince, elle aussi.

Bon sang, que la situation était compliquée.

Jude retira doucement sa main du visage de l'inconnue. La forêt s'emplit de l'écho de ses halètements, tandis qu'elle tentait de reprendre son souffle, affolée. Jude sortit une corde de sa poche pour lui lier les mains, et la coupable se mit à sangloter. Il lui passa les bras dans le dos et commença à lui ligoter les poignets.

—Je vous en prie, monsieur ! gémit-elle. (Ce n'était pas Patience, Dieu soit loué !) S'il vous plaît, monsieur, ce n'était pas mon idée, je vous le jure !

Jude fronça les sourcils en entendant son accent. Malgré ses paroles entrecoupées de sanglots de panique, il pouvait dire avec certitude qu'il s'agissait d'une villageoise ou d'une domestique. Et il sut alors que le mystère était loin d'être résolu. Ils ne sauraient pas qui était le coupable, à moins de parvenir à la convaincre de parler. Et même si c'était le cas, que pourraient-ils faire pour arrêter le maître chanteur ?

Rien. Il n'avait pas reçu les cinq mille livres, et ne tiendrait donc pas sa langue.

—Pour qui travaillez-vous ? demanda-t-il sur un ton que sa frustration rendait menaçant.

Secouant la tête pour toute réponse, elle se mit à pleurer de plus belle.

—Répondez-moi ! Pour qui travaillez-vous ?

—Je vous en prie, monsieur. Je vous en prie.

—Bon. Si vous ne voulez pas dire la vérité, ayez au moins la bonté de vous taire.

Jude la tira par le bras à travers les arbres, vers une partie plus éclairée. Aidan en avait assez du bal, et quand Jude était venu prendre la relève, il s'était porté volontaire pour attendre dans le jardin au lieu de rentrer dans le manoir. Jude aperçut de loin la lueur orangée de son cigare, à une quarantaine de pas.

—J'ai attrapé la coupable.

—C'est une femme ? demanda Aidan en se levant.

Les fenêtres de la demeure éclairaient légèrement le jardin, et Jude en profita pour regarder la fille, après avoir baissé sa capuche. Il ne l'avait jamais vue. Quant à Aidan, son haussement d'épaules indiqua qu'il ne la connaissait pas non plus.

—Mieux vaut ne pas l'interroger ici. Faites venir l'une des calèches, et je vous retrouverai devant les grilles.

—Bonne idée. Je vais prévenir Edward.

Il sentit la fille se raidir.

—Non ! S'il vous plaît, ne faites pas ça.

—Vous ne voulez pas venir avec nous ? Dans ce cas c'est très simple, ma petite. Dites-nous qui vous a envoyée chercher l'argent.

Elle secoua la tête, puis se redressa brusquement.

— Je ne sais pas qui est la personne qui m'a envoyée ! s'écria-t-elle, comme si l'idée venait seulement de lui traverser l'esprit.

Jude leva les yeux au ciel et retourna avec elle en direction des bois.

— Si c'est ainsi, vous aurez tout le temps pour nous la décrire pendant le trajet en calèche, n'est-ce pas ? Peut-être l'un de nous devinera-t-il de qui il s'agit.

— Ne m'emmenez pas, répéta-t-elle plusieurs fois d'une voix suppliante pendant qu'ils marchaient.

Jude fit mine de ne pas l'entendre, dans l'espoir qu'elle s'effondre et avoue, mais en vain.

Même s'il éprouvait une compassion naturelle pour les femmes en position de faiblesse, Jude passa le quart d'heure suivant à s'armer de courage pour ne pas céder aux supplications de la jeune fille. Qu'elle soit responsable ou non, elle avait joué un rôle essentiel dans le complot pour détruire Marissa, et il ne laisserait pas son cœur tendre lui faire perdre l'avantage.

Quand la calèche émergea enfin de l'obscurité, la captive se déroba à son emprise et tenta de s'échapper d'un bond, mais Jude la rattrapa et la souleva sans difficulté pour la faire monter par la porte ouverte. Il s'engouffra à sa suite, et vit qu'Edward était déjà là. Jude lui lança le sac avec l'argent.

— Harry rassemblera les femmes dans quelques minutes, expliqua Edward. J'ai estimé plus raisonnable de ne pas faire sortir tout le monde précipitamment.

Son regard glissa vers la fille, qui s'était recroquevillée dans un coin.

— Qui est-ce ?

— Elle refuse de nous le dire.

Edward tira sur sa capuche et fronça les sourcils.

— Je ne pense pas la connaître, mais elle est plutôt ordinaire. Qui êtes-vous, jeune fille ?

Elle secoua la tête et remonta sa capuche.

— S'il vous plaît, laissez-moi partir. Je ne suis qu'une servante. Je n'ai rien à voir avec toute cette affaire!

Jude lui lança un regard furieux.

— Et pourtant, vous ne nous avez même pas encore demandé ce qu'était «cette affaire», ce qui me semble très suspect.

— Les choses pourraient très mal se passer pour vous, ajouta Edward. Quelques années en prison, tout au moins. Mais si vous nous dites le nom de votre employeur, peut-être que tout se terminera bien pour vous.

L'inconnue leva alors des yeux écarquillés, mais peut-être était-elle suffisamment intelligente pour voir qu'ils bluffaient, car elle s'obstina à nier. À la vérité, les choses se passeraient mal pour elle dans les deux cas. Si son maître la renvoyait pour la punir d'avoir révélé son identité, personne ne voudrait plus l'employer, qu'elle aille en prison ou non.

Jude pencha la tête et examina la fille, qui les regardait à présent. Il plissa les yeux en voyant sa bouche charnue. Elle était assez jolie pour que son refus ne soit pas lié à la crainte de perdre son travail.

Il songea de nouveau à sa théorie sur Harry, puis demanda:

— Peut-être la question n'est-elle pas de savoir qui est son employeur, mais qui est son amant?

Elle n'eut l'air troublée que pendant un bref instant, aussi Jude secoua-t-il la tête.

— Non, ce n'est pas cela. Son complice n'est pas son amant, alors peut-être s'agit-il d'une femme, après tout?

— Ah, murmura Aidan, en constatant que la jeune fille pâlissait. C'est donc cela.

L'inconnue serra les lèvres, puis baissa la tête. Elle refusa d'en dire davantage, malgré toutes les questions dont ils l'assaillirent.

— Eh bien, soupira Edward, il est donc évident que l'un de vous deux est mêlé à cette affaire.

— Quoi ? aboya Aidan.

Jude se demanda alors de nouveau si Patience était à l'origine de cette histoire. Pourtant, cela ne correspondait pas à sa personnalité, il en aurait presque mis sa main au feu. Il avait hérité du talent de sa mère, qui réussissait à se faire une impression assez exacte d'une personne qu'elle rencontrait pour la première fois. Toute la carrière de sa mère reposait sur cet instinct. Pour une femme comme elle, choisir un homme pouvait revenir à choisir entre la vie et la mort.

— Que voulez-vous dire ? interrogea Aidan, en donnant un petit coup sur le pied d'Edward.

Celui-ci partit d'un rire bruyant.

— S'il y a quelque part une femme avec l'intention de détruire notre famille, alors vous n'y êtes sûrement pas étranger.

— C'est la chose la plus...

— Attendez ! cria Jude pour couvrir la voix d'Aidan, qui avait haussé le ton. Edward a raison, peut-être que cette histoire insensée a un lien avec l'un d'entre nous, mais n'en oublions pas le point central : Marissa. Si une femme est derrière tout cela... alors elle aurait pu aussi apprendre l'existence de la tache de naissance.

Les frères de Marissa échangèrent des regards gênés.

— Je veux parler des visites, des changements de robes, des baignades dans l'étang et...

— Oh, interrompit Edward. Bien sûr.

— Et comment allons-nous en avoir le cœur net ? demanda Aidan.

Ils se retournèrent tous vers la fille. Alors qu'ils l'examinaient en silence, les pensées de Jude dérivèrent vers Marissa. Quand il avait levé les yeux vers elle, alors qu'il dansait avec

Corrine, il avait su que tenter de susciter sa jalousie de cette manière n'était pas une bonne idée. La danse avait été une valse joyeuse à travers leurs souvenirs communs. Il avait passé un moment très agréable, mais à présent, il ressentait une profonde culpabilité.

Il avait voulu l'atteindre dans sa fierté, mais le visage de Marissa avait montré plus que de l'indignation. Jude y avait lu de la douleur. Une douleur dont il était à l'origine.

Il avait honte. Les traits de caractère qu'il avait toujours aimés chez Marissa, son côté sauvage, sa liberté de cœur qui tranchaient tant avec son apparence calme… eh bien, il avait commencé à éprouver du ressentiment envers elle, à cause de ces mêmes choses qui l'avaient attiré au départ. Il ne pouvait pas la blâmer de se sentir aussi désorientée. Quelques jours auparavant, il la taquinait encore à propos de son amour pour les jolis garçons, et à présent il la tournait en dérision pour ce penchant et la traitait de femme superficielle.

Si sa mère était là, elle secouerait la tête d'écœurement et le traiterait d'imbécile. Et elle aurait raison.

Furieux contre lui-même, il passa sa colère sur la fille qui tentait de faire du mal à Marissa.

— Nous sommes presque arrivés à la propriété des York. Il vous reste peu de temps pour avouer ce que vous savez. Je me chargerai personnellement de faire venir un officier de police dès notre arrivée, et alors l'affaire ne sera plus de notre ressort.

Frissonnante, l'inconnue prit une profonde inspiration, mais resta muette.

— Dites-nous le nom de votre maîtresse, et nous vous laisserons partir.

Elle secouait encore la tête quand la calèche ralentit et s'arrêta enfin.

— Nous y sommes, murmura Edward. Emmenons-la à l'intérieur et réfléchissons à ce que nous allons faire. Mais si son employeur s'inquiète de ne pas la voir revenir, peut-être est-il déjà trop tard.

Jude descendit de la voiture d'un pas lourd et tira la fille vers sa prison provisoire. Pour la première fois, cette famille lui sembla plus scandaleuse que la sienne. Et la situation ne l'amusait plus du tout.

Marissa traversa la maison à toute allure, le cœur et les mains fébriles. Elle savait seulement que quelqu'un avait été attrapé et ramené dans leur propriété, ce qui n'avait aucun sens. Harry lui avait affirmé que les hommes n'en savaient pas plus qu'elle, et il paraissait tout aussi insouciant que la baronne, qui avait bavardé allégrement de ce complot sur tout le chemin du retour. Marissa était hors d'elle.

La réputation de sa famille était à deux doigts d'être ruinée à cause de ce qu'elle avait fait, et pourtant les autres semblaient penser qu'il s'agissait d'une farce. Qu'ils étaient exaspérants !

En voulant tourner dans le couloir, Marissa glissa et se cogna violemment contre le mur, mais elle poursuivit son chemin. Elle garda un bras tendu devant elle pour éviter que l'incident se répète au prochain angle et, quelques instants plus tard, elle arriva devant le bureau de son frère… dont la porte était fermée à clé. Elle entendait les hommes parler à voix basse.

Après s'être acharnée sur la poignée, elle frappa avec impatience. Les voix se turent, et elle eut la nette impression que tout le monde, y compris elle-même, retenait sa respiration.

— Laissez-moi entrer ! siffla-t-elle enfin.

Les murmures reprirent et, après un moment, elle entendit enfin le déclic du verrou. Edward passa la tête à l'extérieur.

—Vous ne devriez pas être là, Marissa. Ce n'est pas un endroit pour une femme.

Elle tenta de le pousser pour entrer, mais il ne bougea pas d'un pouce.

—Ce scandale me concerne, Edward. Ne soyez pas ridicule.

—Marissa…

—Poussez-vous et laissez-moi passer !

Elle lui donna un coup de pied dans le tibia, qui fut sans doute plus douloureux pour ses orteils que pour la jambe d'Edward, mais il fut tellement surpris et horrifié qu'il en eut le souffle coupé.

—Je veux savoir qui c'est, Edward !

—Nous ne savons pas de qui il s'agit, rétorqua-t-il en se frottant la jambe avec force.

Jude la laisserait entrer. Elle le savait. Elle l'appela donc, et Edward leva les yeux au ciel.

—Oh, très bien, petite peste têtue. Venez et voyez si vous comprenez les choses mieux que nous, dit-il en ouvrant la porte.

Marissa s'apprêtait à parcourir la pièce à la recherche du maître chanteur, mais elle remarqua soudain Jude, à seulement un mètre d'elle, le bras tendu vers la porte. Pendant un instant, elle crut qu'il venait à sa rencontre et, saisie de joie, elle sentit son cœur battre plus vite. Peut-être qu'il ne la détestait pas. Peut-être qu'il n'était pas trop tard.

Mais il laissa retomber sa main et, quand elle croisa son regard, il baissa les yeux vers le sol.

Marissa observa sa mâchoire forte et sa grande bouche, et songea qu'elle aimerait bien avoir le droit de le toucher. De le saluer simplement en se haussant sur la pointe des pieds pour lui appliquer un baiser sur les lèvres. Mais avec tout ce qui s'était passé entre eux, elle savait que même s'ils étaient mariés, elle n'en aurait pas le droit. Ils ressembleraient à ces couples malheureux qui ne dansaient ensemble qu'une fois par bal, pour préserver les apparences. Que penseraient les gens en voyant Marissa et Jude ? « Un mariage malheureux », diraient-ils, en blâmant vraisemblablement le physique de Jude et ses origines douteuses.

Marissa ressentit une douleur aiguë dans son cœur, qui tambourinait quelques instants auparavant seulement. Cette perspective lui semblait insupportable, et alors qu'elle se rapprochait de Jude, Marissa tendit le bras et lui toucha la main.

Il fronça les sourcils. Puis il leva les yeux. Mais avant qu'elle ait pu reconnaître l'expression dans son regard, elle sursauta au bruit de la porte qu'Edward avait claquée puis fermée à clé, et laissa retomber sa main.

— Eh bien, fit celui-ci. Voici notre coupable, mais elle…

— Elle ? demanda Marissa en épiant la silhouette blottie contre l'accoudoir du canapé.

— Oui, c'est une fille. Une servante, apparemment, mais elle refuse de nous dire qui est son employeur, ou quoi que ce soit d'autre, d'ailleurs.

Marissa pencha la tête pour essayer de voir sous la cape, mais elle ne put distinguer clairement le visage maintenu dans l'ombre.

— Retirez votre capuche, je vous prie, intima-t-elle d'une voix forte, mais l'inconnue ne fit que se recroqueviller davantage.

— Elle ne veut rien nous dire, grommela Aidan. Pas même lorsque nous la menaçons de faire venir l'officier de police, qui sera sans doute notre dernier recours.

Marissa regarda la fille d'un air surpris, mais elle fut un instant distraite par Jude. Ce dernier s'éloigna et resta debout à contempler la nuit noire par la fenêtre, tournant le dos à tout le monde. Elle avait envie de le suivre vers ce coin privé et de lui demander s'il pourrait lui pardonner.

Ce n'était pas le moment d'avoir des discussions de ce genre, mais ses jambes la démangeaient d'aller le voir.

Soudain impatiente, Marissa s'approcha de la suspecte et tenta de baisser sa capuche, mais la captive s'y cramponna en poussant un petit cri aigu.

— Oh, pour l'amour du ciel, dit Marissa, agacée, laissez-moi vous voir.

Un gémissement se fit entendre sous les couches de laine bon marché.

— C'est étrange, déclara Edward en s'approchant à son tour. Elle n'a pas fait tant d'histoires avec nous.

Une idée traversa soudain l'esprit de Marissa.

— Vous disiez que c'était une bonne ?

— Ou quelque chose de ce genre, je crois.

Marissa prit une profonde inspiration.

— Retirez la capuche, ordonna-t-elle une dernière fois.

La fille secoua de nouveau la tête, et Marissa soupira d'un air chagriné.

— Retirez-la, Tess, sinon je demande aux hommes de vous tenir pour que je puisse l'ôter moi-même.

La jeune femme se pétrifia soudain, et Edward regarda Marissa, troublé.

— Tess ?

— Ma femme de chambre. Celle qui a disparu le mois dernier. Nous avons dû en engager une autre, vous vous souvenez ?

Edward n'avait toujours pas l'air de comprendre, mais quand Marissa tira sur la cape, cette fois, la fille lâcha prise, et ses cheveux bruns apparurent.

— Tess, soupira Marissa.

C'était sa servante, ce qui expliquait qu'elle ait eu connaissance de sa tache de naissance sur la cuisse. Sa confession embarrassante au sujet des hommes qu'elle avait connus avait été complètement inutile. Mais au moins avait-elle sans doute sauvé la vie de Peter White, quelle que soit sa valeur.

—Comment avez-vous pu me faire ça ?

Des larmes inondèrent les joues de la femme de chambre, qui secoua la tête.

—Je suis désolée, Miss York.

—Je me suis fait tant de souci à votre sujet. Mère pensait que vous vous étiez certainement enfuie pour vous marier, mais j'avais peur que quelque chose de terrible ne vous soit arrivé !

—Je n'avais pas l'intention de vous faire du mal, murmura Tess.

—Eh bien, c'est pourtant ce que vous avez fait !

—Je suis désolée ! C'est… elle…, commença Tess, qui se mordit la langue et baissa la tête.

—Qui, elle ? cria Marissa. Quelqu'un vous a-t-il payée pour faire cela ? Qui est-ce ?

Tess sanglota doucement et ne laissa plus échapper un mot. Marissa songea qu'en d'autres circonstances, elle aurait admiré le courage de la jeune fille, même si pour le moment, elle se sentait trop trahie pour cela. Marissa se redressa, en tentant d'inspirer profondément pour réfléchir, mais son esprit se troubla quand elle se rendit compte que Jude se tenait juste derrière elle.

—Ça va ? murmura-t-il.

Elle se tourna vers lui, et il ouvrit alors les bras pour l'enlacer. Elle oublia soudain tout ce qui se passait autour d'elle. Plus rien n'existait, si ce n'est les bras forts de Jude et son odeur épicée. Il effleura ses cheveux avec sa bouche, provoquant des fourmillements jusqu'à son cou. Il l'aimait toujours assez pour avoir pitié d'elle, au moins, et Marissa était assez fatiguée pour s'en réjouir.

—Je suis désolée, souffla-t-elle contre son torse, sachant qu'il ne l'entendrait pas.

Ce n'était pas le moment, mais elle resta blottie contre lui à se laisser caresser le dos pendant encore quelques instants avant de se détacher de lui. Elle était presque sûre qu'il avait hésité à la lâcher, mais c'était peut-être aussi son imagination qui lui jouait des tours, car le visage de Jude était toujours aussi glacial.

Ses frères l'observaient avec inquiétude, mais quand elle se retourna pour regarder Tess qui sanglotait, elle se sentait déjà plus calme.

— Qui vous a payée, Tess? Je suppose que vous avez été payée, et que vous n'avez pas agi ainsi uniquement par ressentiment contre moi?

— Bien sûr que non! s'exclama-t-elle. Je… je ne peux pas en dire davantage. Je ne peux pas.

— Pourquoi? Dites-moi juste qui est derrière cette histoire et partez. C'est aussi simple que cela. Il ne vous arrivera rien, mentit-elle d'une façon qu'elle estima assez convaincante.

— Je ne peux pas! gémit Tess.

Marissa n'arrivait vraiment pas à comprendre son entêtement. Qu'avait-elle à perdre? La menaçait-on? Mais de quoi pouvait-on menacer une femme de chambre?

— C'est inutile, marmonna Aidan.

Edward approuva.

— Elle utilise des informations récoltées pendant qu'elle travaillait à votre service afin de vous faire chanter, Marissa. L'officier de police trouvera sûrement cela très intéressant. Peut-être changera-t-elle d'avis une fois qu'on l'aura embarquée. Je vais envoyer chercher le représentant de l'ordre sans plus attendre. Jude?

Marissa observa Tess, pensant la voir trembler à l'idée d'une arrestation, mais la fille, les yeux baissés, semblait résignée à accepter le destin qui l'attendait. Marissa leva une main pour arrêter les hommes, puis s'agenouilla devant elle.

— Si vous ne parlez pas, je serai dans l'obligation d'aller voir votre famille. Peut-être les vôtres savent-ils chez qui vous êtes employée.

Tess releva soudain le front, les yeux agrandis par la panique.

— Ils habitent à Hull, n'est-ce pas ?

Elle secoua la tête, blême.

— Si, c'est bien à Hull. Je me souviens que vous y êtes allée à Pâques l'année dernière, pour rendre visite à votre mère. Vous avez dû leur écrire pour leur faire savoir l'endroit où vous habitez désormais, car nous n'avons reçu aucune lettre pour vous. C'était l'une des raisons pour lesquelles mère affirmait que vous vous portiez bien.

Tess dévisagea longuement Marissa, terrifiée ; puis elle regarda les hommes l'un après l'autre, comme si l'un d'eux allait venir à son secours. Mais elle ne dut trouver aucun visage compatissant, car ses yeux se remplirent de larmes.

— Si je parle, elle ne me paiera pas. C'est la seule raison pour laquelle je l'ai fait, je vous le jure. Cent livres… J'ai encore quatre sœurs à la maison. Même si je passe un an en prison, cet argent pourrait…

— C'est trop tard, maintenant, observa doucement Edward. Dites-nous juste la vérité.

Le silence s'installa dans la pièce, pendant si longtemps que Marissa avait l'impression qu'un bourdonnement incessant y résonnait. Elle entendait aussi le « tic-tac » de l'horloge sur le bureau d'Edward, et se demanda pourquoi elle ne l'avait jamais remarqué auparavant. C'était sans doute parce que le calme n'existait pas dans la famille York.

Tess prit enfin la parole.

— Au départ, elle m'a donné vingt livres, juste pour que je vienne travailler avec elle. Vingt livres !

— C'est pour cela que vous êtes partie d'ici ?

— J'ai tout envoyé à ma mère, je vous le jure. Je n'ai pas agi ainsi par cupidité.

Marissa hocha la tête comme si elle comprenait.

— J'aurais dû me douter que cette femme mijotait quelque chose, mais j'ai cru qu'elle admirait peut-être simplement vos cheveux et le reste…

— Qui est-ce ? insista Jude.

Tess déglutit péniblement.

— Mrs Charles LeMont.

Un silence de mort s'abattit sur le bureau. Le « tic-tac » de l'horloge se fit de plus en plus fort.

Tess sembla se détendre, comme si elle savait que son rôle était terminé.

— Mrs LeMont ? répéta Edward. C'est ridicule.

— Elle est enceinte, ajouta Aidan.

Marissa leur décocha à tous deux un regard empreint de mépris et de colère, et se leva.

— Et quel est le rapport ?

Edward affichait un air complètement abasourdi.

— Elle est si gentille.

— Et, ajouta Jude, apparemment jalouse.

Tess acquiesça.

— Oui. Elle déteste Miss York.

Le regard qu'elle lança à Marissa était lourd de sens. La femme de chambre était parfaitement au courant de l'histoire d'amour passée entre Charles et Marissa. Celle-ci avait suffisamment confiance en elle pour la mettre dans la confidence, et sa trahison lui fit l'effet d'un poids écrasant sur sa poitrine.

— Je ne comprends pas. Il n'en a quand même pas parlé à sa femme ? murmura Marissa.

— Elle ne m'en a pas soufflé mot. Elle voulait juste recueillir autant d'informations que possible à votre sujet. Je n'ai pas dit grand-chose, mais elle m'a demandé si vous aviez une tache de naissance, ou un autre trait caractéristique. Je n'ai pas vraiment compris… Puis, elle m'a simplement priée de venir chercher un sac ce soir, et a promis qu'elle me récompenserait en me donnant cent livres. Je ne pensais pas à mal, Miss York.

Quoi qu'il en soit, le mal était fait. Mais tout au moins savaient-ils désormais qui les menaçait.

— Si elle me déteste tant, il y a peu de chances qu'elle laisse tomber, n'est-ce pas ? dit Marissa.

Elle ne s'adressait à personne en particulier, et sa question demeura sans réponse. Edward jeta un coup d'œil vers l'horloge.

— Mieux vaut attendre demain matin. Il est déjà presque minuit, et la propriété des LeMont est à près de trois heures de route. Nous partirons dès le lever du jour.

— Et la fille ? demanda Jude.

Tous les regards convergèrent vers Tess, qui recommença à pleurer.

Edward soupira et finit par dire :

— Je pense que nous devrions l'enfermer dans une chambre ce soir et l'envoyer à Hull demain matin. Vous allez rentrer chez vous, Tess, j'espère donc que ces vingt livres vous suffiront pour un moment.

— Bien sûr, chuchota-t-elle.

Aidan la tira par le bras pour qu'elle se lève.

— Deuxième étage, je suppose ?

Tess jeta un dernier regard misérable à Marissa avant de quitter la pièce avec Aidan. Marissa ressentit une pointe de pitié pour celle qui avait été sa bonne pendant quatre ans. Pourtant, Tess avait eu parfaitement conscience qu'on lui demandait de faire quelque chose de mal. Personne ne l'aurait payée cent livres en échange d'un travail caritatif.

— Pourquoi n'essayez-vous pas d'aller dormir un peu, Marissa ? proposa Edward. Nous réfléchirons demain à la façon dont nous allons procéder. Si Mrs LeMont est une personne raisonnable…

Marissa ne la connaissait pas suffisamment pour pouvoir l'affirmer. Elle l'avait déjà rencontrée une dizaine de fois, mais même avant qu'elle se marie avec Charles, aucune amitié n'était jamais née entre elles. C'était une demoiselle sérieuse, qui avait toujours semblé plus à l'aise avec les femmes mariées, tandis que Marissa préférait la compagnie des filles plus jeunes. Et des gentlemen, bien entendu. Elle n'arrivait pas à comprendre comment l'épouse de Charles en était venue à la détester.

Sortant de ses pensées, elle leva la tête et vit que Jude avait repris sa place près de la fenêtre, le dos tourné à la pièce, hurlant son désir de se retrouver seul. Malgré tout, elle envisagea de s'approcher de lui pour lui demander si elle pouvait lui parler en privé. Mais que lui dire ? *Je suis désolée d'avoir pensé que vous étiez laid. Je suis désolée de vous avoir apprécié et désiré, tout en estimant qu'il ne pourrait rien y avoir de plus entre nous.*

Que se passerait-il si ces paroles ne faisaient que le blesser davantage ?

Mieux valait attendre le lendemain, pour que cette histoire de chantage soit derrière eux. Mieux valait attendre de connaître la situation avant de décider si elle avait intérêt à faire un pas vers lui ou à simplement le laisser partir.

Elle abandonna donc Jude à sa solitude et se dirigea vers ses appartements pour également se retrouver seule avec elle-même. Si seulement elle pouvait savoir si Jude songeait à elle en regardant l'obscurité par la fenêtre, ou s'il priait pour pouvoir vite quitter cette maison de fous et ne plus jamais y revenir…

Les yeux perdus dans la nuit noire, Jude avait la sensation que tous les muscles de son corps étaient tendus. Qu'avait voulu exprimer Marissa en lui touchant la main ? Et en se serrant si fort contre lui ?

Rien, affirma-t-il à son cœur blessé. Rien de plus que n'avaient signifié ses autres caresses. Il y avait tant d'autres choses desquelles il fallait s'inquiéter, pourtant, Jude semblait incapable de détourner ses pensées de Marissa pour réfléchir au problème de Mrs LeMont.

Jude entendit Edward soupirer bruyamment et se retourna alors. Le baron était affalé sur son bureau, la tête dans les mains, l'image même d'un gentleman troublé. Quand il releva la tête, son regard las compléta le portrait.

— Je ferais mieux d'aller voir si Aidan n'a pas besoin d'aide, grommela-t-il. Les logements de nos domestiques ne sont pas vraiment adaptés pour héberger des prisonniers.

Il se leva et rejeta ses épaules en arrière, comme pour rééquilibrer un fardeau qu'il porterait.

— À demain matin.

Jude fit un geste de la main.

— Bonne nuit.

Il était en train de se retourner vers la fenêtre quand il entendit la voix d'Edward dans le couloir :

— Harry. Je reviens dans quelques minutes pour vous mettre au courant de ce qui s'est passé.

— Mais…, commença Harry en pénétrant dans le bureau, le visage crispé par la confusion. Au nom du ciel, que s'est-il passé ? La fille a-t-elle avoué ?

— Oui, répondit Jude.

Il servit un verre à Harry et s'approcha prudemment de lui, avec une expression neutre.

— C'était la femme de chambre de Marissa, qui est ensuite entrée au service de Mrs Charles LeMont.

— Mrs Charles LeMont ? s'exclama Harry. Mais cela n'a aucun sens. Le chantage…

— Elle avait l'intention de compromettre la réputation de Marissa en raison des sentiments que son mari éprouvait pour elle à une époque.

— Mon Dieu, murmura Harry. Tout cela à cause d'un amour de jeunesse ?

La surprise pouvait se lire sur ses traits, mais Jude éprouvait une impression de malaise. Harry était un excellent acteur, après tout.

Jude sentit la chair de poule l'envahir. Son instinct ne l'avait encore jamais trompé.

— C'est un sacré exploit à accomplir seule pour une femme de son éducation, n'est-ce pas ? dit-il en haussant un sourcil.

— En effet, répondit Harry sans même ciller.

— Pensez-vous qu'elle ait un complice ? Quelqu'un qui ait pu la mettre en relation avec la servante et l'ait aidé à comploter ?

— C'est possible, répondit Harry d'un air pensif. L'un des invités, vous voulez dire ?

Jude pencha la tête.

— Je songeais même à quelqu'un de plus proche encore.

Harry continua d'afficher une expression perplexe pendant quelques instants, puis écarquilla soudain les yeux en croisant le regard de Jude. Son visage s'empourpra violemment.

— Eh bien, monsieur ! J'espère que vous n'êtes pas en train de m'accuser !

— Peut-être que le mot est un peu fort.

— Comment osez-vous ! Je suis son cousin. Un membre de cette famille ! Si quelqu'un pouvait avoir quelque chose à gagner avec ce scandale, c'est bien vous.

Ce n'était pas faux, mais Jude était sûr de lui.

— Ah, dit-il, ce n'est pourtant pas moi qui cache quelque chose à cette famille, Harry. Mais vous.

Jude ressentit une profonde satisfaction en voyant la panique dans les yeux du jeune homme. Sans aucun doute, le cousin de Marissa dissimulait quelque chose. Quelque chose d'important, semblait-il.

— Je ne… n'ai pas…, bafouilla-t-il. Certainement pas.

— Vous mentez. Je le vois clairement sur votre visage, sans parler de la petite scène dans la cour de l'écurie dont j'ai été témoin. Un certain paquet que vous avez remis au garçon d'écurie…

Harry devint blanc comme un linge, et Jude ressentit pendant un instant de la compassion.

— Vous… vous n'avez pas… ? balbutia Harry.

— Dites-moi la vérité, Harry, sinon j'estimerai qu'il est de ma responsabilité d'alerter Edward à propos de ce que j'ai vu.

— Cela n'a rien à voir avec cette histoire, murmura Harry. Je le jure sur mon honneur de gentleman.

— Le même honneur qui vous permet de vivre sous le toit de vos cousins et de leur mentir sans vergogne ? Dites-moi ce que vous avez fait. Peut-être avez-vous aidé Mrs LeMont sans même vous en rendre compte.

— Vous vous trompez complètement ! Vous devez me croire.

Jude avait envie de le croire, ne serait-ce que pour préserver Marissa.

— De quoi s'agit-il, alors ? demanda-t-il doucement.

Harry secoua la tête.

— Il ne faut pas qu'Edward l'apprenne. Je lui dois trop, et j'ai pris toutes les précautions nécessaires pour protéger le nom des York, je vous le jure. C'est juste que j'avais le sentiment d'avoir si peu d'importance. Une branche inutile de l'arbre généalogique. À une époque, je m'occupais d'Aidan. On avait besoin de moi. Puis…

Jude n'y comprenait plus rien.

—Que s'est-il passé, mon vieux ?

—C'était par ennui, je suppose. Je croyais que personne ne le saurait.

Jude saisit Harry par le bras pour attirer son attention.

—Qu'avez-vous fait ?

Harry le regarda avec de grands yeux, comme si sa propre confession le surprenait.

—J'ai écrit un livre, murmura-t-il.

Jude secoua la tête, incrédule.

—Vous avez fait quoi ?

—J'ai écrit un livre. Je ne m'y attendais pas, mais il a été accepté par un éditeur, qui m'en a commandé un autre. J'en ai donc écrit un deuxième, puis un troisième.

Jude laissa tomber ses bras.

—Un livre ? Quel genre de livre ?

Harry rougit de nouveau, et grimaça.

—Rien de bien édifiant, j'en ai peur. Mais j'ai pris grand soin de préserver le secret de mon identité. Je m'inquiète cependant, car je ne pensais pas que mes écrits rencontreraient un tel succès. L'argent est envoyé sur un compte au nom de mon notaire. Personne ne fera jamais le lien entre William Wicket et la famille York, je vous le jure. Je préférerais mourir plutôt que de déshonorer mes cousins.

—William Wicket, murmura Jude. Pourquoi ce nom me semble-t-il familier ?

—Si j'avais su qu'autant de gens les liraient…

Jude se rappela soudain.

—Le livre, fit-il. Celui que j'ai lu avec Marissa !

—Oh, mon Dieu, gémit Harry. Je vous en prie, n'en dites rien aux York. Après tout ce qu'ils ont fait pour moi…

L'angoisse qui ravageait l'estomac de Jude s'évanouit subitement. Son air renfrogné se transforma en un éclat de rire.

—Vous écrivez des romans d'amour ?

— Chut ! lança Harry avec un regard terrifié vers la porte.

— Ce n'est pas si mal. J'ai même plutôt apprécié l'histoire. De quoi avez-vous peur ?

— Des commérages. Des ricanements. Les commentaires scandalisés sur chaque ligne de mes livres… Cela serait horrible.

Jude réfléchit un instant.

— Sans doute avez-vous raison. Cela ferait sensation.

— Bel euphémisme. Écoutez, je viens d'envoyer le dernier manuscrit. Je n'écrirai plus, je vous le promets. Je n'aime pas l'idée de vous demander de mentir à ma famille, mais verriez-vous un inconvénient à garder ce secret pour vous ?

Jude haussa les épaules.

— Je ne vois pas pourquoi. Vous ne faites de mal à personne. À part aux esprits sensibles des jeunes Anglaises, je suppose.

Harry passa une main tremblante sur son front.

— Je ne peux vous remercier assez.

— Ce n'est rien. Et veuillez me pardonner d'avoir eu des soupçons à votre encontre.

Harry balaya ses excuses d'un geste et vida le verre de brandy que Jude lui avait servi quelques minutes auparavant.

— Considérez que c'est oublié, dit-il d'une voix grave.

Jude était heureux de pouvoir lui rendre service. Il aurait d'autres problèmes à régler le lendemain, et la visite à Mrs LeMont semblait le moindre d'entre eux.

Chapitre 21

*J*ude chevauchait dans le brouillard de l'aube, ignorant les regards des deux hommes qui l'accompagnaient. Il sentait la morsure de la brume sur son visage, lui glaçant les joues. Le froid ne le dérangeait pas. Il était assorti à son humeur et figeait son expression renfrognée.

Aida se racla la gorge, mais Jude fit mine de ne pas l'entendre. Ils étaient presque arrivés chez les LeMont, aussi ne lui fallait-il échapper à leur curiosité que pour quelques minutes encore.

— Dites-nous, Jude, se risqua Edward, êtes-vous amoureux de notre sœur ?

Perturbé par la franchise de la question, Jude baissa la tête et talonna son cheval.

Les York l'imitèrent. Aidan se plaça quelques mètres devant lui et se retourna pour regarder Jude dans les yeux.

— Jude, êtes-vous amoureux d'elle ?

— Bon sang, en quoi cela vous concerne-t-il ?

— C'est notre sœur.

— C'est ma fiancée ! Vous avez déjà donné votre bénédiction à notre mariage. Le reste n'est plus de votre ressort.

Aidan lança un regard furieux à Jude, comme si celui-ci avait fait quelque chose de mal.

— Tomber amoureux d'une femme n'a rien à voir avec simplement l'épouser. Nous savons tous deux parfaitement que de nombreux couples mènent des vies séparées. Mais un mari amoureux... ce peut être la porte ouverte à de nombreux ennuis.

— Cette conversation est ridicule, rétorqua Jude. Vous n'avez aucune idée de ce dont vous parlez.

— Pourtant vous n'avez rien nié.

— Et, ajouta Edward, vous êtes d'une humeur massacrante depuis des jours. Renfrogné et hargneux, tandis qu'en présence de Marissa, vous êtes froid et silencieux.

Jude choisit de rester calme et de ne pas répondre, mais Aidan ne l'entendait pas de cette oreille.

— Vous êtes amoureux d'elle, aboya-t-il. Admettez-le !

— Je n'en ferai rien. Vous êtes deux idiots.

Aidan ralentit le rythme de sa monture pour chevaucher au côté de Jude. Sans le regarder, il dit doucement :

— Elle ne vous aime pas, Jude. Cela ne peut que mal finir. Vous venez de deux mondes différents.

La compassion que Jude perçut dans la voix d'Aidan ne fit rien pour améliorer son humeur. *« Deux mondes différents. »* Son ami oubliait-il qu'il avait vécu la moitié de sa vie chez un duc ? Il tira sur les rênes : son cheval fit un écart et heurta celui d'Aidan. Jude murmura quelques mots apaisants et flatta l'encolure de sa monture.

Pendant un long moment, personne ne parla, puis Edward s'éclaircit la voix.

— Je voudrais vous remercier, Jude. Vos soupçons étaient fondés. Si vous n'aviez pas été là, Aidan et moi aurions sans aucun doute tenu Peter White pour responsable.

— Une fois de plus, mes basses origines se seront révélées utiles.

276

Gêné, Edward se racla de nouveau la gorge, ne sachant que répondre. Jude souhaita pouvoir ravaler ses paroles mesquines aussi facilement qu'il avait si souvent ravalé sa fierté.

Finalement, il fut sauvé par le paysage. Parvenus sur le haut d'une petite colline, ils virent leur destination apparaître. Les trois hommes s'arrêtèrent pour l'observer.

Une visite peu réjouissante les attendait.

—Jude, reprit Aidan, mais celui-ci l'interrompit d'un geste.

—Que l'histoire avec Marissa se termine bien ou non, finit-il par déclarer, je suis au moins certain que des leçons en seront tirées. C'est tout ce que j'ai à dire.

Aidan émit un léger grognement et lui donna une tape dans le dos. En réponse, les chevaux se remirent en route pour descendre la colline.

—Alors, que voulez-vous faire si Charles LeMont est présent ? demanda Jude.

Edward serra la mâchoire.

—Eh bien, je suppose qu'il apprendra une vérité qu'il n'a pas forcément envie d'entendre.

—Sa femme niera.

—Bien entendu.

Quand ils arrivèrent, Edward confia leurs montures au garçon d'écurie. Ils n'avaient pas l'intention de s'attarder. Pourtant, ils se retrouvèrent à arpenter le petit salon pendant une bonne demi-heure. Sa maîtresse était encore en train de s'habiller, expliqua la servante, que leur présence semblait rendre nerveuse. Ils ne devaient pas avoir l'air très amènes, pensa Jude, qui avait l'impression d'être là pour assister à une pendaison.

Edward avait raison. Mrs LeMont nierait certainement, et aucun d'entre eux ne se réjouissait à la perspective de devoir brusquer une femme. L'expérience avec Tess avait déjà été suffisamment éprouvante. Comment agir face à une dame enceinte ? Si elle feignait d'être malade, ils n'auraient aucun moyen de lutter. Jude avait le vague sentiment que l'embuscade se terminerait avec trois hommes au pied du lit de leur ennemie évanouie, lui éventant le visage et lui proposant une tasse de thé bien fort.

Il sentit une brûlure dans son estomac à cette pensée, nullement apaisée par l'apparition de Mrs LeMont dans la pièce, tout sourires. Elle posa une main élégante sur son ventre arrondi.

— Messieurs ! Quel plaisir de vous revoir si vite.

C'était, comme l'avait dit Aidan, une belle femme. Empreinte de dignité et respirant la santé. Mais en s'approchant, Jude constata que sa peau, si parfaite de loin, était couverte de poudre, qui ne masquait qu'imparfaitement ses cernes. Et même si elle arborait un large sourire accueillant, elle avait les yeux très brillants. Elle était nerveuse, ce qui n'avait rien d'étonnant. La servante avait disparu et à présent, elle se retrouvait seule avec trois hommes au visage grave dans son petit salon. Jude comprit pourquoi les frères York n'avaient pas été capables de voir qu'elle cachait quelque chose. Son ventre attirait le regard et inspirait la sympathie.

— Mon époux est parti ce matin pour superviser le défrichage d'un champ, je suis donc gênée de vous dire que vous l'avez manqué une fois de plus ! Vous l'avez cependant vu hier soir, n'est-ce pas ? Oui, bien sûr, je me souviens, maintenant.

— En effet, fit Edward.

— L'état de votre cheval ne s'est donc pas amélioré ?

— Mrs LeMont…, commença Edward, d'une voix bien trop sérieuse pour laisser présager de bonnes nouvelles.

Pourtant, le sourire de Mrs LeMont ne s'étiola même pas un tout petit peu. Si Jude n'avait déjà été au courant de la vérité, cette attitude lui aurait mis la puce à l'oreille. Edward s'éclaircit la voix.

—Nous ne sommes pas ici pour parler du cheval.

—Vraiment ? s'exclama Mrs LeMont d'une voix faussement étonnée. Oh, veuillez pardonner ma grossièreté, messieurs. Asseyons-nous, et permettez-moi de vous offrir du thé.

La boisson avait été apportée au moment de leur arrivée mais les tasses étaient encore vides. Même après leur avoir fait signe de s'asseoir, elle ne toucha pas à la théière.

—Mrs LeMont, reprit Edward. Nous avons parlé à Tess.

—Tess ? demanda-t-elle.

—La femme de chambre.

Elle secoua la tête avec un air d'incompréhension totale.

—Celle que vous avez envoyée hier soir pour retirer l'argent. Mon argent.

—Quelle étrange chose vous dites là ! s'exclama-t-elle d'une voix aiguë, sans se départir de son sourire.

—Mrs LeMont…, fit Edward d'un ton désespéré.

Jude en avait assez entendu.

—Nous savons que vous êtes derrière la menace qui pèse sur Miss York, alors si vous tenez à garder un semblant de dignité, vous allez cesser votre mise en scène ridicule et nous raconter la vérité. Vous avez perdu, madame.

Le sourire de la jeune femme s'effaça brusquement.

—Monsieur, rétorqua-t-elle d'un ton hargneux, je ne vous connais pas.

—Je suis le fiancé de Miss York, et je pense que c'est tout ce que vous avez besoin de savoir. Je considère qu'en la menaçant, vous m'atteignez aussi, voilà pourquoi je suis ici pour m'assurer que les choses n'aillent pas plus loin.

Le visage de Mrs LeMont se crispa dans une violente indignation. Tout son sang afflua vers ses pommettes, formant deux taches écarlates.

—Peut-être, ajouta Jude, devrions-nous poursuivre cette conversation en présence de votre mari ?

Il avait touché son point faible. En quelques secondes, son indignation céda la place à une profonde terreur.

Ses yeux qui brillaient avec intensité laissèrent brusquement échapper un torrent de larmes.

—Ne faites pas cela, murmura-t-elle.

—Madame, dit Edward en se penchant vers elle. Vous devez mettre fin à cette terrible agression contre ma sœur. Je ne sais pas ce que vous lui reprochez pour…

—Il l'aime…, siffla-t-elle.

Jude se pétrifia soudain, comme si elle venait de le mettre à nu. Il lui fallut un certain temps pour se rendre compte qu'elle ne parlait pas de lui.

—Il l'a toujours aimée.

—Votre mari ? demanda Edward en fronçant les sourcils.

—S'il découvre ce que j'ai fait, il va me détester. Je vous en supplie…

Edward lui tendit un mouchoir. Jude ressentit un bref moment de vertige à l'idée qu'il faille respecter les règles de courtoisie quoi qu'il arrive, même si la dame se révélait être un maître chanteur. Dans le cercle de sa mère, la situation aurait été gérée avec un peu moins d'hypocrisie.

Mrs LeMont se tamponna le coin des yeux, et Jude interrompit alors cette scène larmoyante.

—Pour présenter les choses de façon un peu plus abrupte, madame, je dirais que vous avez décidé de détruire la réputation des York parce que vous n'aimez pas Marissa, et de les dépouiller par la même occasion.

—Non ! Je n'avais pas l'intention de les voler, mais j'ai pensé que le coupable serait moins facilement… démasqué s'il y avait de l'argent en jeu.

— Mais vous aviez bien l'intention de compromettre la réputation de la famille ? Ou celle de Marissa, tout au moins.

Elle se raidit, et sa mâchoire fut agitée d'un frémissement de rage.

— Ce n'est pas juste ! C'est mon mari ! Il m'a prise comme épouse ! J'ai toujours soupçonné qu'il avait des réticences à m'aimer. Au départ, je ne comprenais pas pourquoi. Et puis je les ai vus…

— Que voulez-vous dire ? aboya Aidan.

Elle sursauta et pressa le mouchoir contre sa bouche en s'efforçant de recouvrer son sang-froid.

— Pendant une fête de la moisson. J'ai levé les yeux vers lui et j'ai remarqué une certaine expression sur son visage… comme s'il se languissait de quelque chose. Comme s'il avait le cœur brisé. Et en suivant son regard… je suis tombée sur Miss York, qui se promenait avec un gentleman.

Jude prit un air menaçant.

— Et c'est à elle que vous reprochez cela ?

— Qui d'autre pourrais-je blâmer ? Mon mari ? Je l'aime ! Miss York avait l'air si désinvolte qu'elle donnait l'impression de ne même pas être atteinte par son amour. Il aurait suffi d'un seul mot cruel venant de sa bouche pour qu'il se détache, mais elle était toujours suffisamment gentille avec lui pour qu'il reste sous son charme.

— Malgré tout…

— Je me suis renseignée, et j'ai découvert qu'ils avaient été amoureux. J'ai vu la façon dont elle se comportait avec les autres hommes. Elle cherchait à les séduire, d'une manière si entreprenante. J'ai su… J'ai supposé qu'elle et Charles avaient… Et ensuite…

Elle leva les yeux un instant, comme si elle était interrompue au milieu d'une pensée intime. Son visage se durcit quand elle croisa le regard de Jude. Il savait que le mépris se lisait sur ses traits, mais il ne pouvait le dissimuler.

—Cessez de me regarder ainsi. J'aurais pu accepter cela. Je m'étais persuadée que c'était le fruit de mon imagination. Que mes propres yeux m'avaient menti. Mais alors il… il a murmuré son nom. Il a murmuré son nom dans mon lit !

Jude sentit une vague de chaleur le parcourir. Il éprouva une pointe de jalousie, mais aussi une brusque et terrible compassion pour le cœur de cette femme.

—Il ne s'en est même pas rendu compte. Il m'a appelée par son nom, sans même s'en rendre compte, dit-elle doucement, ses derniers mots s'étouffant dans un sanglot.

Edward lança un regard furieux vers Jude, comme s'il avait agi de façon horrible. Mais Aidan vint à sa rescousse, en montrant la même inflexibilité que lui.

—Vous avez donc décidé de prendre votre revanche ?

—Je l'aime, gémit-elle. Et quand j'ai découvert que j'attendais un enfant, j'ai ressenti un besoin désespéré d'être aimée en retour. Je vais être la mère de ses héritiers. Comment peut-il ne pas m'aimer ? J'ai pris Tess à mon service en pensant que je pourrais au moins révéler à mon mari certains secrets sur Miss York. La démolir par des commérages oiseux. Puis, quand j'ai eu vent des récentes rumeurs à son propos, eh bien, je me suis dit que c'était trop beau pour être vrai. Je voulais juste qu'il la voie pour ce qu'elle était ! Je voulais qu'il la méprise, qu'il la déteste.

Jude se renfonça dans sa chaise, soulagé que toute la vérité éclate enfin.

—Auprès de qui avez-vous colporté vos mensonges ?

—Je n'ai rien dit. Pas encore.

—Pas encore ? demanda Edward.

Malgré sa main qui tremblait violemment, elle ne détourna pas le regard.

—Je… Tess, la bonne… Elle m'a appris que votre sœur avait eu une liaison avec Fitzwilliam Hess, mais si vous promettez de ne rien dire à mon mari, je vous le jure, je n'en soufflerai mot.

— Pour l'amour du ciel ! rugit Aidan. Êtes-vous en train de nous menacer, même maintenant ?

— Je vous en prie ! cria-t-elle. Je suis désolée, mais je l'aime ! Si vous lui révélez ce que j'ai fait, jamais il ne me pardonnera. Je vous en supplie, accordez-moi juste cela. Faites comme si je n'existais pas au prochain bal si vous le souhaitez, mais s'il vous plaît, ne dites rien à Charles.

Elle sanglotait à présent, entourant son ventre arrondi de ses bras.

— Ce que vous faites est impardonnable, observa Edward.

Les yeux clos, elle acquiesça de façon frénétique.

— Bon sang, lâcha-t-il. Jurez-vous de ne jamais ne serait-ce qu'insinuer quoi que ce soit au sujet de notre sœur ?

— Je le jure. Sur la vie de mon enfant. Ayez pitié de moi.

Jude souhaitait en finir avec cette histoire. Il jeta un coup d'œil à Aidan, et s'aperçut que celui-ci évitait son regard. Malgré son caractère irascible, son ami avait bon cœur, et n'aimait pas être cruel avec les femmes.

Des trois hommes, c'était cependant Edward qui avait le cœur le plus tendre. Il s'apprêtait à prendre la main de Mrs LeMont quand il se ressaisit soudain et se renfonça dans son fauteuil.

— Bien, déclara-t-il enfin. Vous allez devoir attirer votre mari d'une autre manière. Je ne lui dirai rien.

— Merci, sanglota-t-elle, se recroquevillant comme si elle voulait protéger son enfant. Merci. Je suis désolée. Je n'ai… je crois que je suis devenue un peu folle.

Jude avait souvent entendu cela à propos des femmes enceintes, par les amies de sa mère. Après coup, elles riaient de leurs sautes d'humeur et de leur caractère obsessionnel, mais il ne pensait pas que ce serait le cas de Mrs LeMont.

Aidan sortit et Edward lui emboîta le pas, tandis que Jude hésitait un instant.

Il faillit partir sans un mot, mais elle leva alors un visage interrogateur vers lui.

—Votre mari, commença-t-il avec précaution. Il a dansé avec Miss York hier soir. Et celle-ci a dit à son frère Aidan, qui me l'a rapporté, qu'elle n'avait jamais vu Mr LeMont aussi heureux.

La jeune femme eut l'air interloquée.

—Vraiment?

—Apparemment, il n'a pas cessé de lui parler de vous et du bébé.

Les traits de Mrs LeMont s'éclairèrent et, pendant quelques instants, l'espoir se lut sur son visage. Jude la laissa alors à ses pensées. Il comprenait ce que c'était que d'aimer sans l'être en retour. Lui n'avait peut-être pas eu recours à des activités criminelles, mais il s'était ridiculisé, si ce n'était plus.

Remontant sur leurs chevaux, les hommes se mirent en route pour rentrer. Ils auraient dû ressentir une certaine satisfaction, car ils avaient non seulement évité un désastre, mais aussi sauvé à la fois la réputation de la famille York et cinq mille livres. Pourtant, tous trois affichaient une expression maussade en descendant l'allée de la propriété des LeMont.

—Eh bien, fit Aidan, il n'y aura pas de scandale, il semble donc que nous ne deviendrons pas frères, en définitive.

—Vous devez être soulagé de ne pas avoir besoin de mes services.

—Jude, ce n'est pas ce que j'ai voulu dire. Je suis touché que vous ayez accepté d'épouser Marissa. Mais à présent… elle ne paraît simplement pas partager vos sentiments.

Jude scruta l'horizon, sans un mot. Cette fois, les frères n'insistèrent pas. Parler d'amour était une chose, mais un cœur brisé en était une autre.

Chapitre 22

Malgré le froid qui lui engourdissait le bout des doigts, Marissa se promenait dans le jardin. Les roses étaient en train d'être taillées, et Marissa avait envie de surveiller les jardiniers, mais surtout, elle n'en pouvait plus de rester assise à broder en attendant des nouvelles.

Le babillage incessant de sa mère n'avait pas aidé à calmer ses nerfs, aussi Marissa l'avait-elle laissée commérer avec la tante Ophélia, qui était sourde. Harry était parti depuis longtemps pour une promenade à cheval.

Ici au moins, dans le froid vif et piquant de l'automne, elle pouvait respirer. Le vent agitait sa cape bleue en tous sens, assouvissant ainsi son besoin instinctif d'effet dramatique. Si elle n'y prenait pas garde, elle allait irriter sa peau claire, qui ne supporterait pas un traitement si rude.

Elle s'apprêtait à remonter sa capuche quand elle aperçut du coin de l'œil un homme, à quelques mètres d'elle.

Jude.

Debout sous l'arbre où ils s'étaient allongés tous les deux si peu de temps auparavant, il l'observait avec intensité, sans même essayer de se cacher. Elle se sentit alors envahie par une profonde satisfaction. Il la regardait comme si elle lui appartenait. Elle prit alors conscience de ce que sa présence signifiait. Elle marcha vers lui à pas lents et il émergea de l'ombre pour venir à sa rencontre près des rosiers. Son répit avait été de courte durée.

—L'avez-vous vue ? demanda-t-elle.

Il acquiesça.

—Et ?

—Elle était jalouse de vous.

—C'est absurde. Charles l'a épousée.

—Elle a l'impression qu'il est toujours amoureux de vous.

Marissa ne fit pas semblant de ne pas comprendre. Elle était certaine qu'il l'aimait encore quand il avait prononcé ses vœux. Mais cela faisait longtemps que ce n'était plus le cas, c'était certain.

—Je crois qu'elle se trompe, Jude. Il m'a aimée, mais c'est du passé.

—C'est exactement ce que je lui ai dit.

—Et… a-t-elle tout avoué ?

—Oui. Sous la condition que nous n'en disions rien à Charles.

Marissa fronça les sourcils d'un air mauvais.

—Mais il devrait savoir quel genre de femme il a épousé. Elle est trompeuse, manipulatrice et…

—Elle est amoureuse de son mari et attend son enfant, répliqua Jude, le front ridé par l'inquiétude. Elle a affirmé qu'au départ, elle avait seulement l'intention de raconter à Charles des commérages sur vous. Je ne veux pas dire que nous allons devenir des amis intimes, elle et moi, mais je crois seulement que c'est une femme qui souffre.

Même si elle était toujours furieuse contre l'épouse de Charles, Marissa tenta de se mettre à sa place. Être mariée à Jude et savoir qu'il en aimait une autre. Il n'était pas difficile de s'imaginer devenir folle de douleur et de frustration.

—Vous êtes sûr qu'elle était sincère ?

—Absolument. Et ses craintes sont fondées. Si son mari découvre ce qu'elle a fait, tout ce qu'ils ont construit ensemble risque de s'effriter.

—Je crois que je vais donc me résoudre à laisser passer cela, alors.

Jude hocha la tête.

—Que ce soit justifié ou non, elle avait le sentiment de vivre avec votre fantôme entre elle et son mari.

—Essayez-vous vraiment de transformer ma colère en culpabilité?

Jude sourit et offrit son bras à Marissa, qui l'accepta. Elle ressentit un espoir timide s'éveiller en elle, alors qu'ils longeaient le jardin. Leur complicité semblait renaître.

Peut-être n'en avait-il pas encore fini avec elle.

—Non, dit-il, mais j'admets éprouver de la compassion pour cette malheureuse femme. J'étais en rage quand je suis arrivé chez elle, et mélancolique en partant. Pensez-vous vraiment qu'il en soit venu à l'aimer?

Elle acquiesça, en se demandant comment elle allait réussir à aborder le sujet plus épineux de ses propres sentiments. Le moment était venu, puisque aucun obstacle extérieur ne se dressait plus entre eux. Il était temps de mettre ses peurs de côté et de parler à cœur ouvert.

Mais elle était paralysée par ses craintes. Il n'y avait plus de danger. Plus d'impératif de se marier. Jude était libre, et elle lui avait donné de nombreuses bonnes raisons de changer d'avis sur leur alliance. Elle devait à présent le convaincre qu'il ne s'agissait pas seulement d'une comédie, d'un moyen désespéré de sauver sa réputation.

Marissa devait lui avouer ce qu'elle ressentait réellement.

Elle avait eu des heures pour préparer son discours, mais elle ne les avait pas utilisées à bon escient. Elle s'était tourmentée, lamentée, avait fait les cent pas en fronçant les sourcils. Mais elle n'avait pas pensé aux mots justes, et alors qu'elle s'efforçait en vain de les trouver, Jude prit la parole, rendant son discours impossible.

— Je vais partir demain dans la matinée.

Une phrase toute simple, mais qui voulait tout dire. Elle réagissait trop tard.

— Vous… vous partez ?

— Nous resterons naturellement fiancés, mais je ne suis plus d'aucune utilité. Vous êtes sauvée. Je vous laisserai décider des détails de la rupture avec votre mère, ainsi que de la façon dont elle sera officialisée.

Elle sentit ses membres s'engourdir et s'alourdir sous le poids de cette annonce, et eut l'impression de n'être plus soutenue que par le bras de Jude. Marissa resserra l'étreinte de ses doigts.

— Mais…

— Je vous fais confiance pour que l'on ne me dépeigne pas sous un trop mauvais jour.

Il lui sourit alors. Il lui sourit vraiment, tandis que Marissa luttait pour ne pas s'écrouler dans l'herbe.

— Oui, murmura-t-elle. Bien entendu. Vous avez été si bon pour nous. Il ne nous viendrait même pas à l'idée de vous faire passer pour le méchant.

— Eh bien, votre mère ne sera peut-être pas capable de résister, pour rendre l'histoire un peu plus dramatique, mais je sais que vous ferez attention à moi.

Il lui sourit de nouveau, et cette vue lui donna le vertige.

— Jude… Je voulais… C'est-à-dire que…

— Non, ne dites rien, Marissa. Je vous dois des excuses. Je me suis comporté de façon abominable ces derniers jours. Ce que j'ai dit et fait… c'était inexcusable, et j'espère que vous me pardonnerez.

Elle se tourna vers lui, serrant son bras avec force.

— Bien sûr que je vous pardonne.

— J'en suis heureux.

Il lui adressa son petit sourire en coin, et elle pensa alors qu'il allait ajouter quelque chose. Lui demander une autre chance d'obtenir sa main. Mais il déclara simplement :

— Peut-être que je suis vraiment resté trop longtemps ici et que j'ai été contaminé par l'esprit d'Othello. Pas l'esprit meurtrier, bien sûr, mais l'esprit de folie.

C'était une plaisanterie. Il plaisantait. Elle se força à sourire.

— Je n'ai jamais été un homme jaloux, Marissa. Mais je vous étais trop attaché pour mon propre équilibre mental, je crois. J'ai retrouvé mes repères, et j'espère donc que nous pourrons rester amis.

— Bien sûr, murmura-t-elle.

— Peut-être pourrions-nous rester en contact.

« *Rester en contact ?* » Comment pouvait-il suggérer cela de façon aussi détachée ? Ne ressentait-il plus rien du tout pour elle ?

— Je vous enverrai même mes romans préférés, et cette fois vous aurez le droit de me taquiner, ajouta-t-il.

— Cela me plairait, mentit-elle.

Elle leva les yeux vers sa grande bouche, son nez abîmé et ses sourcils menaçants. Ce qu'elle trouvait autrefois vulgaire lui paraissait désormais sensuel. Ce qu'elle avait jugé brutal lui semblait tout simplement masculin. Elle avait touché ces cheveux sauvages et épais, qui s'étaient révélés si doux sous ses doigts. Elle avait embrassé ces lèvres et les avait trouvées plus tendres que celles de tous les autres hommes qu'elle avait connus.

Il avait failli devenir son mari, et dorénavant il voulait qu'elle soit son amie ? La détestait-il tellement ? Quelques jours auparavant, il était nu devant elle, la défiant de le toucher, et à présent, il lui faisait des adieux amicaux, avec la promesse d'une ou deux lettres spirituelles ? Il devait vraiment la haïr.

Elle prit alors conscience que si la menace du scandale pesait toujours sur sa tête, elle ne l'aurait jamais libéré de sa promesse de l'épouser. Avec ou sans amour, elle se serait accrochée à lui. Elle aurait laissé le temps à…

— Je suis désolée, laissa-t-elle échapper, prenant sa main entre les siennes. Je suis désolée pour ce que j'ai dit! Jude, je vous en prie.

— Arrêtez, fit-il.

Son sourire s'évanouit enfin et, pendant un court instant, elle vit sa douleur, la douleur qu'elle lui avait causée. Jude baissa alors les yeux et quand il les releva, la douleur avait disparu. Mais Marissa l'avait vue.

— Arrêtez, répéta-t-il.

Il se tourna pour reprendre la promenade. Que pouvait-elle faire, à part relâcher son étreinte et marcher près de lui?

— Je pars en Italie pour le compte de mon père, déclara-t-il aimablement, avec sa voix habituelle. Il y a là-bas un vignoble qui l'intéresse beaucoup, et qu'il envisage d'acheter.

— En Italie? Et vous partez maintenant? demanda-t-elle d'un ton égal qui l'étonna elle-même.

— Il est préférable de prendre le large avant l'apparition des tempêtes hivernales.

— Je comprends.

— Comment allez-vous occuper votre temps, Miss York? En brodant?

Marissa regarda fixement l'herbe en fronçant les sourcils, troublée par ses taquineries. Tout ce qu'il disait était la preuve qu'il s'était remis de son penchant pour elle. Pourtant, elle avait vu cette lueur de souffrance dans ses yeux. Et les siens brûlaient de ce même sentiment.

— Mais qu'est-ce…

Les mots s'étranglèrent dans sa gorge. Si elle lui confessait ses sentiments récents à son égard, il serait dans l'obligation de dire quelque chose, mais que lui répondrait-il ?

Peut-être éprouvait-il encore de l'affection pour elle, mais pas suffisamment pour vouloir l'épouser. Il lui avouerait peut-être qu'en apprenant à mieux la connaître, il en était venu à moins l'estimer. Ou il reconnaîtrait qu'il l'avait aimée pendant un temps, mais que cet élan s'était étiolé quand elle l'avait repoussé. Ou il lui dirait qu'il l'aimait encore.

La dernière hypothèse paraissait peu probable, et ses propres sentiments semblaient si intenses et si vulnérables, en comparaison.

Il lui avait avoué qu'il l'aimait bien, après tout, mais rien de plus.

La voix de Jude interrompit le cours de ses pensées douloureuses.

— Je vais aller faire mes adieux.

Elle leva les yeux et sursauta en voyant qu'ils étaient arrivés devant la porte du jardin d'hiver. Leur promenade touchait à sa fin. Jude la regarda en souriant.

— Mais vous avez dit que vous ne partiez que demain, souffla Marissa.

— Oui, mais aujourd'hui, je dois faire mes malles, et écrire à mon père et aux propriétaires du vignoble. Peut-être que j'inviterai ma mère à nous rendre visite en Italie. Elle adore le soleil.

— Votre mère…

Marissa se raccrocha à ce sujet de conservation, dans l'espoir de le faire parler davantage. Qu'il reste ici avec elle, son bras solide sous le sien.

— Où habite-t-elle, en France ?

— Elle vit dans une petite rue tranquille en périphérie de Paris.

—C'est là que vous avez été élevé?

—Oui.

Il savait ce qu'elle était en train de faire. Sa voix avait perdu son ton enjoué, et il jeta un coup d'œil vers la porte avec une pointe d'impatience.

Mais Marissa ne pouvait pas le laisser partir. Le moment où elle cesserait de parler représenterait la fin. La fin de sa visite, oui, mais surtout la fin de leur relation.

—Est-ce qu'elle a un… compagnon, en ce moment?

Jude céda et lui adressa un petit sourire.

—Non. Désormais, elle n'a d'amis masculins que quand elle en a envie. Elle est encore belle, mais elle affirme qu'elle est trop vieille pour se préoccuper de satisfaire les hommes.

—Elle semble être une femme très sage.

—En effet. Elle va au…

Elle avait failli l'avoir. Mais il se reprit au milieu de sa phrase et secoua la tête.

—Nous en parlerons une autre fois.

—Quand? demanda-t-elle d'une voix suppliante.

—Je suis sûr que je reviendrai bientôt. Comment pourrais-je résister?

Mais elle sut que ses paroles n'étaient pas sincères. Elles avaient pour seul but de la faire sourire, sans représenter aucune promesse. Il n'avait pas l'intention de revenir.

—Au revoir, Marissa, dit-il.

L'entendre prononcer son prénom l'incita soudain à se hausser sur la pointe des pieds et à lui appliquer un baiser sur la bouche.

Il était comme une pierre sous sa caresse, rigide et froid. Ses lèvres ne se réchauffèrent pas à son contact, et restèrent closes. Marissa se recula, la bouche brûlante de honte, en cillant pour refréner ses larmes.

Il détourna les yeux et tendit le bras pour ouvrir la porte. Elle demeura debout sans bouger pendant un moment, mais Jude n'eut plus un regard pour elle. Il voulait lui faire croire que ces adieux ne signifiaient rien du tout pour lui.

Et à cet instant, elle le crut.

Chapitre 23

*A*près le dîner, Marissa s'échappa dans sa chambre dès qu'elle le put. Sans l'espoir d'y trouver Jude, elle ne serait jamais entrée dans la salle à manger.

Elle s'était dit que s'il venait à table, ce serait un signe de sa part. Un geste pour lui montrer qu'elle comptait peut-être encore pour lui. Après le repas, elle aurait pris son courage à deux mains et lui aurait demandé de l'accompagner pour une promenade dans le jardin d'hiver.

Mais Jude n'était pas descendu. Et Marissa avait lutté pour ne pas fondre en larmes au-dessus de sa soupe d'orge. Il était déjà parti, en fait. Il lui manquait avec une telle violence que chaque morceau de nourriture semblait sec et amer dans sa bouche.

C'était à Harry qu'était revenue la charge d'égayer le dîner, et entre lui et la baronne, la conversation avait été animée. Par égard pour son cousin, Marissa s'était forcée à sourire parfois. Elle se sentait coupable d'avoir ne serait-ce que douté un instant de sa loyauté. Pendant les premiers jours terribles qui avaient suivi la mort de la bien-aimée d'Aidan, Harry était toujours resté à son côté. Et quand il était parti pour Londres noyer son chagrin, Harry l'avait accompagné pour s'assurer qu'il ne terminerait pas égorgé dans un bas quartier de la ville. Marissa n'était bien entendu pas censée être au courant de ces choses-là, mais elle avait jeté un coup d'œil en cachette à la correspondance d'Edward.

Elle n'aurait donc jamais dû douter de l'honnêteté de Harry, et c'était à cause de ses remords qu'elle resta dîner avec sa famille. Mais à présent, il était 21 heures, et elle se tenait debout devant son miroir, impassible, pendant que sa femme de chambre finissait de la préparer pour la nuit.

Si elle était mariée, sa bonne lui coifferait les cheveux et les laisserait détachés. Elle vêtirait Marissa d'une succession de couches de tissu scandaleusement transparent, puis la borderait dans son lit pour qu'elle y attende son mari. Jude serait l'homme qui la rejoindrait. Il glisserait son grand corps dénudé contre le sien et la laisserait faire tout ce dont elle avait envie.

Il ne lui dirait jamais « non ». Il la provoquerait et la mettrait au défi de se livrer à des jeux indécents. Et elle le ferait. Avec lui. Pour lui.

Mais quand la bonne la borda ce soir-là, elle n'avait personne à attendre. La porte se referma, la chambre fut plongée dans le noir, et ce fut tout. Elle était seule dans son lit froid, sans mari.

Que se passerait-il si elle épousait quelqu'un d'autre ? Se sentirait-elle moins seule ? Peut-être ses états d'âme s'expliquaient-ils par son âge. Elle aurait déjà dû être mariée. Peut-être ses sentiments n'avaient-ils rien à voir avec Jude.

Allongée dans le noir, Marissa examina le plafond au-dessus d'elle. C'était juste une autre nuance de noir. Il n'y avait rien à voir, mais Marissa imagina. Elle imagina un autre corps étendu près du sien. Un homme.

Elle s'imagina avec Charles LeMont. Puis Fitzwilliam Hess. Et même avec Peter White pour finir avec Mr Dunwoody.

Pourtant, elle n'avait envie de se tourner vers aucun d'eux. Elle croisa même frileusement les bras à cette pensée. Charles n'aurait pas été en mesure de comprendre sa passion, qui l'aurait intimidé. Même lorsqu'ils s'étaient caressés innocemment, il avait été… surpris. « *Vous ne devriez pas me laisser faire* », avait-il murmuré plusieurs fois, même s'il n'avait apparemment eu aucune envie de refréner ses mains avides. Il avait voulu lui rappeler sa vertu alors même qu'il contribuait à la ternir.

Et Peter White en avait fait de même. « *Vous auriez dû m'arrêter.* »

Et Mr Dunwoody n'était sûrement pas très différent. Elle était désormais familière de ce genre d'hommes. Ceux-là mêmes qui voudraient que les femmes soient des créatures délicates qu'ils pouvaient réussir à persuader, mais qui n'avaient pas d'envies ni de désirs propres.

Au moins, cela n'avait pas dérangé Fitzwilliam Hess, mais il ferait également un horrible mari. Comment se tourner vers un homme au lit quand on ne pouvait pas croire un seul mot sortant de sa bouche ?

Mais Jude… elle parvenait à imaginer Jude sous ses couvertures, faisant fléchir le matelas sous son poids et la rapprochant ainsi de lui. S'il l'aimait, Marissa pourrait le toucher en toute impunité. Elle pourrait lui demander n'importe quoi. Explorer tout son corps. Elle ne descendrait pas pour autant dans son estime. Bien au contraire.

Et au-delà de la chambre à coucher, il serait son ami. Il était intelligent, gentil et si bien dans sa peau.

« *Je sais qui je suis* », lui avait-il déclaré plus d'une fois. Et c'était vrai, tout au moins jusqu'à ce qu'elle s'étonne qu'une femme puisse l'aimer pour autre chose que son corps. Quelle horrible chose à dire à quelqu'un de pourtant si facile à aimer.

Mais c'était elle qu'on ne pouvait pas aimer, avec son cœur froid, ses présomptions arrogantes, et son rejet d'un homme bon et décent.

Bon et décent, oui. Trop bon et trop décent pour elle. Il avait passé du temps seul avec elle et désormais, il en avait assez. Elle avait envie de croire qu'il aurait de la peine en la quittant. Elle avait envie de s'imaginer qu'il partirait en Italie, qu'elle lui manquerait, et qu'il reviendrait un jour lui déclarer qu'il n'avait jamais cessé de l'aimer. Mais à la vérité, il partirait en Italie et fréquenterait de belles femmes aux yeux sombres qui, en le regardant, ne verraient en lui qu'un homme et rien d'autre.

Il ferait des choses avec elles qu'il n'avait jamais faites avec Marissa, et elle le perdrait à jamais.

Les larmes coulèrent sur ses tempes et vinrent se perdre dans ses cheveux. Elle essuya brusquement ses joues qui la chatouillaient et renifla en s'apitoyant sur son sort.

Elle refusait de renoncer à lui. Elle voulait être son amie et son amante. Elle voulait qu'il n'appartienne plus jamais à une autre. Elle voulait se pendre à son bras et grogner face à toute autre femme qui oserait l'approcher.

Marissa avait envie de se battre pour lui. Si elle devait se battre contre Jude lui-même, alors elle était prête. Il avait eu des sentiments pour elle, il pourrait donc apprendre à l'aimer de nouveau.

Le cœur battant devant sa propre audace, Marissa se glissa hors de son lit. Elle avait l'impression qu'il était déjà minuit, et pourtant il était à peine 22 heures. Elle s'avança jusqu'à la porte de ses appartements et y resta pendant une longue minute, tendant l'oreille pour éviter de croiser un membre de sa famille. Le couloir lui sembla aussi clair que le jour quand elle s'y faufila furtivement, et l'escalier à une lieue de distance, quand elle se mit à courir en direction de l'aile sud du manoir.

Elle ignorait pourquoi elle était si nerveuse. Si elle croisait l'un de ses frères, elle se contenterait de lever le menton et de l'informer qu'elle essayait de sauver ses fiançailles. Si elle voyait sa mère, celle-ci serait si choquée qu'elle en aurait un étourdissement. Harry, lui, ne dirait rien pour tenter de l'arrêter, quant à la tante Ophélia, elle plisserait sans doute les yeux et commanderait une tasse de lait chaud à cette servante étrange qui errait ainsi dans le couloir.

Somme toute, c'était la famille idéale pour quiconque était coutumier des rendez-vous secrets.

Marissa réussit à atteindre la porte de Jude sans se faire remarquer, et fut presque déçue par le calme qui régnait. Mais alors qu'elle s'apprêtait à pousser un soupir de soulagement, elle prit conscience que le plus dur était à venir. Jude s'était montré indifférent à ses sentiments, dans la journée. Et contrairement aux hommes de la famille de Marissa qui s'échauffaient quand ils étaient en colère, Jude semblait se glacer.

Elle comprenait les cris, les coups de poing et les portes qui claquaient. Mais le regard froid de Jude lui faisait une peur bleue. Elle se demanda s'il le tenait du duc.

Elle se demanda aussi si elle cherchait une fois de plus à gagner du temps.

S'armant de courage, Marissa leva la main. Pendant une fraction de seconde, elle hésita à ne pas frapper du tout. Si elle s'annonçait, elle lui donnait une occasion de dire « non » et de la renvoyer. Mais faire irruption dans la pièce sans frapper serait pire que grossier. Ce serait lâche.

Marissa redressa les épaules et toqua.

— Oui ? répondit Jude immédiatement, d'une voix brusque et distante.

Avant que son audace l'abandonne, Marissa tourna la poignée et ouvrit la porte.

Jude était assis à sa table de travail et griffonnait quelque chose, la tête penchée. Ses sourcils froncés lui donnaient un air peu engageant, et sa mine renfrognée ne disparut pas quand il leva les yeux vers elle.

Mais il abandonna son stylo quand il la vit, et elle se sentit réconfortée.

— Marissa.

— Je ne veux pas que vous partiez, lâcha-t-elle.

— Pardon ?

Marissa referma la porte derrière elle, et se rendit compte qu'en dépit du temps qu'elle avait passé à s'inquiéter, elle n'avait toujours aucune idée de ce qu'elle allait dire.

— Je ne veux pas que vous partiez, répéta-t-elle, aucune autre parole ne lui venant en tête.

— Je ne peux pas demeurer éternellement ici, Marissa.

— Mais vous en aviez l'intention. Vous cherchiez une maison. Vous vouliez rester longtemps !

Il la regarda fixement, comme s'il ne la comprenait pas.

— Vous aviez l'intention de rester, et maintenant vous voulez partir, alors que vous affirmez ne pas être en colère contre moi.

— Vous aviez raison. Il est préférable que je m'en aille.

— Pourquoi ?

Il regarda les lettres posées sur son bureau, et étendit ses mains dessus. Il prit une inspiration lente et profonde, puis soupira.

— Qu'attendez-vous de moi, Marissa ? Nous nous sommes déjà fait nos adieux.

— Et si… (Son cœur se mit à battre à un rythme effréné.) Et si je vous disais que j'ai reconsidéré le plan ?

— Quel plan ?

Son impatience était perceptible. Il avait envie qu'elle parte. Elle s'avança de trois pas dans la chambre.

— Le plan. Mon plan. Votre idée était bien meilleure, je crois, de considérer notre relation comme de véritables fiançailles. Ne pouvons-nous simplement pas revenir à cette idée ?

— Marissa… (Il laissa tomber sa tête entre ses mains et enfouit ses doigts dans ses cheveux.) Je n'ai pas envie de réfléchir à cela ce soir. Je suis épuisé.

— Mais vous partez demain matin et ensuite… ensuite il sera trop tard.

— Trop tard pour quoi ?

Il était plus facile de s'approcher de lui quand il ne la regardait pas. Marissa traversa la chambre et observa les épaules de Jude se raidir au fur et à mesure qu'elle avançait. Mais il ne leva pas les yeux. Il se préparait simplement, comme s'il s'attendait à ce qu'elle explose.

— Trop tard pour que je vous présente mes excuses. Je…

— Vous vous êtes déjà excusée, et je vous ai dit aussi que j'étais désolé. Ne pouvons-nous pas…

— Mais, l'interrompit-elle, je ne vous ai pas présenté mes excuses pour la stupidité dont j'ai fait preuve. Pour mon aveuglement. Jude, je ne veux pas vous voir partir. (Elle osa poser ses mains sur ses épaules.) Restez.

Il baissa légèrement le front. Comme si elle l'avait vaincu.

— À quoi bon ? Vos jeux sont devenus trop dangereux. Je n'essayais pas de vous pousser à mal vous conduire. J'essayais de…

Elle remonta la main le long de son cou. Il ne portait pas de cravate ni de veste, elle pouvait donc toucher sa peau dénudée. Il était si chaud. Presque fiévreux. Elle sentit ses muscles sous sa main.

— Qu'essayiez-vous ? murmura-t-elle.

Jude secoua la tête.

Elle ne pouvait pas lui en vouloir. Elle avait tenté de l'attendrir par des caresses, mais c'était elle qui était venue faire la paix.

— Jude ? Je veux… Je veux que vous restiez parce que je crois que je suis amoureuse de vous.

Elle sentit ses muscles tressaillir comme si c'étaient les siens, mais quand il prit la parole, sa voix ne trahissait aucune émotion.

— Vous vous trompez.

—Non, je ne me trompe pas.

—Vous vous êtes décidée à m'aimer maintenant parce que le scandale est passé et que je pars. C'est la seule raison.

—Non.

Il se retourna si brusquement vers elle qu'il heurta sa main.

—Vous n'êtes pas amoureuse de moi, et ce jeu entre nous est terminé.

—Ce n'était pas un jeu, insista-t-elle.

Comme il conservait son expression obstinée, Marissa se mit à genoux sur le tapis et prit l'une de ses mains entre les siennes.

—Jude, écoutez…

—Ne faites pas ça. Levez-vous.

Elle serra sa main plus fort.

—Quels que puissent être mes défauts, que je sois superficielle, inconvenante ou égoïste, quand vous ai-je déjà menti ? Quand ?

—Levez-vous.

—Ce n'est pas un jeu, Jude.

Il se redressa et tira sur la main qu'elle tenait pour qu'elle se lève.

—Si, c'est un jeu. Ne comprenez-vous pas ?

Le corps de Marissa se glaça tout entier pendant une fraction de seconde, comme si elle avait traversé un courant d'air.

—Que voulez-vous dire ?

Il dégagea sa main, bouscula Marissa et se mit à arpenter la chambre.

—Jude ? Que voulez-vous dire ? (Son corps se réchauffait à présent, et elle ressentit alors une vive douleur.) Vous faisiez semblant ?

— Non ! s'écria-t-il sèchement. Je n'ai jamais fait semblant. Je vous aimais bien, et je pensais pouvoir vous aider.

— Et c'est tout ?

— Oh, il y avait autre chose. Je pensais que si j'attisais suffisamment votre désir, si vous aviez envie de moi, alors peut-être que vous m'épouseriez avec joie. Et voyez-vous cela, mon plan a fonctionné.

La gorge serrée, Marissa ravala ses larmes.

— Je ne comprends pas.

Jude se remit à marcher dans la pièce, en agitant les mains avec brusquerie tandis qu'il parlait.

— J'avais envie de vous amener à m'aimer par la ruse, Marissa. Je savais que je pouvais y réussir. Vous êtes passionnée, curieuse et vivante. Mais je n'en ai plus envie. J'ai envie de plus que cela.

— De plus que moi ?

— De plus que du simple désir et de l'affection qui peut en résulter. On m'a déjà désiré, Marissa. Je ne suis pas si peu désirable, en dépit de ce que vous pouvez penser.

Ces paroles chassèrent soudain sa peur. Il ne lui avait pas menti. Il ne lui avait jamais caché ses intentions. Ce qu'il lui avouait à présent n'était pas la vérité sur ce qu'il avait fait. Il lui avouait qu'elle l'avait blessé.

— Vous n'avez donc nullement besoin d'être surprise par votre désir, dit-il froidement. Moi je ne le suis pas. C'était exactement ce que je recherchais.

— Je sais que vous êtes désirable, Jude. Croyez-moi, j'en suis consciente. Mais je sais aussi que vous valez plus que du désir. Je suis tellement navrée pour ce que je vous ai dit. Ce n'est pas que je pense que personne ne puisse vous aimer…

— Vous n'avez aucune idée de la différence entre l'amour et le désir. Vous l'avez reconnu vous-même.

— Quand?

— Quand vous avez parlé de Charles et de votre liaison.

— J'avais dix-sept ans! Je suis une femme désormais, et je peux voir au-delà de votre corps!

— Je l'espère vivement, étant donné que vous ne manifestez que si peu d'intérêt envers lui.

Marissa tiqua en l'entendant marmonner ces mots. Elle le regarda de haut en bas et secoua la tête, stupéfaite.

— Jude Bertrand, est-ce que vous boudez?

Il lui lança un regard hargneux.

— Pardon?

— Boudez-vous parce que je ne vous trouve pas beau?

— Ne soyez pas ridicule, grommela-t-il, mais elle aperçut une rougeur qui montait le long de son cou.

— Ha! Je crois bien que vous boudez. Vous pouvez, parce que, en effet, je ne vous trouve pas beau, il est donc inutile de marmonner comme si c'était un secret.

— Merci pour votre honnêteté!

Marissa croisa les bras et lui décocha un coup d'œil noir.

— Quelle femme pourrait vous trouver beau? Vous êtes grand et large, et vos bras et vos jambes ressemblent à des troncs d'arbre.

Jude grogna.

— Parfait.

Elle se rapprocha de lui et posa un doigt sur sa mâchoire.

— Vous avez un visage de guerrier antique, qui paraît avoir connu plus de batailles que de valses. Et des mains qui semblent plus adaptées pour lutter contre des ennemis que pour jouer du piano.

Il détourna la tête.

— Touché.

— Vous n'êtes pas beau, Jude. Et pourtant je vous désire plus que je n'ai jamais désiré n'importe quel joli garçon.

Vous êtes fort, et quand je vous regarde, je ressens une faiblesse. Pour vous.

Elle voulut lui caresser la joue, mais il recula.

— La faiblesse n'est pas une chose sur laquelle on construit une vie, Marissa. Tout cela était une erreur. Je vous désirais, et je pensais qu'être désiré en retour serait suffisant.

— Ne l'est-ce pas ?

— Non ! Pendant trop longtemps, j'ai été satisfait qu'on m'accepte. J'aimerais que mon épouse fasse plus que cela.

Marissa avait été sur le point de lui donner une réponse facile. Il ne lui serait pas difficile de le rassurer, car elle éprouvait tant de sentiments pour lui. Mais alors qu'elle prenait une profonde inspiration et s'apprêtait à parler, elle se tut en voyant son visage tourmenté.

Ses yeux brillaient d'un mélange insoutenable de regret et de fierté.

— Pendant une dizaine d'années, je me suis satisfait d'être le bâtard de mon père. D'être accueilli comme un divertissement exotique. D'être accepté. Et j'ai tenté de gagner votre cœur de la même façon. Comprenez-vous cela ? En me faufilant à travers vos défenses afin de vous faire penser que vous m'acceptiez. (Il cracha ces mots avec hargne, la lèvre incurvée en une moue méprisante.) Mais je ne suis plus un enfant bâtard. Je suis un homme, et je demande plus que cela, désormais.

Sa colère aurait dû l'effrayer, mais elle avait seulement envie de le toucher. Ses paroles ne lui faisaient pas peur, parce qu'elle connaissait sa réponse, à présent. Elle pouvait lui donner ce qu'il exigeait. Sans hésiter.

Marissa avança vers lui, une dernière fois. S'il reculait, il se retrouverait acculé au mur.

— Exigeriez-vous de l'amour ? murmura-t-elle.

— Oui.

Elle posa une main sur son torse, tout étonnée qu'il lui soit déjà familier.

—Et de l'admiration? Et du respect?

Jude ferma les yeux, sa poitrine gonflant sous sa main alors qu'il inspirait profondément.

—Et vous voudriez également du désir, j'espère?

—Vous dites des choses stupides.

Elle glissa la main dans le dos de Jude et posa la joue contre son cœur. Elle le sentait tambouriner à son oreille.

—Je vous aime, Jude.

—Ne dites pas cela, mon cœur. Ne dites pas cela.

—Je vous aime, et la force de mon désir me rend vulnérable.

—Ce n'est que du désir, insista-t-il d'une voix rauque. Uniquement du désir.

—Et mon envie profonde de vous parler, d'être seule avec vous et de connaître vos pensées? Est-ce aussi du désir? Je vous ai sous-estimé, Jude. Je vous ai rejeté, et maintenant vous agissez de même envers moi. Mais je vous aime en tant qu'homme, et je vous veux comme mari.

—Marissa, souffla-t-il.

Il posa les mains sur ses épaules, et parut sur le point de l'attirer plus près, ou bien de la faire reculer. Elle ne savait pas, et pressentait que Jude n'en avait pas la moindre idée lui-même.

—Je veux que ces fiançailles soient réelles, Jude. Je veux que vous me preniez pour épouse. Et de tous les jolis garçons avec qui j'ai dansé et pour qui j'ai éprouvé du désir, je n'ai jamais attendu cela.

Il inspira brusquement, comme s'il allait dire quelque chose, mais aucun mot ne franchit ses lèvres.

—Avez-vous encore des sentiments pour moi? demanda-t-elle, plissant les yeux pour se préparer à sa réponse.

Il y avait de fortes probabilités pour qu'il ait vu sa vraie nature et changé d'avis. Quelle ironie du sort, si Jude jugeait finalement qu'elle était trop laide pour lui.

Mais peut-être pourrait-elle retourner les techniques de Jude contre lui-même.

Marissa frotta sa joue contre l'étoffe fine de sa chemise. Il était si chaud en dessous, et elle avait envie de sentir cette chaleur sur elle. En elle. Et peut-être qu'en éveillant le désir de Jude, elle le ferait rester assez longtemps pour qu'il voie qu'elle avait changé et qu'elle était devenue plus réfléchie. Qu'elle n'était plus seulement une fille qui adorait danser.

Les mains de Jude se crispèrent sur ses épaules, elle pressa alors sa bouche contre le haut de son torse et son ventre contre ses hanches.

— M'aimez-vous toujours un peu, Jude ?

Elle vit sa mâchoire si volontaire se contracter, et posa ses lèvres dessus.

Elle le sentit tressaillir contre elle.

Marissa émit un petit bruit de contentement.

— Vous récoltez ce que vous avez semé. Vous m'avez provoquée en exhibant votre corps devant moi, et maintenant je veux l'avoir.

— Arrêtez, cria-t-il en la repoussant. Je n'ai nul besoin que vous soyez provocante pour avoir envie de vous, bon sang ! Je me prends en main chaque soir par désir pour vous.

Soudain excitée, Marissa sentit son sexe se contracter. Elle comprenait ce qu'il voulait dire. Elle pouvait se l'imaginer.

— Alors prenez-moi.

— Je n'en ferai rien. Vous allez changer d'avis, et alors que se passera-t-il ? Vous n'avez jamais voulu de moi comme mari, et je refuse de passer cinquante ans à lire le regret dans vos yeux.

—C'est absurde. Quand m'avez-vous jamais vue exprimer des remords ?

Son visage hargneux s'adoucit, comme s'il réfléchissait vraiment à sa question.

—Vous avez regretté ce qui s'est passé avec Peter White.

—Oui, c'est vrai. Mais pour être plus précise, j'ai regretté les manquements de Peter White.

Marissa aurait pu jurer avoir aperçu un sourire fugace éclairer ses traits.

—Alors que vous, Jude, vous ne me donneriez aucune raison d'avoir des regrets, n'est-ce pas ?

—Je vous décevrai de multiples manières.

Secouant la tête, Marissa mit les mains sur ses épaules, au niveau des nœuds de sa chemise de nuit.

—Mais je suis superficielle. Si vous me rendez heureuse avec quelques petites choses, que pourrais-je demander de plus ?

—Ne faites pas cela, grommela-t-il.

Il s'avança vers elle mais elle se recula et tira sur les nœuds.

—Vous l'avez fait avec moi.

Sa chemise de nuit glissa, lui dénudant les épaules, et Jude se pétrifia.

—Arrêtez. Je vous en prie.

—Ne soyez pas lâche, dit-elle à Jude – ou était-ce à elle-même ?

Elle laissa tomber son vêtement sur le sol.

Pour la première fois de sa vie, Marissa se retrouvait entièrement nue devant un homme. Elle n'était même pas certaine qu'il ait encore des sentiments pour elle, et la vulnérabilité de sa position lui donna une furieuse envie de se cacher derrière ses mains. Mais elle n'en fit rien.

Elle ne pouvait pas le forcer à l'aimer de nouveau. Elle utiliserait son corps, comme il avait d'abord eu l'intention de se servir du sien.

Le regard de Jude glissa sur sa nudité. Il déglutit péniblement. Puis il se dirigea vers la porte d'un air furieux.

Il était à deux doigts de s'échapper quand Marissa se faufila entre lui et la sortie pour faire barrage de son corps. Son corps nu.

Jude sentit son visage se déformer sous le coup d'une stupéfaction inquiète.

— Qu'est-ce que vous faites ?

— Je vous séduis, répondit-elle.

C'était une étrange façon de désigner ce que Marissa était en train de faire, nue devant une porte. Mais c'était pourtant ce qui lui arrivait. Il était en train de se faire séduire. Par ses petits seins et sa taille fine et, mon Dieu, les boucles dorées qui dissimulaient son sexe…

— Je…, commença-t-il, puis il perdit ses mots face à la contemplation de sa nudité.

— Je vous aime, déclara Marissa. Je veux vous épouser. Et je suis prête à me servir de mon corps pour vous amener à recouvrer les sentiments que vous aviez pour moi.

Le cœur de Jude se serra lorsqu'il l'entendit prononcer ces paroles. Il inspira profondément et ressentit une réelle souffrance.

— Je n'ai pas envie d'être piégé, parvint-il finalement à dire, en jetant un regard furtif vers la poignée de la porte près de la hanche de Marissa.

Marissa se redressa, resserra ses pieds et fit glisser ses mains le long de la porte.

— Marissa, arrêtez. S'il vous plaît, arrêtez.

Il la suppliait. Il avait envie de plus que cela, et pourtant c'était aussi tout ce qu'il désirait.

Au lieu de le prendre en pitié, elle se rapprocha, s'immobilisant à quelques centimètres de lui. Si son corps l'avait voulu, Jude aurait sans doute pu s'échapper, mais il ne bougea pas. La nudité de Marissa lui faisait perdre toute volonté.

Elle l'entoura lentement de ses bras, d'abord dans une caresse légère, du bout des doigts, puis plus appuyée, avec ses mains. Enfin, son corps chaud s'empara entièrement du sien et se pressa tout contre lui avec force. Jude ne parvint qu'à lever les mains assez haut pour éviter de la serrer contre lui.

— Non, dit-il, secouant la tête. Je ne ferai pas cela. Nous allons attendre. Et si nous nous marions…

« *Si nous nous marions.* » Mon Dieu, ses propres paroles lui firent l'effet d'une brûlure sauvage. Était-ce encore possible, alors qu'il s'était déjà préparé à la douloureuse idée de la perdre ?

— Non, Jude, murmura-t-elle. Je vous veux. Maintenant. Je vous en prie… Déshabillez-vous. J'ai envie de vous sentir contre moi.

Il agita la tête, mais son sexe avait depuis longtemps réagi à sa vue, et tressaillait impatiemment à chacun de ses mots.

— Très bien, dit Marissa, qui sortit alors la chemise du pantalon de Jude et pressa son ventre contre le sien.

— Oh, bon Dieu, gémit-il.

La sensation de sa peau, si chaude contre la sienne, devint l'unique chose à laquelle il était capable de penser.

— Vous m'avez déjà fait attendre si longtemps, chuchota-t-elle, que j'en ai été réduite à me jeter sur vous. Apaisez au moins ce désir douloureux que vous avez fait naître.

— Taisez-vous, ordonna-t-il, commençant à oublier les raisons pour lesquelles il luttait encore.

Pourquoi ? Elle glissa ses bras autour de sa taille et pressa ses seins avec plus de forces contre son torse. Jude baissa enfin les mains et les posa sur son dos. Il écarta les doigts sur sa peau nue.

— Je n'en ai pas envie, murmura-t-il.

Marissa frissonna à ce contact.

— On dirait pourtant que si.

Dieu, comme il avait envie de céder. Mais plus que tout, il avait envie qu'elle soit à lui pour toujours.

— Laissez-moi partir, Marissa. Je n'irai pas en Italie. Je trouverai une maison, et je vous ferai la cour en bonne et due forme. Nous pouvons prendre notre temps. Vous pourrez être sûre de votre choix. Vous devez être sûre.

Elle s'étira comme un chat, et la main de Jude descendit naturellement le long de son dos, épousant les courbes délicates de sa taille et de ses hanches. Sa nudité était tellement prégnante.

— Oh, Jude, ronronna-t-elle. J'aime quand vous me caressez ainsi.

« J'aime. » Ces mots se moquaient de lui, et il sentit la colère enfler de nouveau en lui. Il était non seulement enflammé par la colère, mais aussi, d'une façon différente, par cette femme nue. Au lieu d'être furieux, il éprouvait un désir aveugle.

Il l'embrassa alors, la goûtant pour la première fois depuis si longtemps, faisant courir ses mains sur son corps avec une liberté grisante. Tout son corps lui était offert. Tout son corps était sien.

Elle se colla encore plus à lui, enfonçant ses ongles dans son dos, et l'embrassa avec une avidité égale à la sienne. Il pourrait déboutonner son pantalon et la posséder. Sans plus attendre. Se glisser profondément et véritablement en elle, et la faire sienne pour toujours. Tout son corps et toute son âme aspiraient à cela, il ressentait cette force qui attirait chaque fibre de son être vers elle.

Elle en avait envie. Elle avait envie de lui. Pourquoi cela ne pouvait-il pas suffire ?

Jude la lâcha soudain et la repoussa, se passant la main dans les cheveux, en proie à une violente lutte intérieure.

— Non ! Il nous faudrait nous marier…

— Tous ces grands mots sur ce qu'est un homme ! dit Marissa avec hargne, en agitant les mains de frustration.

D'un geste, elle le désigna de la tête aux pieds, mais Jude avait perdu de vue sa main pour se concentrer de nouveau sur ses seins. *Ses tétons dressés et rougis…*

— Eh bien, j'ai besoin d'un homme, Jude ! Maintenant. Ce soir.

— Pour toujours, Marissa, grogna-t-il. Comprenez-vous cela ? Venir dans mon lit revient à m'épouser. Je ne vous laisserai pas vous échapper.

Elle leva le menton et soutint son regard.

— Vous n'êtes ni mon professeur ni mon tuteur, alors cesser de me traiter comme une enfant. Prenez-moi, et au diable vos avertissements.

Ses yeux étincelaient de colère et de désir. Jude savait que les siens brillaient du même éclat. Et elle avait raison. Elle n'était pas une enfant, et le prouva en marchant vers son lit pour s'étendre dessus, comme sur un autel de sacrifice. Le cœur de Jude se mit à battre follement.

Elle tremblait un peu, comme une feuille frissonnante, et lui aussi se sentait agité de frémissements.

C'était une bêtise, mais elle s'offrait à lui et il avait tellement envie d'elle qu'il en avait mal, et ce depuis plusieurs semaines. Marissa l'affrontait de son regard. Elle lui lançait un défi.

Jude grogna comme un animal et retira sa chemise.

Il ne lui fallut que quelques secondes pour se déshabiller, et il sentit son désir grandir tandis qu'elle le regardait avec un petit sourire triomphant. Il se glissa alors dans le lit avec Marissa, tout contre sa peau, qui était d'une douceur insoutenable.

Elle avait raison. Un homme ne fuirait pas devant l'amour d'une femme telle que Marissa. Un homme saisirait sa chance et ferait fi des risques, même s'il s'agissait de la pire erreur qu'il ait jamais commise.

Le corps de Marissa était un surprenant mélange d'impatience et de plaisir intense, qui lui donnait l'impression de flotter. Jude, serré contre elle, était devenu la seule chose qui comptait pour elle. Elle ne voyait rien d'autre que ses yeux sombres, plongés dans les siens.

Elle sentait la pilosité de son torse sur sa peau nue, et quand il se rapprocha d'elle, sa virilité se blottit contre sa hanche. Le contact de leurs corps semblait à la fois naturel et incroyablement étrange. C'était quelque chose qu'elle avait toujours su, mais qu'elle n'avait jamais vécu.

Elle posa la main sur la nuque de Jude pour l'attirer à elle.

Cette fois, son baiser n'avait pas pour but de la séduire. C'était un baiser lent, profond, et exigeant. Jude explora de sa langue la chaleur de la bouche de Marissa. Elle enfonça ses ongles dans son cou pour qu'il s'aventure encore plus profondément. Tout l'être de Jude suscitait chez elle un désir ardent. Sa taille, sa fièvre, ses muscles souples et son menton rugueux. Il représentait pour elle à la fois une fascination et un danger. Un danger qui lui appartenait. Une fascination qu'elle pouvait explorer à sa guise.

Elle glissa son pied le long de son mollet, murmurant son plaisir à pouvoir le faire. Quand Jude se tourna, elle avança sa jambe entre les siennes et se mit face à lui. À présent, ils se touchaient, ils se correspondaient. Le sexe de Jude était appuyé contre le sien. Ses seins effleuraient son torse tandis qu'ils s'embrassaient. Jude soupira alors du même soulagement qu'elle ressentait.

Il se recula pour la regarder.

— Vous êtes un rêve, dit-il en posant doucement la main sur son sein. Un rêve ici, dans mon lit, qui se tourne vers moi.

— Je vous aime, murmura-t-elle. Cela n'a rien d'un rêve.

— Pour moi, ça l'est.

Elle ne pouvait pas répondre. Elle était trop occupée à se mouvoir à la rencontre de sa main qui l'explorait. Il joua avec son téton pendant de longues et délicieuses secondes avant de descendre vers sa hanche, puis de remonter. Quand elle commença à s'agiter avec impatience, il se remit à lui caresser les seins, comme elle en avait envie.

— Vous savez déjà ce que vous voulez, mon cœur ?

Ses mots si doux dansaient sur elle.

— J'apprends vite.

Il lui titilla les seins avec juste ce qu'il fallait de pression, et Marissa gémit de plaisir.

— C'est certain. Bientôt, je n'aurai plus rien à vous enseigner. (Elle se cambra avec force contre ses hanches, et Jude en eut le souffle coupé.) Quant à vous, je crois que vous m'apprenez à me comporter de nouveau comme un garçon.

Mi-riante, mi-gémissante, Marissa frotta son corps plus fermement contre le sien. Les frissonnements de Jude la remplirent de puissance et de désir. Il en savait peut-être plus sur l'art de faire l'amour, mais elle était malgré tout capable de le faire trembler de désir pour elle. Comment ne pas se sentir puissante ?

Baissant la tête pour goûter son cou, Marissa explora son corps à son tour. Son torse, ses côtes, ses hanches, si étroites et si fermes par rapport aux siennes. C'était comme un nouveau monde pour elle. Elle avait envie de tout savoir.

Les muscles du ventre de Jude tressaillirent au contact de ses mains, comme si elle l'avait brûlé. Elle connaissait cette sensation. Elle avait l'impression que la moitié de son corps était déjà en feu.

Le cœur battant, Marissa continua de faire descendre ses doigts le long de son ventre. Elle sentit la toison drue qui entourait son sexe, et la caressa avec délicatesse. De nouveau,

Jude tressaillit puis s'apaisa, le torse immobile tandis qu'il retenait son souffle. Cessant aussi soudain de respirer, elle mit ses doigts autour de son membre dressé.

— Vous êtes si chaud, murmura-t-elle. Ma main est-elle trop froide ?

— Non, lâcha-t-il.

Marissa sourit et resserra l'étreinte de ses doigts.

— Est-ce bon ainsi ?

— Oui.

— Et comme cela ?

Elle le caressa, sans relâcher la pression de sa main.

— Oui. Vous… n'avez pas besoin de demander. C'est toujours oui, Marissa.

Elle pouffa, puis alterna des caresses douces et plus fermes. Il était lourd dans sa main, et puissant. Curieuse, Marissa repoussa les couvertures. Elle avait assez chaud à présent, et puis elle avait envie de le voir.

— Vous allez m'intimider, gémit-il, tandis qu'elle observait ses allées et venues sur le sexe de Jude.

Elle descendit jusqu'à ses testicules, puis remonta pour entourer la pointe de son membre.

Jude gémit et se pencha pour prendre le téton de Marissa dans sa bouche, le mordiller et le sucer avec avidité. Elle perçut un tourbillon dans son corps, qui contracta son sexe et lui rappela où se trouvait le centre de son désir. Toucher la virilité de Jude l'avait mise dans un tel état d'excitation qu'elle gémissait et se tortillait sous ses mordillements.

Elle frottait fébrilement sa jambe contre la sienne, éprouvant le besoin intense de l'attirer encore plus près d'elle.

— Jude, dit-elle dans un souffle.

Mon Dieu, elle le désirait avec une telle intensité. Ce qu'elle avait connu par le passé n'avait été qu'une simple curiosité, tandis qu'elle ressentait à présent un besoin impérieux.

Jude parut se rendre compte qu'elle avait envie de passer à l'étape suivante, et l'embrassa avec une telle force qu'elle bascula sur le dos. Ce fut alors à son tour d'explorer le corps de Marissa. Mais Jude ne la touchait pas par curiosité, il la touchait pour exciter son désir... et y réussissait à merveille. Il parcourut son cou de baisers, puis le suçota doucement, tout en caressant sa hanche. Marissa se tortilla avec impatience. Attentif à ses envies, Jude fit descendre sa main sur sa cuisse.

Quand il releva la tête, elle pensa qu'il allait de nouveau l'embrasser, mais il examinait son corps.

—Qu'est-ce que c'est? (Il effleura le haut de sa cuisse avec son pouce.) L'origine de tant de problèmes.

Elle baissa la tête et vit la légère tache rose en forme de cœur qu'elle avait depuis sa naissance. Elle semblait si inoffensive et innocente, et pourtant elle l'avait poussée à avouer tant de choses indécentes.

—Je suis honoré de faire enfin partie du cercle si restreint de ses admirateurs.

—Chut! le gronda-t-elle.

Jude lâcha un petit rire dans son cou et posa la main sur la toison entre ses cuisses, pour la distraire de son indignation.

—Oh, soupira-t-elle, surprise, levant les cuisses pour accueillir cette main.

—Si belle, murmura-t-il en la caressant lentement de ses doigts. Si chaude, si agréable et si... humide.

Marissa écarta les genoux pour qu'il puisse lui faire ces merveilleuses choses qui l'avaient tant ravie dans le pavillon. Oui, elle était mouillée, et savait ce que cela signifiait. Un doigt qui se glisserait... puis des caresses étourdissantes.

Et Jude ne la déçut pas. Il la titilla jusqu'à ce qu'elle tremble, puis introduisit l'un de ses doigts si forts en elle.

Elle pensa qu'elle allait crier de plaisir. Et peut-être cria-t-elle un peu, en enfonçant ses talons dans le matelas pour lever les hanches contre la main de Jude. Il l'embrassa avec fougue, étouffant ses gémissements de désir. Il était si bon de sentir le contact expert de son doigt, mais elle savait ce qui serait encore meilleur. Elle savait ce qu'elle voulait. Et elle était exaspérée de voir qu'il semblait prendre plaisir à continuer de la tourmenter.

Au moment précis où le désespoir de Marissa arrivait à son comble, Jude enfonça un autre doigt en elle, et pendant un instant, elle en perdit le souffle.

Son plaisir était déjà si intense qu'elle se demanda ce qu'elle ressentirait quand son membre gonflé entrerait en elle.

Elle arracha ses lèvres aux siennes.

— S'il vous plaît.

Il ne répondit pas, même si elle sentit sa respiration s'accélérer contre son cou. S'il pouvait passer outre à sa demande, cela signifiait qu'il n'était pas aussi désespéré qu'elle, mais Marissa savait comment y remédier.

Marissa se fit violence pour détacher son esprit des doigts puissants de Jude et lâcher son bras, puis elle entoura son sexe de sa main.

Les mouvements de Jude se ralentirent, et elle sentit ses dents sur son cou. Et quand elle le caressa lentement de haut en bas, Jude retint sa respiration, et son corps entier se mit à vibrer comme un arc tendu.

Elle ressentit de nouveau ce sentiment de puissance, alors que son intimité se contractait autour des doigts toujours glissés en elle. Elle était triomphante. Et gémissait comme un chaton.

Quand Jude retira ses doigts, elle lui passa les bras autour de la taille pour l'attirer sur elle. Il vint de son plein gré, Dieu merci, et quand son sexe se frotta contre le sien, elle se cambra contre lui, geignant de plaisir.

« *Oh, Seigneur, oui!* » C'était bon. Si bon. Et meilleur encore quand il entra enfin en elle.

—Oh, Jude, murmura-t-elle, parce qu'elle avait envie que son corps sache que c'était lui qu'elle accueillait en elle.

Il se recula légèrement, puis pénétra plus loin encore. Marissa le serra si fort qu'elle pouvait à peine respirer.

—Chut, susurra-t-il. Détendez-vous, mon cœur.

—Je ne peux pas !

Elle haletait avec violence, submergée par son désir.

—Marissa. Marissa, répéta-t-il en baissant la voix.

Il se redressa pour libérer l'une de ses mains, puis l'autre.

Il prit les poings serrés de Marissa dans ses mains et les reposa sur le lit. Marissa ferma les yeux avec force et essaya de calmer sa respiration.

—Chut, chuchota Jude en lui embrassant les paupières.

Elle sanglota et remonta ses jambes le long des siennes. Quand elle les serra autour de lui, Jude pénétra plus profondément et pleinement en elle.

Elle se cambra, rejetant la tête en arrière avec une satisfaction intense. Il la comblait, juste comme elle l'avait souhaité.

Jude se recula lentement, puis s'enfonça de nouveau. Marissa ouvrit les yeux pour le contempler au-dessus d'elle. Il avait un air effrayant, sauvage. Aussi sauvage que ce sentiment qui emplissait son cœur, tandis qu'elle serrait les poings et levait les hanches à la rencontre des siennes.

—Respirez, Marissa.

—Je ne peux pas ! C'est juste que… j'ai tellement envie de vous.

—Vous m'avez, mon cœur. Je suis à vous.

—Je vous en prie, supplia-t-elle. Jude, je…

Il l'embrassa sur les joues, la bouche, le menton.

—Voilà, mon amour.

Marissa garda les yeux fermés quand il la serra dans ses bras pour la retourner. Soudain elle se retrouva sur lui, sa virilité toujours en elle.

— Voilà, dit-il. Je suis à vous.

Marissa inspira profondément et se hissa sur ses mains. Sous le poids de son corps, Jude était encore plus étroitement pressé contre elle, et elle soupira de bien-être.

Il lui lâcha les poignets, elle posa alors les mains à plat sur son torse et le contempla. Il était magnifique sous elle. Pas beau, pourtant elle se délectait de sa vue tandis qu'elle remuait les hanches.

Oh, oui. Elle recommençait à respirer. À présent, c'était Jude qui semblait avoir quelques difficultés. Il lui agrippait les hanches, et son souffle devenait de plus en plus rapide alors qu'elle le chevauchait.

Marissa ressentit encore ce pouvoir qu'elle détenait sur lui, mais cette fois il se confondit avec celui qu'il détenait sur elle. Il lui procurait un plaisir ineffable, tout en forçant son corps à l'accueillir.

Et elle aimait cela. Elle l'aimait, lui.

Elle essaya d'accélérer le rythme de ses mouvements, puis les ralentit et fit onduler son bassin. Jude la laissait agir à sa guise, et c'était aussi incroyable qu'elle en avait rêvé. Elle sentit ses cuisses commencer à trembler, mais elle n'arrivait pas à s'arrêter. Elle en voulait davantage. La mâchoire crispée et les yeux plissés, Jude glissa sa main le long de sa cuisse jusqu'à atteindre son sexe.

— Ah ! s'écria-t-elle, ses hanches tressaillant comme sous le coup d'une décharge électrique.

— Voilà, murmura-t-il. Possédez-moi.

Elle le chevaucha plus vite et plus fort, le pouce de Jude toujours appuyé contre cet endroit où toute la tension de son corps prenait naissance.

— Oh, mon Dieu. Jude !

C'était l'aboutissement de toutes les sensations qu'elle recherchait depuis des années. Cette délicieuse indécence, ces ondes de jouissance sauvage, la plénitude de son essence même. Tout y était.

Marissa ferma les yeux et laissa là ses pensées, se concentrant sur le miracle de son propre corps. Et quel miracle, ce plaisir qui envahissait son âme, et en devenait presque douloureux. Elle cria son désespoir, puis soudain, elle explosa. Son âme ou son corps, quelque chose céda en elle et libéra toute sa joie et toute sa jouissance avec une telle intensité qu'elle hurla, tout en faisant claquer ses hanches contre celles de Jude. Elle avait besoin qu'il s'enfonce plus profondément encore en elle, et il avait dû le sentir car il vint à sa rencontre avec une force brutale. Alors elle sanglota et trembla contre lui.

Quand le plaisir la laissa enfin respirer, Marissa s'effondra sur le torse de Jude, haletante et frissonnante. Il lui caressa le dos de ses grandes mains, tout en murmurant des mots apaisants.

— Vous êtes incroyable, Marissa.

— Je n'ai jamais… Je n'ai jamais rien ressenti de tel.

— Ah! Enfin.

— Jude! s'exclama-t-elle, en le tapant sur le bras, mais elle s'aperçut qu'il riait.

Elle se mit aussi à pouffer, mais il s'arrêta alors brusquement. Le rire de Marissa s'intensifia quand elle se rendit compte de l'effet que cela avait sur le membre de Jude, toujours en elle.

— Bon sang, Marissa!

Elle frotta alors sa joue contre son torse velu et constata que sa peau était trempée de sueur. Il sentait bon et elle était si bien, blottie contre son corps humide et chaud.

Elle lâcha un petit cri aigu quand il la retourna soudain sur le dos et s'enfonça plus profondément en elle.

— Je vous avais dit qu'il ne fallait pas me provoquer, mon cœur. Vous me rendez fou.

Et il avait vraiment l'air fou, avec son visage empourpré par la passion et ses yeux qui brillaient d'une lueur sauvage. Marissa serra les jambes autour de ses hanches et le prit aussi profondément qu'il le désirait. Il l'embrassa avec la même avidité qu'elle-même avait ressentie quelques instants auparavant. Et quand il atteignit enfin son orgasme dans un dernier coup de reins, Marissa sentit les larmes lui monter aux yeux.

Il était son ami et son amant, il allait aussi devenir son mari.

— Je vous aime, murmura-t-elle, en enfouissant sa tête dans ses cheveux ébouriffés.

Il soupira, et son corps se fit alors plus lourd sur elle. Mais c'était un poids qu'elle accueillait volontiers, et auquel elle n'avait pas envie d'échapper. Il posa son front sur l'oreiller et secoua la tête.

— Je n'ai pas été capable de résister, et maintenant vous allez le regretter.

— Je ne pourrai jamais regretter cela. Jamais.

Il se redressa légèrement et leva la tête pour la regarder dans les yeux. La lassitude s'empara de ses traits.

— C'est trop tard, quoi qu'il en soit. Je suis vôtre, désormais.

« Je suis vôtre. » Quelle jolie déclaration. Tout le contraire de ce que Peter White lui avait dit. « Vous êtes mienne désormais », avait-il exulté, comme si elle était quelque chose qu'il avait acheté. C'était la différence, semblait-il, entre un garçon et un homme. Exactement comme Jude l'avait affirmé.

Mais elle ne pouvait se réjouir devant la tristesse qu'elle lisait dans son regard. Les yeux de Marissa s'embrumèrent, et une larme roula le long de sa tempe.

— Je n'aurais pas dû céder à la tentation, soupira Jude.

Marissa le tapa sur l'épaule. Violemment. Elle sentit tout le corps de Jude se raidir vers le sien, puis il s'écarta lentement. Elle retint son souffle, éprouvant une étrange sensation quand il se retira.

—Quels que soient vos regrets, dit-il doucement, nous allons nous marier.

—Ce sont vos regrets, et non les miens! cria-t-elle. Je ne regrette rien. J'attendrai le temps qu'il faudra pour que vous m'aimiez de nouveau. Je l'exigerai, vous comprenez? Vous m'aimerez un jour, et maudit soit votre entêtement.

Jude se hissa lentement sur un coude et lui lança un regard noir.

—Oh, ne prenez pas cet air si grave, dit Marissa. Vous êtes coincé avec moi, désormais. Je me servirai de vous jusqu'à ce que vous demandiez grâce. Vous feriez mieux de vous en accommoder.

Elle était sur le point de s'asseoir et d'attraper les couvertures quand il l'arrêta en la caressant tendrement sur la joue avec son pouce.

—Essayez-vous de retourner mon propre plaisir contre moi? Pour m'amener à vous aimer?

—Vous êtes mal placé pour me juger, puisque c'est exactement ce que vous aviez l'intention de faire avec moi. Sauf que c'est vous le capricieux, il me semble. Si facilement détourné de l'objet de votre affection. (Sa respiration devint irrégulière, et elle suffoqua en tentant de retenir ses larmes.) Ne me… s'il vous plaît, ne me dites pas que je me réveille trop tard, Jude. Je viens seulement de me rendre compte à quel point je vous aimais. Ce n'est pas juste.

L'espace d'un instant, la douleur déforma la bouche de Jude et lui donna un air menaçant. Il lui prit le menton et demanda:

—Comment pouvez-vous en être sûre?

Elle cligna des paupières pour chasser ses larmes, furieuse que Jude voie à quel point elle avait mal.

— Je n'ai absolument aucune idée de ce que vous éprouvez, mais je n'ai pas peur de vous révéler mes sentiments. Je vous aime, et peut-être que vous ne m'aimez pas du tout.

— Ah, Dieu, Marissa, dit-il, sentant sa lèvre inférieure trembler sous son pouce. Ne soyez pas sotte. Je vous aime.

Elle déglutit péniblement, mais laissa échapper un petit sanglot de soulagement.

— Vraiment ?

— Bien sûr que je vous aime. Et c'est pour cela que je ne peux supporter l'idée de ne pas vous avoir entièrement pour moi.

Marissa ne fit pas attention aux larmes qui ruisselaient sur ses joues, même quand Jude couvrit son visage de baisers pour les sécher.

— Et vos remords ? demanda-t-elle.

— Je ne regrette rien.

Il s'allongea de nouveau sur elle et l'embrassa. Elle était en train de se demander si elle oserait passer la nuit dans la chambre de Jude, lorsque le calme fut soudain troublé par quelqu'un qui frappait énergiquement à la porte.

Jude se précipita pour attraper les couvertures, quand la porte s'ouvrit à une vitesse déconcertante.

— Désolé de vous déranger, dit Harry qui, Dieu soit loué, était encore dans le couloir. Mais Marissa a disparu et…

Elle croisa le regard de Harry au moment exact où sa voix s'étranglait dans sa gorge. Jude était au moins parvenu à les couvrir en partie, mais elle avait le sentiment que Harry en avait vu beaucoup plus de Jude qu'il n'en avait l'intention.

— Harry, commença Jude.

Celui-ci secoua la tête et recula.

— Oh, qu'importe. Je suis navré. Je vais juste…

— Bon sang, jura Jude alors que la porte se refermait dans un craquement qui semblait annoncer une catastrophe imminente.

— C'est une bonne chose que vous n'ayez pas de regrets, marmonna Marissa.

— Bon Dieu, Marissa, vous êtes un aimant à scandale.

— Je sais. Qui pourrait accepter de m'épouser, maintenant ?

La violence disparut du visage de Jude. Il sourit, puis se mit à rire.

— Vous allez peut-être me briser le cœur et détruire ma réputation, mais je sais déjà que le jeu en vaudra la chandelle.

Il l'embrassa alors, et elle soupira d'aise.

— Combien de temps pouvons-nous encore rester ici ?

Jude secoua la tête.

— Vous êtes trop inconvenante pour votre propre bien. Il est temps de faire face aux conséquences. Une fois de plus.

— Une fois de plus. Cela en devient fatigant. Au moins quand nous serons mariés, je n'aurai pas à avoir peur d'être appelée dans votre bureau.

— Je n'en suis pas si sûr.

Malgré la scène peu réjouissante qui l'attendait en bas, Marissa se rhabilla en riant et en le taquinant. Jude l'embrassa et lui promit de la retrouver devant sa chambre pour qu'elle n'ait pas à entrer seule dans le bureau d'Edward. Quinze minutes plus tard, Marissa apparaissait devant les membres de sa famille, qui semblaient épuisés. En voyant leur expression choquée, elle réussit enfin à prendre un air grave.

Chapitre 24

*P*ris au piège dans le silence de la pièce, Jude songea qu'il était inéluctable que les choses en arrivent là : Marissa assise sur une chaise devant le bureau de son frère, lui debout derrière elle. Il tentait d'afficher une mine repentie, et tous les deux étaient encore affaiblis par l'intensité de leur étreinte passionnée.

La bonne s'était efforcée de rendre Marissa présentable, mais sa bouche était encore rose et enflée, et ses joues enflammées laissaient présager d'autres rougeurs sur son corps, masquées par le col haut de sa robe de chambre.

Jude espérait avoir recouvré un aspect presque normal. Ses cheveux, coiffés, étaient cependant encore mouillés, et il n'avait rien pu faire pour son menton mal rasé, qui lui donnait l'air désinvolte d'un débauché.

Marissa s'éclaircit la voix.

—Je…

—J'assume l'entière responsabilité de ce qui s'est produit, l'interrompit Jude.

Marissa jeta un coup d'œil par-dessus son épaule et prit un air surpris.

—Ah bon, vraiment ? Si vous vous étiez écouté, vous seriez déjà à mi-chemin vers l'Italie à l'heure qu'il est. Seul.

Jude voulut la faire taire du regard, mais elle s'était déjà retournée.

— Je suis un invité dans cette maison, reprit Jude. Et je vous prie de m'excuser d'avoir abusé de votre hospitalité avec autant de...

— Vigueur ? hasarda Marissa.

— Oh, pour l'amour du ciel ! cria Edward, frappant violemment le bureau. Marissa Anne York, vous vous comportez de manière scandaleuse !

Elle haussa les épaules.

— Sans doute. Mais nous sommes fiancés, alors à quoi bon faire tant d'histoires...

— Nous faisons des histoires, éclata Edward, parce que ce soi-disant gentleman... (Le mot était empli d'un si grand mépris que Jude sentit ses épaules se raidir.) ... a promis de ne pas vous déshonorer plus que vous ne l'étiez déjà, quel que soit le statut de vos fiançailles. Des fiançailles qu'aucun de vous deux n'avait l'intention de prolonger, à ce que j'ai cru comprendre.

Jude ravala sa colère et baissa la tête humblement.

— Je ne peux nier avoir failli à ma parole.

— Je ne devrais sans doute pas être surpris, étant donné..., grogna Edward.

Serrant les mâchoires, Jude jeta un coup d'œil vers Aidan, mais son ami le regardait avec froideur et n'affichait aucun signe de compassion.

— Je suppose que vous faites allusion aux circonstances de ma naissance ?

— Vous aviez fait une promesse, dit Aidan avec hargne.

Jude serra le dos de la chaise de Marissa jusqu'à sentir sa main s'engourdir. C'était ce qu'il avait toujours su et n'avait jamais admis. Qu'au moindre faux pas de sa part, ses amis respectables lui tourneraient le dos.

— Et quel est le rapport ? Un homme bien né n'a-t-il jamais agi de façon stupide par amour ? Et l'un d'entre vous n'a-t-il jamais rompu une promesse à cause d'une femme ?

Le visage d'Aidan perdit sa froideur, et fut déformé par une violente fureur.

Jude lui fit face et tint bon.

—Ne me jetez pas ma naissance à la figure en feignant ensuite d'être scandalisé par la vérité. Vous n'êtes pas meilleur que moi, bon sang! Pas le moins du monde.

Le silence s'installa entre eux. Jude s'attendait à ce qu'Aidan dise quelque chose d'impardonnable, ou tout au moins à ce qu'ils en viennent aux mains. Mais Marissa finit par se lever et contourna sa chaise pour se placer à côté de Jude. Elle posa un bras sur le sien.

—Aidan et Edward, vous avez tous deux été indulgents envers ma conduite déshonorante. Pourtant, je crois pouvoir affirmer que j'ai une lignée impeccable. J'ajouterai que c'est un gentleman de la bonne société qui en est à l'origine. (Elle prit un air pensif.) D'ailleurs, tous les hommes que j'ai connus étaient nobles, n'est-ce pas? Jude a donc absolument raison. Son comportement n'a rien à voir avec sa naissance, alors vous devriez avoir honte d'en parler ainsi.

Le visage d'Aidan resta crispé. Ses poings étaient toujours serrés, mais Marissa n'avait pas l'air intimidée.

—Jude a agi comme un gentleman en proposant de m'épouser quand c'était nécessaire, et vous étiez alors bien contents, dit-elle. Votre hypocrisie me fascine.

Rien n'avait bougé. Jude était toujours debout devant les deux frères de Marissa, légitimement furieux. Il se détendit cependant et se sentit envahi par une vague d'émotion. Les paroles de Marissa semblaient sincères. Elle ne regrettait pas de l'aimer. Elle ne regrettait pas ses origines.

Jude dut lutter pour conserver une expression sérieuse en déclarant:

—En vérité, Marissa a accepté de m'épouser.

—Oh, ma parole, non! cria la baronne.

—Mère! s'exclama Marissa.

Jude se rendait cependant bien compte que ce n'était pas lady York qui ferait le plus de difficultés. Edward était le chef de famille, et il paraissait toujours aussi furieux, ou presque.

— Je ne comprends pas, Marissa. Vous avez été très claire sur vos sentiments dès le départ. Cet homme ne signifiait rien pour vous.

— J'ai été stupide. Tellement stupide que même Jude ne m'a pas crue. Toutefois, j'ai fait de mon mieux pour le convaincre, et pour finir… il a cédé.

— Je vois, dit Edward en décochant un regard noir à Jude.

— Oh, ne le dévisagez pas de cette façon. Que pouvait-il faire ? Me chasser dans le couloir alors que j'étais en tenue d'Ève ?

Jude posa la main sur la sienne.

— Marissa.

— Oh, j'en ai assez de cette famille. Je suis ce que je suis. Jude n'en a que faire, et je l'aime.

— Mais non ! s'écria la baronne douairière d'une voix stridente. Ma fille chérie… c'était fort aimable de la part de Mr Bertrand de proposer son aide, mais l'épouser par amour… je ne peux le concevoir.

Marissa lui jeta un regard impatient.

— Vous vous y habituerez, mère.

— Eh bien… tout cela est très étrange.

— Vous avez raison, approuva Jude.

La baronne se radoucit alors un peu. Elle regarda Jude et Marissa tour à tour.

— Je suppose que nous devrions accepter les choses telles qu'elles sont, étant donné qu'elles ont déjà… progressé.

Aidan jura de nouveau, et Edward secoua la tête avec une expression de dégoût.

Leur mère frappa soudain dans ses mains, et le bruit retentit comme un coup de feu.

— Nous allons organiser un mariage spectaculaire juste avant Pâques ! Pensez-vous que votre père pourra être présent, Mr Bertrand ? Ce serait fantastique ! Je crois que…

— Je suis désolée, mère, dit Marissa. Mais le mariage ne peut attendre le printemps pour des raisons évidentes. Le spectacle risquerait d'être un peu trop étonnant, même à votre goût.

Les yeux de sa mère glissèrent sur le ventre de Marissa, et il lui fallut malgré tout quelques instants pour peser le problème.

— Oh, vous devez avoir raison.

— Attendez une minute ! cria Edward. Je n'ai pas donné mon accord à qui que ce soit !

— Oh, arrêtez, mon frère, grommela Marissa. Dans un mois, vous n'aurez plus besoin de vous soucier de moi.

— Un mois, vous dites ?

Son visage se détendit légèrement.

— Peut-être même moins.

La baronne s'agita, essayant de les convaincre qu'elle n'aurait pas le temps d'organiser un tel événement en un mois. Mais quand Jude lui assura que son père serait présent quelle que soit la brièveté du délai, elle se lança dans une tirade sur les préparatifs de la cérémonie avec un enthousiasme qui fit passer le reste de la conversation au second plan.

— Je dois rentrer à Hull dans un mois, grogna Aidan. J'ai un nouveau bateau dont je dois surveiller l'équipement.

La baronne frémit d'indignation.

— Vous serez présent au mariage, Aidan York. Marissa est votre unique sœur et est en train de voir sa féminité s'épanouir.

Le silence s'abattit dans le bureau. Curieusement, personne ne rit, mais Marissa n'en fut pas loin.

Jude était désormais d'une humeur euphorique, mais il remarqua les mines maussades des frères York. Il s'inclina alors légèrement.

— Si vous aviez la bonté de m'accorder un moment en privé avec Edward et Aidan…

— Oh, bien sûr! piailla la baronne. Marissa et Harry vont venir avec moi dans le cabinet de couture pour regarder les gravures de mode qui viennent d'arriver de Londres.

Harry était resté tranquillement assis dans un coin de la pièce, l'air cruellement embarrassé par toute la situation. Il s'anima à l'idée de pouvoir s'échapper.

— Oui, bien sûr! Si je peux faire quoi que ce soit pour vous être utile!

— Mère, se plaignit Marissa alors qu'on la faisait sortir, vous ne pouvez pas préparer un mariage grandiose, car le temps manque.

Juste avant qu'on la mette dehors, elle s'arrêta brusquement.

— Attendez!

Elle se précipita sur Edward et le serra étroitement dans ses bras.

— Vous êtes incorrigible, grommela-t-il, mais en voyant son sourire, son visage grave s'éclaira un instant.

— Je suis heureuse, murmura-t-elle.

— Vous en êtes sûre?

— Absolument.

— Alors je ne vous enfermerai pas dans votre chambre jusqu'au mariage. Si vous promettez de bien vous tenir.

— Je ferai de mon mieux.

Le visage d'Edward s'empourpra derechef, tandis que le sourire de Marissa s'élargissait. Elle s'arrêta pour embrasser Jude sur la joue, avant de sortir d'un pas léger. Jude se tourna alors vers les frères York avec un air bien plus joyeux qu'il ne convenait de prendre dans une telle situation.

— Eh bien, dit Aidan, vous avez obtenu ce que vous souhaitiez.

— Votre sœur m'aime.

Lorsque Jude prononça ces mots, ils lui parurent réels, et il se surprit à les croire vraiment pour la première fois.

— Cela vous paraît peut-être aussi difficile à concevoir qu'à moi, mais c'est vrai.

Edward émit un petit grognement.

— Et vous pensez que cela va durer ?

Il désigna Jude, comme si sa personne rendait la chose risible.

— Ne la sous-estimez pas, dit Jude.

Il avait prononcé ces paroles avec calme, mais il vit qu'elles avaient touché Edward.

— Je ne l'aimerais pas si elle n'était pas forte, intelligente, et capable de voir qui je suis vraiment.

Edward se passa la main dans les cheveux avec lassitude, et Aidan se dirigea vers le buffet pour se servir un brandy. Après avoir jeté un regard noir à Jude, il prépara deux autres verres, qu'il tendit à son frère et à Jude.

Celui-ci accepta et posa la main sur le bras d'Aidan.

— Veuillez m'excuser d'avoir parlé si durement. Et… (Il se racla la gorge.) … je veux vous présenter de nouveau des excuses à tous les deux pour n'avoir pas tenu ma parole. C'est inacceptable, je le reconnais. Mais quoi qu'il en soit, j'épouserai votre sœur.

Edward regarda le plafond pendant un moment. Puis il secoua la tête et se leva pour tendre une main à Jude.

— Vous avez rendu un service inestimable à notre famille. Je ne peux m'indigner, puisque les choses semblent finalement se terminer pour le mieux.

Jude lui serra la main.

— Merci.

— Félicitations.

Aidan ne lui donna pas une grande tape dans le dos en affirmant que tout était pour le mieux. Il s'affala sur une chaise et but son verre d'un trait.

—Comme vous l'avez déclaré un jour, la frontière entre la décence et l'indécence est floue. Vous aviez raison alors, et c'est toujours le cas. Et puis à qui l'honneur a-t-il jamais été utile ?

—Je la traiterai bien, dit Jude calmement.

—Je vois cela. (Aidan agita une main méprisante et se hissa sur ses pieds.) Eh bien, bienvenue dans cette maudite famille. À l'évidence, vous y trouverez tout de suite votre place.

Les deux hommes semblèrent rassurés d'en rester là.

Jude sentit un léger soulagement l'envahir. Il avait pénétré dans cette pièce en sachant que, quelles que soient les objections des York, il épouserait Marissa. Pourtant, son cœur battait à tout rompre, rempli de satisfaction, alors qu'il s'échappait retrouver sa future épouse.

Marissa l'aimait, elle était intelligente, courageuse et, oui, un brin superficielle. Et il l'aimait.

Les membres de la bonne société pouvaient aller au diable. Quelle importance pouvait bien avoir ce que le reste de l'Angleterre pensait de lui, si Marissa l'aimait pour l'homme qu'il était ? Elle était tout ce dont il avait besoin.

Bientôt, leur mariage serait officiel. La famille avait donné sa bénédiction, bon gré mal gré. Le danger d'un scandale public était désormais derrière eux, et Jude était à présent impatient de vivre une existence de débauche en privé.

Un mois à attendre lui parut soudain une éternité.

Chapitre 25

Ce fut, de l'avis général, une très belle cérémonie. Marissa n'en avait aucun souvenir, si ce n'est celui des mains de Jude dans les siennes, de son regard heureux et de son sourire en coin. Il l'avait embrassée et ils avaient quitté la chapelle sous une pluie de vœux de bonheur et de pétales de rose. Ils étaient désormais mariés.

Une fois de plus, l'organisation précipitée du mariage s'était révélée inutile, puisque Marissa n'attendait pas d'enfant, mais elle n'aurait retardé cette journée pour rien au monde.

Elle rayonnait. Elle le savait, et les murmures autour d'elle quand Jude et elle étaient entrés dans la salle de bal et avaient été présentés comme mari et femme l'avaient confirmé.

—La mariée…

—Tellement belle…

—On croirait un ange…

Personne ne dit un mot sur le marié. Mais pour Marissa, il était bien plus un ange qu'elle. L'un des anges guerriers de Dieu, peut-être, muni d'une grande épée en acier au lieu d'une harpe. Il était ardent et doux, et si protecteur qu'il ne l'avait laissée se faufiler dans sa chambre que deux fois depuis le soir où elle l'avait convaincu de rester, un mois auparavant.

Quel homme exaspérant! Il avait fini par verrouiller sa porte pour qu'elle n'entre pas. Mais cette nuit, il serait à elle, et savoir cela faisait briller ses yeux chaque fois que leurs regards se croisaient. Cette nuit il serait à elle, puis toutes les autres nuits où elle le voudrait.

Subitement, Marissa se prit à regretter que sa mère ait renoncé au traditionnel banquet de mariage et ait organisé un bal à la place. Marissa avait été ravie à la perspective de danser avec Jude le soir de leur mariage, alors qu'à présent elle souhaitait que les festivités se terminent au plus vite. Mais sa mère ne leur pardonnerait jamais s'ils s'éclipsaient avant que l'on danse. Que se passerait-il s'il n'y avait pas de grands toasts en leur honneur ou d'exhibition romantique de leur bonheur conjugal ? Et quel serait l'intérêt de ces petits enfants habillés en chérubins se promenant à travers la foule si le couple que l'on fêtait n'était plus là ? Ils déambuleraient dans la pièce sans trouver de couple à bénir.

Marissa aperçut une aile couverte de plumes blanches, et eut un mouvement de recul. Edward et elle avaient tenté de convaincre leur mère de renoncer à l'idée des chérubins, mais elle n'avait pas voulu en démordre. Et voilà qu'ils se retrouvaient acteurs d'une gigantesque pièce de théâtre. Des cris de paons en provenance du jardin se faisaient entendre, et Marissa ne put qu'espérer qu'ils ne meurent pas de froid dans cette nuit glaciale. On ne les discernait pas dans l'obscurité, mais c'était là toute l'idée, apparemment.

Marissa se pencha pour saluer la tante Ophélia, même si la vieille dame donnait l'impression de s'être assoupie.

—Hein ? croassa sa grand-tante en se redressant soudain sur sa chaise.

—Je vous demandais ce que vous aviez pensé de la cérémonie, tante Ophélia !

Celle-ci leva la tête et plissa les yeux vers Marissa.

—Oh, je l'ai trouvée très bien.

— Vous m'en voyez heureuse.

Les rides sur le visage de la vieille dame se creusèrent dans un sourire. C'était un phénomène si rare que Marissa se mit à rire, ravie. Peut-être tante Ophélia était-elle plus gentille qu'elle ne le paraissait.

— Oui, la cérémonie m'a beaucoup plu, répéta tante Ophélia. Et c'est une bonne chose qu'on vous ait trouvé un mari avant que vous veniez à bout de la ribambelle de gentlemen de la Saison à venir.

Le sourire de Marissa se figea.

— Pardon ?

— Il n'y a rien de mal à se peloter un peu, ma fille. Mais vous devriez être plus discrète. Les filles étaient plus malignes, à mon époque. Je commençais à croire que votre intelligence était aussi faiblarde que votre vertu.

— Je… Tante Ophélia… Je vous demande pardon ?

Mais la vieille dame s'assoupit de nouveau sur sa chaise. Marissa était sur le point de la secouer quand elle sentit une main se poser sur son épaule. Encore abasourdie, Marissa leva les yeux et aperçut Jude qui lui souriait. Elle jeta un dernier regard troublé à tante Ophélia avant de se redresser.

Elle parvint à afficher un sourire hésitant.

— Mon père, murmura Jude en se tournant pour faire face au duc.

Marissa reprit ses esprits et lui fit une révérence.

— Votre Grâce, dit-elle avec un vrai sourire.

Elle avait rencontré le duc la veille, mais elle s'étonna derechef de son apparence. Le duc de Winthrop, l'un des plus nobles pairs d'Angleterre, était le portrait craché de Jude.

Elle rougit en pensant au nombre de fois où elle avait imaginé Jude en jardinier ou en forgeron. Quelle sotte elle avait été. Le duc n'était pas aussi grand que Jude, ni aussi robuste, mais il était indéniable que Jude avait hérité du visage de son père, jusqu'à sa large bouche et sa mâchoire carrée.

Le duc la taquina sur son rougissement, et elle le laissa penser qu'elle était timide et nerveuse. Jude assista à la discussion avec une expression incrédule.

— Juste un moment, ma chère, dit le duc en lui tapotant la main. J'ai une surprise pour vous, si seulement je pouvais mettre la main dessus.

Quand son père tourna les talons, Jude se pencha vers Marissa pour effleurer son oreille de ses lèvres et lui murmurer :

— On pourrait penser qu'après avoir aimé ma mère, il serait capable de reconnaître une femme inconvenante quand il en voit une.

Souriante, Marissa se haussa sur la pointe des pieds pour que la bouche de Jude se pose dans son cou. Il la remercia par un petit mordillement, puis lui dit qu'elle était une distraction gênante et recula. Elle souriait encore quand le duc revint avec un jeune gentleman sur ses talons.

— Regardez qui est arrivé juste à temps pour la cérémonie !

— Melbourne ! s'exclama Jude en donnant une tape dans le dos du nouveau venu.

— Je vous en prie, poursuivit le duc, laissez-moi vous présenter mon fils, le vicomte Melbourne et bientôt le duc lui-même, je n'en doute pas.

— Père, dit l'homme d'un ton péremptoire.

— Melbourne, je suis heureux de vous présenter votre nouvelle sœur, Mrs Marissa Bertrand.

Elle fit une profonde révérence, tout en l'examinant furtivement tandis qu'il s'inclinait. Il devait ressembler à sa mère. Il était plutôt beau. Et élégant. Et Marissa n'avait qu'une envie, c'était qu'il parte pour que Jude puisse continuer de lui mordiller le cou. Mais elle réussit à être affable et conversa avec les deux gentlemen pendant une dizaine de minutes. Tous les invités les observaient. La moitié d'entre eux se posaient sans doute des questions sur la relation entre Jude et son père, tandis que l'autre moitié devait penser au fait que le jeune vicomte aurait un jour besoin de prendre une épouse.

S'ils savaient que Jude et Marissa faisaient escale en France avant leur lune de miel en Italie, les conversations seraient d'autant plus animées. Un duc était une chose, mais une courtisane française en était une autre. Ou du moins, c'était l'opinion de Marissa.

Pendant que Jude et son frère évoquaient ensemble des souvenirs vraiment très masculins – un certain lieu de pêche –, les premiers accords des violons résonnèrent. Marissa leva les yeux et vit sa mère, au niveau des pots de fougère dissimulant l'orchestre, lui adresser des signes furieux.

— Jude, je crois que nous sommes attendus.

— Ah, oui. Cette plante a en effet l'air extrêmement impatiente. Veuillez nous excuser, père. Melbourne.

Une minute plus tard, ils émergèrent des fougères, encadrés par une bande de chérubins. Edward, qui était en train de les présenter à l'assistance, s'étouffa et se mit à bafouiller à la vue de cet essaim d'ailes. Marissa aurait voulu disparaître sous terre, mais Jude semblait s'amuser follement. Elle lui donna plusieurs coups de coude, mais son sourire ne faiblit pas.

Comme il refusait de partager son humiliation, Marissa essaya de se distraire en observant la foule. Beth et sa cousine étaient au premier rang, et Mr Dunwoody, cet idiot qui ne savait pas ce qu'il voulait, était au côté de Nanette et la regardait en souriant. Elle constata avec intérêt que Harry se tenait près de Beth. Elle n'aurait pas remarqué cela s'ils n'avaient eu récemment une conversation à propos de son amie.

Ses réflexions furent interrompues par un tonnerre d'applaudissements, qui faisait suite au discours d'Edward. Le troupeau de chérubins escorta alors Jude et Marissa en direction de la piste de danse.

Oubliant Harry et Beth, Marissa entoura de ses bras son mari, sans prêter attention aux plumes qui flottaient dans les airs.

— Pas encore de regrets ? demanda-t-il alors qu'ils commençaient à valser.

— Mis à part ma crainte de glisser sur une plume d'ange et de me rompre le cou, pas le moindre regret. Et vous ?

— Vous savez que j'ai désiré cela dès la première fois où mes yeux se sont posés sur vous.

— Quand nous sommes-nous rencontrés pour la première fois ? le taquina-t-elle.

Elle avait posé la question sur le ton de la plaisanterie, mais Jude la regarda avec un air concentré.

— Aidan m'avait traîné ici pour une partie de chasse. Je n'ai pas une grande passion pour la chasse, mais je suis venu malgré tout. Et quand je suis entré dans la salle de musique, vous étiez là, à danser avec votre cousin. Il vous a dit quelque chose qui vous a fait sourire, puis vous avez aperçu un gentleman qui passait, une expression sensuelle et concupiscente est alors apparue sur votre beau visage.

— Arrêtez, fit-elle en riant.

— C'est vrai. Et j'ai pensé : « Voilà une femme qui cherche le plaisir. »

— Jude !

Elle rougit et lui donna une tape sur le bras. Puis elle prit conscience que toute l'assistance s'était mise à pouffer. On les observait.

— Vous êtes horrible, murmura-t-elle.

— Peut-être. Mais j'avais raison, n'est-ce pas ?

Quelques autres couples vinrent se joindre à eux, et Marissa put se serrer un peu plus contre son mari.

— C'est vrai que je veux du plaisir, répondit-elle. J'en ai terriblement envie.

— Petite polissonne. Ne me provoquez pas.

— Mais il y a déjà plusieurs semaines que j'ai un désir ardent de faire l'amour.

Jude gémit et lança un regard énervé autour de lui.

— Combien de danses devons-nous encore leur accorder ?

— Pas plus de trois, je pense.

— Parfait.

Marissa observa Mr Dunwoody qui marchait d'un pas pressé en tenant un verre de punch. Il avait l'air malingre, et un menton fuyant. Cette pensée la fit sourire.

Jude se pencha de nouveau à son oreille.

— Une fois que nous serons installés, il faudra que j'engage de jolis valets pour le plaisir de vos yeux.

— Quoi ? Je ne regardais personne.

— Mais bien sûr.

— C'est vrai ! Quoi qu'il en soit, je croyais que vous étiez devenu jaloux.

Il recula la tête et lui sourit.

— Non. Je ne suis plus jaloux. Regardez autant qu'il vous plaît. Mais ne touchez pas, je vous prie.

— Bien. La même chose est valable pour vous, cher mari.

— Je n'ai nul besoin de regarder d'autres femmes, déclara-t-il avec un sourire effronté.

— Nous verrons bien. Dans quelques années, vous aurez peut-être follement envie de jeter un coup d'œil à une vraie poitrine. Ou deux.

Rejetant la tête en arrière, Jude se mit à rire si fort que toute la salle s'arrêta pour le regarder, avec un sourire indulgent.

— Votre poitrine, dit-il enfin, me suffit amplement.

— Quel maigre appétit vous devez avoir, murmura Marissa. À propos, si je ne me trompe, je crois que tante Ophélia vient de me traiter de stupide catin.

Jude dut penser qu'elle plaisantait, car il secoua la tête comme s'il ne comprenait pas la plaisanterie. Oh, très bien. Marissa ne la comprenait pas non plus.

Ils étaient au milieu de leur deuxième danse, quand Marissa remarqua que Beth dansait avec Harry, et que celui-ci arborait son sourire le plus charmant. Allait-il courtiser l'une des demoiselles Samuel, comme il en avait évoqué l'idée ? Marissa sentit son cœur se remplir de bonheur en songeant que Beth serait peut-être un jour sa cousine. Elle n'épouserait pas un homme du Sud pour disparaître plusieurs mois à la suite.

Mais il y avait une ombre au tableau. Harry n'aimait pas Beth, et Marissa désirait voir Beth heureuse.

— Pensez-vous, glissa-t-elle à l'oreille de Jude, qu'un mariage puisse être heureux si les époux ne sont pas amoureux ?

— Ce n'est pas vraiment le moment opportun pour aborder le sujet, petite femme chérie.

— Je parlais de quelqu'un d'autre.

— Eh bien… je n'en suis pas sûr. Il y a quelque temps encore, j'espérais que si nous nous mariions, vous en viendriez à m'aimer. Je crois que cela arrive. J'ai vu Charles LeMont et son épouse à Grantham, l'autre jour.

— Vraiment ? Elle s'est enfuie en pleurs en vous voyant, j'espère ?

Jude la regarda d'un air réprobateur.

—Ils ne m'ont pas vu. Mais ils semblaient heureux. Très heureux.

—Je pense que je devrais me sentir soulagée, pour moi, tout au moins.

—Soyez soulagée pour elle, dit Jude doucement.

—Oui, je crois que vous avez raison. Pour elle et pour Charles.

Jude était si bon. Elle réprima l'envie de poser la tête sur son torse. Pas encore. L'attente allait être longue.

Quand la danse prit fin, Marissa se dirigea droit vers Beth pour la taquiner à propos de Harry.

—Votre cousin a toujours été si gentil avec moi, répondit Beth, sans le moindre soupçon de rose sur les joues.

—Hum. Il a une rente de mille livres par an, vous savez. Il fera un bon mari, un jour.

—J'en suis sûre. C'est un homme si prévenant.

Mais Beth ne lui prêtait pas la moindre attention. Elle était bien trop occupée à observer Mr Dunwoody, lui-même trop pris à aduler Nanette pour remarquer le regard insistant de Beth. L'un des chérubins arriva et fit semblant de viser le cœur de Mr Dunwoody avec une flèche. *Maudite petite bête à plumes.*

Marissa aperçut Edward qui s'avançait vers elle.

—Ah, voici mon frère, qui a l'air beaucoup trop sérieux, comme d'habitude. Avez-vous dansé avec lui, Beth ? demanda Marissa, dans le but de détourner son esprit de Mr Dunwoody.

—Aidan ? Pas encore, mais il m'a assuré qu'il viendrait me trouver plus tard.

—Je parlais d'Edward, dit Marissa, alors que son frère arrivait près d'elle.

Quelque chose d'étrange se produisit alors. Son amie bondit comme si elle avait été piquée, et son regard se posa sur Edward. Et tandis que celui-ci se penchait vers

Marissa pour se plaindre des chérubins, le visage de Beth devint cramoisi.

— Non, pas avec lui, répondit-elle plus fort qu'elle n'en avait l'intention.

Edward leva les yeux.

— Je suis navré. J'ai interrompu votre conversation.

— Non ! s'écria Beth d'une voix stridente. Ce n'est rien.

— Edward, dit Marissa avec insistance. Vous devriez danser avec Miss Samuel, ce soir. Vous amuser un peu.

Le cri angoissant d'un paon couvrit un instant la musique, et Edward prit un air renfrogné.

— Oui, bien sûr, marmonna-t-il en s'inclinant légèrement en direction de Beth. Je crois que c'est un quadrille qui s'annonce. J'espère que vous me ferez l'honneur de m'accorder cette danse, Miss Samuel.

Bouche bée, Beth le regarda fixement et ne répondit pas, mais Edward était trop distrait pour le remarquer.

— Veuillez m'excuser. Je crois que je viens juste d'apercevoir un paon se promenant dans le couloir.

— À l'intérieur ? s'exclama Marissa, tendant le cou vers la porte.

Elle plissa les yeux d'un air soupçonneux, se demandant si sa mère avait prévu cela. Comme elle la connaissait, cela semblait hautement probable. Elle avait dû penser que quelques hurlements de dames égaieraient le bal. Et puis, pourquoi ne pas ajouter quelques plumes colorées à celles qui flottaient déjà au-dessus des danseurs ?

— Ma mère a vraiment…

Mais quand Marissa se retourna vers Beth, elle constata que son amie avait disparu.

Marissa resta immobile, trop intriguée pour bouger. La réaction de Beth avait sans aucun doute été très curieuse. Elle essaya de se remémorer d'autres moments tendus entre sa compagne et Edward, en vain. Elle ne parvint pas à se souvenir d'une seule discussion entre eux, ce qui était encore plus surprenant que le rougissement de Beth.

Avant d'avoir le temps de réfléchir à une théorie, Marissa devina quelqu'un derrière elle. La brève caresse d'une bouche chaude sur son cou ne lui laissa pas de doutes sur l'identité de l'homme dans son dos.

—Il est temps pour notre troisième danse, susurra-t-il, et Marissa sentit ses joues devenir brûlantes.

Le mystère qui entourait l'embarras de Beth devrait attendre. Après leur lune de miel, même. Elle se tourna vers Jude et prit joyeusement la main qu'il lui tendait. Bientôt, ils seraient dans leur chambre à coucher, sans énigme à résoudre, sans oiseaux errants et sans plumes d'ange flottant entre eux.

Le paradis.

Aucune plume ne les attendait, mais il y avait des pétales de rose. Partout.

—Hum, soupira Marissa en en retirant un sur le ventre de Jude et en appliquant un baiser à la place. Vous sentez si bon.

—Je... (Il retint un instant son souffle, quand elle l'embrassa un peu plus bas.) Je fais mon possible pour satisfaire... comme toujours.

—Je reconnais, murmura-t-elle, la bouche collée contre le léger duvet qui descendait sous son nombril, que j'étais convaincue que les roses étaient l'œuvre de ma mère. Je n'ai pas pensé un instant que vous puissiez en être à l'origine.

—Je... voulais seulement...

—Détendez-vous, mon amour, dit-elle lentement. Respirez.

Elle effleura le bout de son membre avec ses lèvres et sourit en entendant son souffle se déchaîner. Et quand elle le lécha, il cessa complètement de respirer. Il était si chaud. Et c'était si agréable.

Elle sourit à cette pensée et le goûta encore à plusieurs reprises pour s'en assurer. Oui, c'était sans aucun doute très agréable.

Marissa ne savait pas exactement comment procéder, à présent. Quand elle était allée lui rendre visite en secret, Jude s'était livré à des baisers scandaleux, mais sa tâche ne lui semblait pas du tout la même. Pourtant lorsqu'elle referma la bouche sur son sexe, il lâcha un grognement de plaisir torturé et ses hanches tressaillirent vers elle.

Oh, mon Dieu! Ravie – et terriblement excitée –, Marissa le prit plus profondément dans sa bouche, s'émerveillant de sa douceur sur sa langue. C'était parfaitement inconvenant, et elle était tout à fait consciente de l'humidité entre ses cuisses alors qu'elle faisait descendre sa bouche le long de son membre. Quand elle remonta, puis le prit de nouveau profondément, Jude gémit. Ce son plaintif lui faisait l'effet d'une main caressant son intimité, et Marissa se mit à gémir à son tour. Chaque fois que le sexe de Jude glissait sur sa langue, elle s'agitait avec une excitation croissante. Elle le sentait grossir au fur et à mesure de ses caresses.

— Bon Dieu, fit Jude.

Levant la tête vers lui, elle vit qu'il la regardait, les yeux plissés par une concentration intense.

— Venez ici, mon amour, murmura-t-il.

Elle ne tint pas compte de son appel et prit de nouveau profondément sa virilité dans sa bouche, mais il glissa la main dans ses cheveux pour l'arrêter.

— J'ai des projets plus grandioses pour notre nuit de noces. Si je me laisse aller ainsi…

Elle se lécha les lèvres.

— Oh, pouvez-vous faire cela?

Jude gémit et laissa sa tête retomber sur l'oreiller.

— Vous allez causer ma perte en me regardant ainsi.

— Mais vous devez me laisser…

Il l'attira sur son torse et l'embrassa.

— Oui, je vous laisserai faire cela, petite effrontée. Demain. Ou plus tard ce soir ? Mais pas maintenant. Maintenant, j'ai envie de…

Il caressa ses fesses, et quand ses doigts plongèrent dans son sexe, Marissa pressa ses hanches contre lui avec un gémissement de désir.

— Mon Dieu, mais vous êtes terriblement excitée, murmura-t-il. Déjà.

— Cela m'a plu, reconnut-elle.

Elle sentit un frisson la parcourir.

Jude la fit basculer sur le dos et s'allongea sur elle, puis l'embrassa avec une telle intensité qu'elle en eut le souffle coupé. Et quand il la pénétra d'un coup de reins implacable, elle suffoqua de plaisir.

— Je vous aime, chuchota-t-elle en enfouissant sa main dans ses cheveux. Pour toujours.

Ici, dans leur lit, Jude était un homme, et elle était une femme, et il n'y avait pas de place pour des réflexions sur la distinction, l'élégance ou la société. Dehors, sa vie était peut-être superficielle et mondaine. Mais ici, ils étaient indécents, honnêtes et sauvages ensemble. Et Marissa ne le regretterait jamais, pas même dans mille ans.

Ici, Jude était beau, et elle était la bête qui le dévorerait si elle le pouvait.

— Pour toujours, murmura-t-il en lui faisant écho, et c'était la plus belle chose qu'elle avait jamais entendue.

EN AVANT-PREMIÈRE

Découvrez la suite des aventures
de la famille York dans :

CŒUR BRISÉ
(version non corrigée)

Bientôt disponible chez Milady Romance

Traduit de l'anglais (États-Unis) par Fanny Adam

Chapitre premier

— *J*e vous remercie, Mr York. Ce fut un plaisir, un réel plaisir.

Aidan York adressa un sourire grave au châtelain rubicond. L'éclat sévère, incandescent, de son regard pouvait difficilement passer pour du plaisir. L'émotion qui s'y reflétait s'apparentait davantage à un franc soulagement. L'homme avait investi tout son actif dans un navire et une mer agitée avait causé sa ruine peu de temps après.

Aidan pencha la tête.

— L'argent sera remis cet après-midi à votre fondé de pouvoir.

— Merci, dit l'homme, en s'inclinant d'un mouvement brusque. Merci, monsieur.

Aidan le salua tout en prenant congé, l'esprit déjà occupé à d'autres projets. S'il quittait Hull avant la tombée de la nuit, il serait de retour à Londres en quête d'un acheteur avant même que ne commencent les travaux sur le bateau. Si son calcul était exact – et il ne se trompait jamais –, il ferait un bénéfice d'un millier de livres en quinze jours. Il n'avait pas perdu sa matinée.

C'est à peine s'il remarqua la beauté de la vue qui s'étendait devant lui lorsqu'il quitta l'allée pour les pavés.

Kingston-upon-Hull était un petit port fluvial, dont les larges rues – ainsi que les ruelles plus pittoresques de la vieille ville – étaient encombrées de femmes qui faisaient leur marché et de domestiques, de marins et de négociants, tous s'adonnant avec diligence à leurs occupations. Plusieurs passants levèrent la tête en direction du ciel au moment où le soleil perça à travers les nuages. Aidan ne les imita pas. Il avait des dispositions à prendre, des transactions à négocier. La météo ne l'intéressait pas le moins du monde, sauf, bien sûr, si elle affectait le programme des expéditions.

Distançant la cohue qui l'entourait, il prit à droite en direction des docks et du petit bureau qu'il y louait. Cependant, il fut arrêté dans son élan lorsqu'il déboucha sur une étroite venelle encore plus bondée que la précédente. Incapable de soutenir un rythme plus lent, il réprima un grognement et balaya l'artère du regard à la recherche d'un passage, d'une brèche dans la foule.

Pendant un instant, il crut apercevoir quelque chose, continua de scruter la rue, puis cligna des yeux, tandis que son esprit était frappé d'un éclair de lucidité. Une sensation d'oppression le saisit qu'il reconnut tout de suite malgré le fait qu'elle ne s'était plus fait sentir depuis des années. Il ne put s'empêcher de procéder à un examen rapide des personnes qui se trouvaient devant lui : des femmes, des hommes, des enfants. Il les passa en revue comme des cartes sur une table de jeu.

Là ! Une femme marchait loin devant lui, chaque pas qu'elle faisait relevant à peine sa jupe vert foncé. La laine opaque de sa tenue ne laissait rien paraître et un chapeau grossier, assez large, dissimulait sa chevelure et son visage.

Aidan désapprouvait la manière dont battait son pouls. Il était ridicule, pitoyable. Néanmoins, il suivit du regard l'étrangère avec beaucoup d'attention, absorbant tous les détails : ses épaules, l'inclinaison de sa tête…

Avec un sourire méprisant, il pesta contre lui-même à cause de l'espoir insensé qu'il avait laissé naître dans sa poitrine. Quand bien même la démarche de la jeune femme avait quelque chose de familier, il ne pouvait s'agir de Katie.

Il déglutit avec peine et se força à détourner les yeux.

Il n'avait pas ressenti cela depuis des années. En fait, il s'était imaginé que cette absurde pulsion appartenait à un lointain passé. Pourtant, il avait le cœur chancelant et cela se voyait à ses joues en feu. Malgré lui, il concentra de nouveau son regard pour la retrouver. Comme s'il avait été en transe, il ralentit le pas et regarda la femme s'arrêter pour déverrouiller une porte bleu vif qu'elle ouvrit sur la fraîcheur de la rue avant de s'y engouffrer.

Quelque peu à l'écart du flux de la circulation, Aidan examina le bâtiment. Celui-ci ne comprenait qu'une petite enfilade de boutiques bien alignées. L'enseigne, au-dessus de la porte par où la femme était entrée, annonçait : Hamilton Coffees.

Sans doute était-ce Mrs Hamilton, mais sûrement pas Katie. Ce n'avait jamais été Katie et ne le serait jamais. Il le savait depuis assez longtemps déjà et aurait dû en être guéri, mais il continuait pourtant d'avoir la gorge nouée. Les muscles de son visage se contractèrent au seul souvenir du chagrin. Ces dernières années, il était même parvenu à maîtriser sa peine et ne pouvait se permettre de la laisser s'épancher à nouveau.

Respirant avec lenteur, il se concentra sur la forte odeur qui provenait du chantier naval et enveloppait la ville entière. Effluves d'iode, de bitume et de bois. Il ferma les yeux, épiant le cri incessant des mouettes. Elles étaient pour lui tout autant synonymes d'argent que le cliquetis de n'importe quel tas d'or.

Quand il rouvrit les yeux, il avait recouvré un peu de son calme. La porte bleue n'était plus qu'une simple porte et l'échoppe une simple échoppe. D'un moment à l'autre, la femme en ressortirait. Elle franchirait le seuil pour prendre un peu d'air frais ou balayer la poussière du passage. En outre, ce serait une femme, non un fantôme. Il pourrait alors s'éloigner, remisant le passé en enfer d'où il n'aurait jamais dû sortir.

Aidan s'attarda et patienta, tandis que les attelages et les charrettes passaient tout près de lui en grondant, lui cachant la vue pendant quelques douloureuses secondes. Il attendait toujours lorsqu'une femme aux formes généreuses pénétra dans l'entrée obscure avant de ressortir munie d'un petit paquet. Il attendit que l'oppressant désir se dissipe et sut alors qu'il pouvait poursuivre sa route. Il n'avait plus besoin de revoir la femme mystérieuse.

Ce n'était pas Katie.

Aidan tourna le dos à la boutique et prit la direction opposée.

PEMBERLEY

Achevé d'imprimer en avril 2012
Par CPI Brodard & Taupin - La Flèche (France)
N° d'impression : 68703
Dépôt légal : mai 2012
Imprimé en France
81120760-1